KB199401

AI 모델을 위한
자연어추론 데이터

남 지순 지음

리니토북스

남지순 | 한국외국어대학교 언어인지과학과 교수

AI 모델을 위한 자연어추론 데이터
Natural Language Inference Datasets for AI Models

2025년 1월 20일 1판 1쇄

저자 | 남지순
발행처 | 리니토북스
등록 | 2024.7.8. 제2024-000086호
주소 | 경기도 성남시 분당구 정자일로 27 B-703
전화 | +82-31-782-7700
이메일 | dico2010@gmail.com
홈페이지 | http://linito.kr

ISBN | 979-11-988991-5-6 93700

가격 26,000원
리니토북스

NLI DATASETS FOR AI MODELS

NATURAL LANGUAGE INFERENCE

AI 모델을 위한

자연어추론 데이터

남지순 지음
By Jeesun Nam

리니토북스

머리말 | 저자 서문

　이 책에서는 AI 언어 모델(language model)의 '자연어추론(Natural Language Inference: NLI)' 능력 학습을 위해 제안된 NLI 데이터셋의 연구 동향을 소개하고, 현재 지적되는 한계점들을 극복하기 위해서 자연언어의 어떠한 특징들이 고려되어야 하는지에 대해서 고찰하였다. 특히 한국어에 특화된 NLI 데이터셋을 설계하기 위해서, 어떠한 한국어 고유의 언어적 속성들이 기술되어야 하는지를 심층적으로 논의하였다.

　이 책은 다음 세 부분으로 구성된다. 제1장에서는 현재 자연어추론 데이터셋 구축 연구 동향을 고찰하고, 제2장에서는 한국어의 통사·의미적 속성에 기반한 자연어추론 데이터셋 구축에 중요하다고 판단되는 언어학적 현상들을 78개 유형으로 분류하여 논의한다. 끝으로 제3장에서는 이 유형별 속성을 통해 제안된 자연어추론 스키마 KOLINS와 이에 따라 구축된 한국어 추론데이터 KOLIN(버전 V1.0)에 대한 소개 및 성능 평가가 진행된다.

　AI 모델에 의한 언어처리 능력이 놀라운 속도로 발전하고 있지만, 자연어이해(Natural Language Understanding)의 영역은 여전히 많은 연구를 필요로 한다. 여기에 특히 추론(inference)의 문제는 인간의 언어를 이해하고, 대화하고, 그 요구를 수행하는 데에 있어, 반드시 요구되는 지적 능력으로서, 자연어이해 연구의 핵심적인 논점의 하나로 등장하였다. 영어권 연구의 경우 최근 10여년전부터 본격적인 NLI 데이터셋 구축 연구가 소개되어 왔지만, 자연어이해는 개별적인 자연어 특징에 매우 의존적이어서, 영어 데이터의 참조와 자동 번역 등과 같은 과정만으로 한국어 NLI 데이터셋을 획득하는 것은 적절하지 않다. 또한 초기에 구축된 대규모 영어 NLI 데이터셋의 한계점을 극복하기 위해서 제안된 다양한 언어학적 NLI 데이터셋의 설계 논의를 한국어에 곧바로 적용하는 것도 가능하지 않다. 본 연구에서는 한국어 고유의 언어학적 속성을 분류하여 이에 기반한 추론쌍 설계 스키마를 제시함으로써, 향후 한국어 언어 모델의 추론 능력을 향상시킬 수 있는 체계적인 학습 데이터의 증강을 위한 토대를 제공하고자 하였다.

이 책은 한국어에 특화된 다양한 태스크의 AI 모델을 개발하고자 하는 개발군 연구자들뿐 아니라 자연어이해를 위한 언어데이터 구축에 관심이 있는 데이터언어학 연구자들, 그리고 한국어의 추론 관계에 관여하는 어휘·통사·의미적 속성들에 대한 언어학적 연구를 수행하고자 하는 이론언어학 및 한국어학 연구자들을 대상으로 하였다. 본 연구는 한국외국어대학교 언어인지과학과의 대학원 강의에 참여하였던 대학원 학생들과의 토론과 학문적 논의에 많은 도움을 받았다. 이러한 과정을 통해 이 책에서 제안하는 78가지 한국어 언어학적 추론쌍 유형이 구성될 수 있었으며, 이를 바탕으로 실제 데이터 NLI 스키마를 구성하여 16,000여개의 샘플 데이터셋을 구축하는 연구를 수행할 수 있었다. 이 책은 대학에서의 강의와 연구를 바탕으로 시작되었으나, 언어 모델의 파인 튜닝(fine-tuning)을 위한 학습데이터셋 구축에 필요한 실제 스키마를 제안하는 역할을 함께 수행할 수 있게 되었다. 본 연구에서 분류하여 제안하는 한국어의 언어학적 속성 유형별 분석을 통해, 향후 언어 모델이 어떠한 통사·의미적 언어 현상 이해에 특히 취약한 양상을 보이는가를 파악하고, 이를 위한 맞춤형 데이터 증강이 가능할 것으로 판단된다. 이를 통해 '설명 가능한 AI(eXplainable AI: XAI)'를 구현하기 위해 왜 이와 같은 '언어학적 접근법(symbolic approach)'이 반드시 함께 병행되어야 하는지를 다시 한번 성찰할 수 있는 기회가 되기를 기대한다.

책의 구성 | 목차

♛ 자연어 추론 능력이 **왜** 필요할까?

- CASE STUDY | AI 어시스턴트
"11시 임원 회의전에는 다른 스케줄을 잡지마"라는 대표의 요청에 대하여, 한 외부 고객이 "점심 전에 미팅 가능할까요?"하고 문의한다면, AI 어시스턴트는 어떻게 스케줄을 제안해야 할까?

- 답변을 위해 요구되는 실세계 지식(KNOWLEDGE)과 시간 추론능력
  ✓ 회사 출근 시간이 9시이므로, 9시부터 11시까지는 스케줄 불가
  ✓ 임원 회의가 1시간 정도 소요되므로, 12시까지 스케줄 불가
  ✓ 외부 고객과의 미팅은 일반적으로 30분 단위로 스케줄링 가능
  ✓ 회사 점심 시간이 오후 1시부터이므로, 12시와 12시30분에 미팅 가능

- 시간 관계 추론 능력 학습을 위한 NLI 학습데이터 추론쌍의 예시

> - P | 대표는 11시 임원 회의전에는 다른 스케줄이 불가능하다.
> - H | [1] 대표님은 오전 10시쯤 미팅이 가능합니다.   [모순]
>   [2] 대표는 11시 임원 회의전 외부 고객 미팅을 할 수 있다. [모순]
>   [3] 회사 대표와 11시 10분에는 미팅을 잡을 수 있어요.   [모순]
>   [4] 대표는 정오 이후 미팅이 불가능하지는 않다.   [함의]

위의 사례에서 본 것처럼, AI 어시스턴트가 대표의 요청에 맞추어 외부 스케줄을 설정하기 위해서는 '실세계 지식(world knowledge)' 및 '상식 지식(common sense)'과 더불어, 한국어 시간 표현 문장들 사이의 추론관계 학습을 통해 실세계의 시간 관계를 추론할 수 있는 능력이 갖추어져야 한다.

- AI 어시스턴트의 응답 예시
"네, 1시 점심 전에 12시 또는 12시30분부터 30분간 미팅이 가능합니다."

제1장

자연어추론 데이터셋 연구 동향

1 자연어추론(Natural Language Inference)

1.1 자연어추론의 정의

AI가 인간의 언어를 '이해(understanding)' 한다는 것은 자연어처리
(Natural Language Processing: NLP) 연구에서 가장 핵심적이고 본질
적인 도전이다. AI가 인간과 대화하고 인간의 언어로 된 모든 지적인 활
동에 참여하며, 또한 인간의 지적 작업을 대신하거나 인간의 요구나 질
문에 반응하는 것은 근본적으로 인간의 언어를 '이해'하는 능력에서부터
출발하고, 이러한 능력에는 사실상 '추론(inference)'이라는 메커니즘이
작동해야 한다.

현대 자연어이해(NLU) 연구 영역에서 가장 중요하고도 극복해야 할
영역의 하나로 간주되고 있는 '자연어추론(Natural Language Inference:
NLI)' 연구는 이러한 근본적인 성찰에서 비롯되고 있으며, 이와 같이 실
제 '인간의 언어(natural language)'를 입력문으로 하는 NLI 연구는,
'수학적 표현'을 통해 설명되는 전통적인 형식 논리학 연구와는 다른, 복
잡한 실제 언어 문장을 대상으로 하므로 별도의 접근법이 요구된다. 자
연어추론(NLI)의 대상문은 형식 논리와 달리 '비형식적인(informal)' 입
력문의 성격을 가지며, '일반 사람들의 상식(common sense)'에 기반한
추론을 요구하는 것이어서, 엄격한 논리적 귀결을 증명하거나 수학적 법
칙을 적용하는 것이 불가능하다. NLI는 '자연어로 된 가설문
H(Hypothesis)'가 '자연어로 된 전제문 P(Premise)'로부터 '합리적으로'
추론될 수 있는가를 결정하는 문제로서, 예를 들면 다음과 같은 문장쌍
에서 이를 확인할 수 있다(MacCartney 2009).

- 전제문 | 유엔은 3백만명에서 4백만명의 사람이 작년에 그 질병으로
  사망했다고 보고했다.
- 가설문 | 3백만명 이상의 사람이 작년에 그 질병으로 사망했다

위의 전제문에서 '유엔은 3백만명에서 4백만명에 이르는 사람이 작년에
그 병으로 사망했다고 보고했다'고 하였고, 가설문에서는 '3백만명 이상
의 사람이 작년에 그 병으로 사망했다'는 내용이 기술되었는데, 일반적인
사람들은 '위의 전제문이 참(true)이라면 가설문도 참(true)'이라는 결론
을 도출할 수 있다. 즉 '3백만명에서 4백만명에 이른다'는 수량사 범위는
'3백만명 이상'이라는 의미에 포함되기 때문에 두 문장이 '함의
(entailment)' 관계를 구성한다고 판단할 수 있으며, 또한 유엔에서 이와
같이 보고했다면 그 내용은 사실(fact)에 기반하고 있다는 합리적 추론을
하는 것이다. 이러한 상식적인 판단은 형식 논리학의 수학적 명제에서는
고려되지 않는 NLI 영역의 특징인 것이며, 실제로 엄격한 논리적 포함
관계를 논의하는 집합 명제나 형식 논리학 연구와는 일치하지 않는 현상
들을 관찰할 수 있다.
　　NLI 데이터는, 코퍼스에서 추출되거나 새로 생성된 하나의 문장(이를
'전제문 P(Premise)'로 명명)과, 이에 대응되는 새로운 하나의 문장(이를
'가설문 H(Hypothesis)'로 명명)으로 하나의 추론쌍을 구성하고, 이때
두 문장 사이에 나타나는 의미관계의 특징에 따라 다음과 같이 '함의(E:
Entailment)'와 '모순(C: Contradiction)', 그리고 '중립(N: Neutral)'의
3가지로 정의한다.

- 함의(E:Entailment)　　 | 전제문(P)이 참일 때 가설문(H)이 참이 되는 관계
- 모순(C:Contradiction) | 전제문(P)이 참일 때 가설문(H)이 거짓이 되는 관계
- 중립(N:Neutral)　　　 | 전제문(P)이 참일 때 가설문(H)의 참/거짓 판단이 불가

즉 '함의(E)' 관계는 전제문(P)이 참일 때 가설문(H)이 참(true)이 되는 관계를 의미하며, '모순(C)' 관계는 전제문이 참일 때 가설문이 거짓(false)이 되는 관계를 의미한다. '중립(N)' 관계는 전제문이 참일 때 가설문이 '참일 수도 있는' 관계로서, 바꿔 말하면 가설문의 참/거짓을 판별할 수 없는 경우를 의미한다.

여기서 주의할 점은, '전제문(P)이 참일 때 가설문(H)이 참(true)이 되는 관계'라는 의미는 '가설문이 전제문의 진리가가 참이 될 수 있도록 그 전제문의 내용을 포함하고 있는 경우 성립한다'는 의미로 이해되어야 한다는 점이다. 즉 위의 예에서 전제문에서 '3-400만명'이라 했고, 가설문에서 '300만명 이상'이라고 하였으므로, 전제문의 '참'의 진리가는 가설문에서 그대로 유지될 수 있는 것이다. 이때 논리적 판단의 관점에서 보면, 가설문에서 '300만명 이상'이라고 하였으므로, 그렇다면 '예를 들어 500만명'도 포함될 수 있다는 진술이 되므로, 이 경우 전제문에서 언술하지 않은 내용이 포함되는데 가설문 자체의 내용을 '참'으로 판단할 수 있는가 하는 의문이 제기될 수 있기 때문이다. 즉 우리는 여기서, 전제문에 기반해서 가설문 자체의 '참/거짓'의 진리가를 판단하는 것이 아니라, 전제문과의 관계에서 가설문이 그 전제문의 진리가를 보존하고 있는가를 판단하는 것이 필요한 것이다.

이와 같이 정의상으로는 단순해 보이지만, 실제로 두 문장의 함의 관계를 판단하는 문제는 문장의 구성 요소와 통사 구조가 어떻게 구성되어 있는가에 따라 다양하게 결정되므로, 가령 수학적 집합 개념으로 자연어 입력문으로 구성된 추론쌍의 관계를 선험적으로 결정짓는 것은 불가능하다. 예를 들어 다음을 보면,

- [1a] 전제문 | 내 친구는 **강아지를** 한 마리 키우고 있다.
- [1b] 가설문 | 내 친구는 **반려동물을** 한 마리 키우고 있다.   [함의]

'내 친구가 강아지를 한 마리 키우고 있다'면 '내 친구는 반려동물을 한 마리 키우고 있다'는 것이 사실이고, 즉 이와 같이 '전제문'이 참일 때 '가설문'은 참이 되므로, 두 문장은 '함의' 관계에 있는 것으로 분류된다. 이는 '강아지'와 '반려동물'의 어휘적 관계에서도, 전자가 후자에 속하는 좁은 의미 범주이므로 이러한 어휘적 특수 관계로 인해 두 문장이 함의 관계가 된다는 일반적인 논리학적 개념과 맥을 같이 한다. 여기서도 '전제문이 참이라는 조건 하에' 가설문만 고려하여 그 문장의 진리가가 참인지 확인하려 한다면, '반려동물'에는 '강아지'뿐 아니라 '고양이'나 '토끼', '햄스터' 등의 다른 동물들도 포함될 수 있으므로 전제문에서 확인되지 않은, '가능한' 다른 내용이 포함되어 있는 것을 볼 수 있다. 그러나 이 경우에도 '가설문이 전제문의 진리가가 참이 될 수 있도록 그 전제문의 내용을 포함하고 있는 경우 성립한다'는 조건으로 이해한다면 문제가 제기되지 않는다.

그런데 다음을 보자.

- [2a] 전제문 ┃ 내 친구는 **강아지를** 정말 좋아한다.
- [2b] 가설문 ┃ 내 친구는 **반려동물을** 정말 좋아한다.   [비함의]

위의 쌍에서 어휘적 관계를 보면 앞서 [1]에서와 마찬가지로 '강아지'와 '반려동물'이라는 동일한 관계의 '하위어-상위어'가 실현되었다. 그러나 [1]과 달리 두 문장은 비함의 관계로 판단된다. 즉 '내 친구가 강아지를 좋아한다'고 해서 '내 친구가 반려동물을 좋아한다'고 하기는 어렵기 때문이다. 그런데 위의 [2b] 문장의 경우도, 위에서 논의한 바와 같이 '가설문은 전제문의 진리가가 참이 될 수 있도록 그 전제문의 내용을 포함하고 있는 경우 성립한다'는 조건을 충족하고 있다. 즉 '내 친구가 반려동물을 좋아한다'면, 그 문장에는 '내 친구가 강아지를 좋아한다'는 의미가 포함될 수 있기 때문이다. 여기서 [1]과 [2]의 중요한 차이는, [1]과 달리 [2]에서는, 가설문에서 전제문의 내용을 포함할 뿐 아니라 그 외의 다른 가능성도 배제되지 않는 보편 양화사(universal quantifier) '모든' 유형의 의미 해석을 허용하는 데에 있다.

즉 [1]에서는 '한 마리의 특정 강아지를 키우고 있고 그 강아지가 반려동물에 속하므로, 한 마리의 특정 반려동물을 키우고 있다'는 해석이 가능하다. 반면, [2]에서는 '일반적인 강아지를 좋아한다는 내용'은 '일반적인 반려동물을 좋아한다는 내용'에 포함되는 사실이지만, 문제는 가설문에서 '반려동물을 좋아한다'는 사실은 강아지뿐 아니라 다른 동물들도 포함되는, 즉 일반적인 '모든 반려동물을 좋아한다'는 보편 양화사 유형의 문장으로 해석될 수 있다는 점에서 발생한다. 뒤에서 다루어지듯이, '모든(EVERY)' 유형의 보편 양화사는 '하향 단조성(downward monotone)'을 요구하는 연산자로서, 두 문장이 함의 관계를 구성하기 위해서는 '모든'의 수식을 받는 명사구는 '일반적(general) 유형'에서 '특수한(specific) 유형'으로 치환되어야 하기 때문에, [2]에서 '강아지-반려동물'과 같이 '상향 단조(upward monotone)'가 이루어지면 두 문장은 함의 관계를 구성할 수 없게 된다. 즉 다음과 같이 두 문장의 관계가 역방향으로 설정되어 하향 단조가 이루어지면 두 문장은 보다 자연스러운 함의 관계로 판단된다.

- [3a] 전제문 | 내 친구는 **반려동물을** 정말 좋아한다.
- [3b] 가설문 | 내 친구는 **강아지를** 정말 좋아한다.   [함의]

이상에서 자연어 문장쌍의 함의 관계는 정의 자체는 간단해 보이지만 실제로 이를 판단하기 위한 정확한 조건과 문맥을 명시적으로 형식화하기 쉽지 않다는 점을 확인할 수 있다. 두 자연어 문장이 실제로 어떠한 어휘 요소들과 어떠한 문장 구조로 실현되는가에 따라 그 함의 관계가 복합적으로 결정되기 때문이다. 이는 자연어 입력문을 대상으로 하는 문장쌍의 추론 관계를 논의하는 데에 있어 필연적으로 직면해야 하는 어려움의 하나이기도 하다. '전제문이 참일 때 가설문이 참이 되는 관계'라는 것은 일반적으로 가설문이 전제문의 진리가가 참이 될 수 있도록 그 전제문의 내용을 포함하거나 허용하는 경우, 또는 보다 일반적인 개념을 표현할 때 성립한다. 다만 이러한 방법으로 단순화하여 설명하기 어렵게 하는 다양한 언어학적 요소들에 대한 고찰이 필요하다. 이 책에서 자연어추론 데이터를 구성할 때 이러한 언어학적 속성들에 대한 심층적인 논의가 반드시 수반되어야 함을 밝히고자 한 이유가 바로 여기에 있다.

자연어추론 연구에서 '전제문(P: Premise)'은 학자에 따라 텍스트(T: Text)로 명명되기도 하며, 이 경우 T-H 사이의 추론 관계가 논의된다. '함의/모순/중립'의 3가지 추론쌍은 초기 NLI 연구에서는 '함의(E: Entailment)'와 '비함의(NE: Non-Entailment)'의 이항 구조로 분류되어 논의되었다. 실제로 어떤 문장이 다른 문장과 '함의' 관계인지의 여부를 판단하는 것이 훨씬 더 복잡하고 난해한 태스크이며, 이때 '모순'은 비함의 관계 중에서 극히 특별한 유형에 해당되는 경우로 간주할 수 있기 때문이다.

1.2 자연어추론(NLI)과 초기 언어학적 고찰

NLI 태스크 정의의 본질적 속성이 '모든 입력문이 자연어로 주어진다'는 사실에 기초한다는 점에서, NLI 연구는 'first-order logic'의 형식 논리학적 추론 연구에서 고찰하는 문제들과는 거리가 있다. 또한 실제 자연어 문장을 처리해야 하므로, NLI는 일찍부터 '자연어처리(NLP)' 영역의 다양한 언어적 현상에 대한 연구와 맞닿아있다는 점이 지적되었다(MacCartney 2009).

➡ FraCaS 전산의미론 연구

NLI 문제 해결을 위한 FraCaS(A Framework for Computational Semantics) 테스트셋(Cooper et al. 1996)은 1990년대 중반 전산 의미론(computational semantics)과 연관된 언어자원을 개발하려는 대규모 콘소시엄 성과물의 하나이다.

FraCaS에서는 NLP 연구 영역을 다음과 같이 8가지로 분류하고 있는데, 아래 표에서 L은 어휘적(lexical), S는 통사적(structural), 그리고 C는 문맥적(contextual) 의미 처리를 의미하며, 그 시점에서의 NLP 시스템 성능의 수준에 대해 설명하고 있다.

Application	already uses	could use	must use
1. Grammar correction		L S	
2. Document composition		L S C	
3. Information extraction	L S	C	L
4. Interactive translation	L S	C	L S
5. Offline translation	L S	C	L S
6. Information interfaces	L S C		L S C
7. Text generation	L S C		L S C
8. Text to speech		L S C	

FraCaS 데이터는 346가지의 NLI 문제 유형을 내포하고 있으며, 각각은 하나 또는 여러개의 전제문 문장과 이에 대한 질문과 답변쌍으로 구성되어 있다. 다음은 일부 예를 보인다.

(3.1)   An Italian became the world's greatest tenor.
_____
    Was there an Italian who became the world's greatest tenor?
                                                          [Yes]

(3.2)   Every Italian man wants to be a great tenor.
         Some Italian men are great tenors.
         ―――――――――――――――――――――――――――――――――――
         Are there Italian men who want to be a great tenor?
                                                        [Yes]

위에서 보듯이, FraCaS에서는 각 문제의 최종 목표가 하나의 '질문 (question)' 형식으로 표현되지만, 일반적인 NLI 태스크는 '전제문(P)'과 '평서문(declarative) 형식의 가설문(H)' 사이의 '함의(entailment)' 관계 를 결정짓는 데에 있으므로, MacCartney(2009)에서 제안하는 것처럼, FraCaS 데이터를 NLI 태스크에 적용하기 위해 질의문들을 평서문 형식 의 가설문으로 변환하는 과정을 수행하는 것이 필요하다. FraCaS 문제 들은 상대적으로 단순한 문장들로 구성되어 있으며, 전제문과 질의문(가 설문)의 형태가 매우 유사하게 되어 있다. 그러나 '수량사, 복수, 대명사, 축약, 형용사, 비교구문, 시간표현, 동사, 명제적 입장' 등의 다양한 의미 적 추론 현상을 내포하고 있다. 다음 표는 이와 같은 9가지 유형의 추론 관계의 예를 정리해서 보여주고 있다(MacCartney 2009).

---

§1: Quantifiers

38	p	No delegate finished the report.	
	h	Some delegate finished the report on time.	NO
48	p	At most ten commissioners spend time at home.	
	h	At most ten commissioners spend a lot of time at home.	YES

---

§2: Plurals

83	p	Either Smith, Jones or Anderson signed the contract.	
	h	Jones signed the contract.	UNK

---

§3: Anaphora

141	p	John said Bill had hurt himself.	
	h	Someone said John had been hurt.	UNK

§4: Ellipsis

178	p	John wrote a report, and Bill said Peter did too.	
	h	Bill said Peter wrote a report.	YES

§5: Adjectives

205	p	Dumbo is a large animal.	
	h	Dumbo is a small animal.	NO

§6: Comparatives

233	p	ITEL won more orders than APCOM.	
	h	ITEL won some orders.	YES

§7: Temporal reference

258	p	In March 1993 APCOM founded ITEL.	
	h	ITEL existed in 1992.	NO

§9: Attitudes

335	p	Smith believed that ITEL had won the contract in 1992.	
	h	ITEL won the contract in 1992.	UNK

위의 '시간적 지시(Temporal reference)'의 258번 예를 보면, '1993년 3월에 APCOM은 ITEL을 설립하였다'와 같은 전제문(p)에 대하여 'ITEL 은 1992년에 존재했다'와 같은 가설문(h)은 '모순(NO)' 관계를 구성하는 것을 볼 수 있다.

여기서 보듯이, FraCaS 문제들은 3가지 레이블을 사용하고 있는데, YES는 '가설문 h가 전제문 p로부터 추론될 수 있음(can be inferred)' 을 의미하고, NO는 '가설문 h가 전제문 p와 모순됨(contradicts)'을 의 미하며, UNK는 '가설문 h가 전제문 p와 양립될 수 있음(compatible)' 을 의미하지만 추론될 수 있는 것은 아님을 의미한다. 여기서 이러한 3 가지 레이블은 실제로 균형이 잡혀있는 것은 아니라서, 전체 문제의

59%가 YES이며, 28%가 UNK, 그리고 10%만이 NO로 분류되어 있다. 또한 전체의 55%는 '단일 전제문(single-premise)' 형태의 추론쌍을 구성하지만, 45%는 '다중 전제문(multiple premise)'의 형태를 띄고 있으며, 이중 대부분은 2개의 전제문으로 구성되지만 일부는 그 이상의 전제문으로 구성되기도 한다. 다음은 다중 전제문으로 구성된 문제를 MacCartney (2009)에서 재구성한 예를 보인다.

---

§6: Comparatives

238   p   ITEL won twice as many orders than APCOM.
           APCOM won ten orders.
      h   ITEL won twenty orders.   YES

---

§7: Temporal reference

284   p   Smith wrote a report in two hours.
           Smith started writing the report at 8 am.
      h   Smith had finished writing the report by 11 am.   YES

위에서 '시간적 지시'의 284번 예를 보면, '스미스는 2시간만에 보고서를 썼다'와 '스미스는 오전 8시에 보고서 쓰기를 시작했다'의 두 문장이 전제문(p)으로 주어진 경우, '스미스는 오전 11시까지 보고서 쓰기를 끝냈다'와 같은 문장이 가설문(h)으로 주어지면 두 문장은 함의 관계(YES)를 구성하고 있음을 알 수 있다. FraCaS 연구는 이후의 다양한 NLI 관련 연구에 중요한 기반이 되었다.

➠ NatLog 자연어추론 연구

FraCaS의 전산 의미론적인 연구와 더불어, 언어 표현 간의 집합 관계(set relation)에 대한 논의를 통해 함의 관계를 설명하는 시도가 제안되었는데(MacCartney 2009), 가령 다음과 같이 U(Universe)에 주어진 집합 x와 집합 y에 대한 16가지 기본적인 집합 관계셋으로부터 함의 관계를 형식화하여 정의하려는 시도이다.

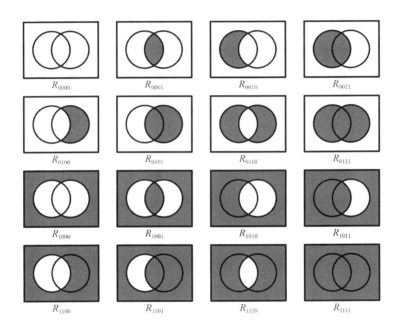

MacCartney(2009)는 위의 16가지 집합 관계를 단순화하여 다음의 7가지 '기본 함의 관계(basic entailment relations)'를 제안한다.

symbol[10]	name	example	set theoretic definition[11]	in $\Re$
$x \equiv y$	equivalence	$couch \equiv sofa$	$x = y$	R_{1001}
$x \sqsubset y$	forward entailment	$crow \sqsubset bird$	$x \subset y$	R_{1101}
$x \sqsupset y$	reverse entailment	$Asian \sqsupset Thai$	$x \supset y$	R_{1011}
$x \wedge y$	negation	$able \wedge unable$	$x \cap y = \emptyset \wedge x \cup y = U$	R_{0110}
$x \mid y$	alternation	$cat \mid dog$	$x \cap y = \emptyset \wedge x \cup y \neq U$	R_{1110}
$x \smile y$	cover	$animal \smile non\text{-}ape$	$x \cap y \neq \emptyset \wedge x \cup y = U$	R_{0111}
$x \# y$	independence	$hungry \# hippo$	(all other cases)	R_{1111}

위에서 처음 3가지 관계는 x와 y가 '동등하거나(equivalence)', x가 y에 '포함되거나(forward entailment)', 또는 '포함하는(reverse entailment)' 관계를 나타낸다. 즉 'couch'와 'sofa'는 서로 동등한 관계로 해석될 수 있고, 'crow'는 'bird'에 포함되는 관계로, 그리고 'Asian'은 'Thai'를 포함하는 관계로 해석될 수 있다.

4번째와 5번째 관계는 각각 '부정(negation)' 관계와 '대체(alternation)' 관계를 나타낸다. 가령 'able'과 'unable'은 서로 부정되는 관계로 '완전 배타적 관계(exhaustive exclusion)'에 있고, 'cat'과 'dog'은 서로 대체될 수 있는 관계로, '불완전 배타적 관계(non-exhaustive exclusion)'에 있다.

6번째 관계는 '포함(cover)' 관계로, 예를 들면 'animal'과 'non-ape'의 관계와 같이 '비배타적 포함(non-exclusive exhaustion)' 관계를 나타낸다. 마지막 7번째 관계는 '비의존(independence)' 관계로 그 외의 모든 유형의 관계를 의미한다. 예를 들어 'non-equivalence', 'non-containment', 'non-exclusion', 그리고 'non-exhaustion' 등의 관계들을 의미한다.

이와 같은 기본 함의 관계들을 토대로 MacCartney(2009)는 '합성적 함의 이론(a theory of compositional entailment)'을 제안한다. 즉 '합성성의 원칙(principle of compositionality)'을 적용하는데, 만일 두 개의 언어적 표현이 '삭제(deletion)'나 '삽입(insertion)', 또는 '하위

성분의 치환(substitution of a subexpression)'과 같은 '한 원소 편집(a single atomic edit)'에 의해 달라진다면, 이때 이들 사이의 '함의 관계'는 다음 두 요소에 의해 결정된다는 것이다. 첫째는 이러한 편집에 의해 생성된 '어휘적 함의 관계(lexical entailment relation)'에 달려있고, 둘째는 이러한 어휘적 함의 관계가 그 주변 성분들(context)과의 의미적 합성에 어떻게 영향 받는지에 달려있다는 것이다. 여기서 두 번째 요소는 '투사성(projectivity)'의 개념으로 설명되는데, 이것은 각 '개별 언어 표현들 사이의 함의 관계'가 의미적 합성성을 통해 '복합 언어 표현들 사이의 함의 관계'에 어떻게 투사되는지를 설명하는 이론이다. 아래에서 이에 대해 살펴보기로 한다.

♛ 어휘적 함의 관계(lexical entailment relation)

우선 '어휘적 함의 관계(lexical entailment relation)'를 보면 '치환(substitution)'과 '삭제(deletion)', '삽입(insertion)'에 의한 관계가 있는데, 여기서 '치환'은 '개방 범주(즉 명사, 고유명사, 형용사, 동사)'의 치환과 '폐쇄 범주(즉 수량사, 대명사, 전치사)'의 치환으로 나누어 논의될 수 있고, '삭제'와 '삽입'은 '일반적인(generic) 변형'과 '특수한(special) 변형'의 두 가지 유형으로 나누어 설명될 수 있다.

☞ 개방 범주 요소의 치환(substitutions of open-class terms)

개방 범주 요소의 치환은 예를 들어 일반명사(common noun)나 고유명사(proper noun), 형용사(adjective), 동사(verb) 등의 성분을 하나의 동의어(synonyms)나 상하위어(hyponym-hypernym), 또는 반의어(antonyms) 등으로 치환하는 것을 의미한다.

- **동의어(synonym) 치환**
  sofa ⇒ couch | happy ⇒ glad | forbid ⇒ prohibit   [함의]
- **상하위어(hyponym-hypernym) 치환**
  crow ⇒ bird | frigid ⇒ cold | soar ⇒ rise   [함의]
- **반의어(antonym) 치환**
  hot ⇒ cold | rise ⇒ fall | advocate ⇒ opponent   [비함의]

두 개의 일반 명사는, 동의어 관계도 아니고 상하위어 관계도 아닌 경우에는 일반적으로 서로 배타적인 범주를 이루게 되므로 '비함의' 관계를 구성하게 된다. 즉 'cat'과 'dog'과 같은 동등한 용어(coordinate terms)를 구성하거나 'battle'과 'chalk'와 같이 완전 무관한 명사(unrelated nouns) 관계를 구성한다.

반면 형용사의 경우에는, 예를 들어 'weak'와 'temporary'의 관계처럼, 무관한 두 형용사는 서로 양립 불가능한(incompatible) 관계가 아니므로 '비함의'의 관계를 구성하지만, 명사와는 그 양상이 다르게 나타난다. 동사의 경우에는 각각의 어휘적 속성에 영향을 받을 뿐 아니라 세계 지식(world knowledge)에 의존적이기 때문에, 자동화된 방법으로 계산하는 것이 용이하지 않다. 예를 들어 'skiing'과 'sleeping'은 서로 배타적인 속성을 보이지만(즉 스키를 타면서 잠을 자는 것은 현실적으로 불가능하므로), 'skiing'과 'talking'은 서로 배타적인 관계가 아닌 서로 무관한 관계의 '비함의'의 특징을 보인다.

고유명사의 경우에는 개별적인 개체나 사건을 나타내므로, 일반적으로 'USA'와 'United States'와 같이 서로 '동등한' 관계를 표현하거나 아니면 'JFK'와 'FDR'과 같이 서로 '배타적인' 관계를 표현하는 특징을 보인다. 고유명사와 일반명사가 서로 연관될 수 있는데, 즉 'Socrates'와 'man'의 경우처럼 전자가 후자의 사례로서 제시되는 경우가 여기 해당한다. 지명을 나타내는 고유명사의 경우에는 '부분-전체어(meronym-holonym)'의 문제와 연관하여 논의될 필요가 있다. 가령 'Kyoto'를

'Japan'에 속하는 부분어로 간주하고 함의 관계로 분석해야 하는가의 의문이 제기되는데, 직관적으로는 이렇게 판단되지만, 이들이 다음 [1]과 같은 문장쌍에 실현되었을 경우에는 문장들이 자연스럽지 않을뿐더러 이를 받아들인다고 하더라도 두 문장은 배타적인 별개의 문장으로 간주되어야 할 것으로 판단된다. 반면 [2]와 같은 장소 표현 어구에 실현되는 경우에는 분명히 'in Kyoto'는 'in Japan'에 포함되는 '부분-전체어'의 관계를 구성하는 것으로 판단될 수 있다.

- [1] Kyoto is a beatiful city ⇒ Japan is a beatiful city   [비함의]
- [2] in Kyoto ⇒ in Japan   [함의]

MacCartney(2009)의 연구에서는 동사의 시제(tense)나 상(aspect), 그리고 명사의 단수와 복수의 문제를 특별히 고려하지 않았다. 또한 구두점(punctuation)의 문제도 의미적으로 특별한 기능을 갖지 않는 것으로 간주하였다.

☞ 폐쇄 범주 요소의 치환(substitutions of closed-class terms)

폐쇄 범주 요소의 치환은 수량사(quantifiers)나 대명사(pronouns), 전치사(prepositions) 유형에 대한 치환 문제를 의미한다. 우선 수량사의 경우, 수량사 치환시 다음과 같은 상호 관계를 보인다.

$$
\begin{aligned}
all &\equiv every \\
every &\sqsubset some \\
some &\wedge no \\
no &\mid every \\
four\ or\ more &\sqsubset two\ or\ more \\
exactly\ four &\mid exactly\ two \\
at\ most\ four &\smile at\ least\ two \\
most &\# ten\ or\ more
\end{aligned}
$$

즉 'all'은 'every'와 동등한 관계(equivalence)를 구성하고, 'every'는 'some'에 의한 구성에 함의되는 관계(forward entailment)를 구성한다. 'some'은 'no'와 반대되는 관계(negation)를 구성하고, 'no'는 'every'와 배타적인 관계(alternation)를 구성한다. 'four or more'는 'two or more'에 함의되는 관계(forward entailment)를 구성하고, 'exactly four'는 'exactly two'와 배타적인 관계(alternation)를 구성한다. 또한 'at most four'는 'at least two'와 중첩 관계(cover)를 구성하고, 'most'는 'ten or more'와 비의존적 관계(independence)를 구성한다.

위에서 살핀 관계쌍들의 몇가지 예를 보면, 우선 'some'과 'no'는 다음에서 보듯이 서로 모순되는 관계를 구성한다. 'exactly four'와 'exactly two'의 경우도 동일하다.

- Some birds talk ⇒ No birds talk   [반대>모순]
- Exactly four jurors smoke ⇒ Exactly two jurors smoke   [배타>모순]

숫자가 단독으로 실현되는 경우에는 화용론적인 문제와 연결된다. 가령 'four'라는 숫자가 '최소한 4(at elast four)'라는 의미인지 '정확히 4(exactly four)'라는 의미인지에 따라 그 함의 관계가 달라지기 때문이다. 다음에서 '최소한 4명'의 의미라면 두 문장은 함의 관계가 되지만, '정확히 4명'이라면 두 문장은 배타적인 문장이 되어 비함의 관계가 된다.

- [at least four] I have four children ⇒ I have two children   [함의]
- [exactly four] I have four children ⇒ I have two children   [비함의]

두 개의 대명사가 나타나는 경우나 또는 하나의 명사와 대명사가 나타나는 경우에는, 이 둘이 동일한 개체를 가르키고 있다는 정보가 문맥 속에 한정되어 있을 경우 '동등한 관계'로 추론된다.

전치사의 경우에는, 문맥에 매우 의존적인 양상을 보인다. 실제로 'above'와 'below'와 같은 전치사들은 분명히 반의어의 양상을 보이는 반면, 자연어 문장에서 많은 전치사는 그 문맥에 따라 '동등한 관계'를 구성할 수 있기 때문이다. 다음 구문들은 이와 같이 '함의' 관계를 구성할 수 있다.

- on a plane | in a plane | by plane   [함의]

반면, 명확히 '공간적 관계(spatial relations)'를 구성할 때는, 다음과 같이 동일한 전치사들이 서로 '배타적 관계'를 구성할 수 있다.

- on the box | in the box | by the box   [비함의]

이와 같이 전치사의 문맥 의존적인 속성은 어휘적 함의 관계에 대한 자동 추론을 어렵게 하는 요인이 된다.

☞ 일반적인 유형의 '삭제와 삽입'(generic deletions and insertions)

일반적으로 '삭제(deletion)'가 일어나면 단어(구) a는 단어(구) b에 포함되는 관계가 되어 '함의' 관계를 구성한다. 가령 'red car'에서 'red'가 삭제되면 'car'는 더 범용적 어휘가 되어 'red car'를 포함하는 관계가 된다. 반대로 '삽입(insertion)'이 일어나면 그 반대의 관계가 형성된다. 가령 'sing'에 대해 'sing off-key'와 같이 'off-key'가 삽입되면, 더 특수한 어휘 의미를 가지게 되어 두 단어는 함의 관계를 구성하지 못하게 된다.

- 삭제(deletion)　　| red car ⇒ car　　　　　　　　　　　　　[함의]
- 삽입(insertion)　　| sing ⇒ sing off-key　　　　　　　　　　　[비함의]

'교차 가능한 수식어(intersective modifier)'나 '접속사(conjunct)', 또는 '비종속적인 절(independent clause)'이 실현되는 경우에 대체로 위와 같은 양상을 보인다. 또한 다음과 같이 하나의 단어가 아닌 여러 단어로 이루어진 연쇄의 삭제나 삽입이 일어날 수도 있다.

- car which has been parked outside since last week ⇒ car　　　[함의]

　　실제로 대부분의 '텍스트함의인식(RTE)'[1] 데이터셋에서는 이와 같이 전제문 p가 가설문 h보다 더 많은 단어를 포함하도록 구성하고, 실제로 가설문의 길이가 전제문보다 더 긴 경우에는 낮은 스코어를 주는 휴리스틱한 방법을 채택할 때 추론에 성공할 수 있는 확률이 높아지는 양상을 보였다. 그러나 이러한 휴리스틱은 두 문장이 '상향 단조성(upward-monotone)'[2]의 관계를 가질 때에만 유효한 것으로서, '하향 단조성

---

1) RTE에 대해서는 뒤의 2.1에서 다루어진다.

(downward-monotone)'을 요구하는 '부정(negation)'이나 특정 양화사(quantifier), 그리고 한정적(restrictive) 용법의 동사와 부사류, 그리고 그 외의 일련의 하향 단조성 연산자들이 출현하는 경우에는 실패하게 된다.

☞ 특수한 유형의 '삭제와 삽입'(special deletions and insertions)

위에서 대부분의 '삭제'와 '삽입'이 일반적인 휴리스틱에 의해 추론될 수 있다면, 일부 어휘적 성분들은 이와는 다른 양상을 보인다. 가장 대표적인 경우가 'not'과 같은 '부정(negation)' 표현으로서, 부정소가 삭제되거나 삽입되면 두 성분은 '함의(E)' 관계를 이루지 않고 서로 배타적인 관계(즉 '모순(C)' 관계)를 구성하게 된다.

둘째는 'admit that' 같은 '사실동사(factives)'나 'refuse to'와 같은 '함축동사(implicatives)'의 삽입과 삭제로서, 이 경우에도 이러한 성분들의 삽입이나 삭제가, 주어진 두 성분의 함의 관계를 자동으로 결정하지 못한다.

셋째는 'fake, former, alleged' 등과 같은 '교차불가 형용사(non-intersective adjectives)'로서, 이 경우 이러한 성분들의 삽입이나 삭제가 이루어지면, 주어진 두 성분의 함의 관계가 허용되지 않는 것을 볼 수 있다. 이러한 세 가지 유형의 '삽입/삭제'가 이루어지면 다음과 같은 비함의 관계가 구성될 수 있다.

- 부정(negation) | didn't sleep ⇒ did sleep   [비함의]
- 함축동사(implicative) | **refuse to** dance ⇒ dance   [비함의]
- 교차불가 형용사 | **fake** diamond ⇒ diamond   [비함의]

---

2) '단조성(monotonicity)'에 대해서는 다음에 이어지는 '의미적 합성'과 제1장의 2.3에서 상세히 논의된다.

♛ 의미적 합성(semantic composition)

'어휘적 함의 관계'가 의미적 합성(semantic composition)에 의해 어떻게 영향을 받는가를 살펴보기 위해, 여러 유형의 장치들에 대한 투사성(projectivity)을 고려하는 것이 필요하다. 이러한 장치로 '단조성(monotonicity)'과 '논리적 접속(logical connectives)', '수량사(quantifiers)'와 '동사(verbs)', '함축구문(implication)'의 속성을 살펴본다.

☞ 단조성(monotonicity)

우선 '단조성 계산(monotonicity calculus)'을 고려할 필요가 있다 (Sanchez Valencia 1991). 예를 들어 만일 두 문장이 '상향(UP) 단조성' 관계를 갖는다면(함의 관계가 이루어지기 위한 일반적인 조건), a와 b 두 어휘의 함의 관계는 이러한 복합 구성(즉 문장) 속에서 변화 없이 그대로 투사가 되어 두 문장도 함의 관계를 이루게 된다. 가령 다음을 보자.

- 상향단조(UP) 문맥 | some parrots talk ⇒ some birds talk   [함의]

위에서 'some parrots talk'라는 문장 p에 대해 'some birds talk'라는 문장 h는 함의 관계를 이루게 되는데(즉 집합 개념으로 p가 h에 포함됨), 이것은 두 문장이 상향 단조성의 관계를 가질 때, 'parrots'이라는 단어 a가 'birds'라는 단어 b와 함의 관계를 이루기 때문(즉 집합 개념으로 a가 b에 포함됨)에 이를 그대로 투사하여 두 문장 사이의 관계도 함의 관계를 형성하게 되기 때문이다. 위에서 두 문장 사이의 상향단조의 관계는 연산자 'some'의 출현에 의한 것으로, 이는 '첫 번째 논항(즉 주어부 NP)'에 대해 상향 단조의 특징을 요구한다.

같은 방법으로 다음과 같이,

- 하향단조(DOWN) 문맥 | no carp talk ⇒ no fish talk   [비함의]

'no'와 같은 연산자에 의해 두 문장이 '하향(DOWN) 단조성'의 관계를 갖는 경우, 상황은 반대가 된다. 예를 들어 'no carp talk'라는 문장에 대해 'no fish talk'라는 문장은 함의 관계를 이루지 못한다. 즉 'carp'이라는 단어 a는 'fish'라는 단어 b와 함의 관계를 이루고 있지만(즉 집합 개념으로 a가 b에 포함됨), 여기서 두 문장은 구조상으로 하향 단조성의 관계를 보이고 있기 때문이다. 즉 연산자 'no'는 앞서 'some'과 반대로 '첫 번째 논항(NP)'이 더 작은 개념으로 치환되어야 하는 하향 단조성을 유발하는 성분이기 때문에, 이 경우 두 단어 사이의 함의 관계는 두 문장 사이의 함의 관계로 그대로 투사되지 못하고 역으로 반대의 경우를 구성하게 된다.

☞ 논리적 접속(logical connectives)

'부정(negation)'이나 '연언(conjunction)', '선언(disjunction)', '조건문(conditionals)' 등의 논리적 접속어가 실현되는 문장에 대한 함의 관계를 살펴볼 수 있다. 우선 '부정(negation)' 요소가 실현되는 경우, 기저의 두 단어가 '동등한 관계'라면 그 관계가 그대로 유지된다. 반면 'kiss'와 'touch'처럼 전자가 후자에 포함되는 함의 관계를 이룬다면, 이 경우 '부정' 요소가 삽입될 때 그 관계가 반대로 바뀌게 된다. 즉 부정소는 하향 단조성을 요구하는 연산자로서, 'didn't kiss'는 'didn't touch'에 함의되지 않으므로 이 경우는 함의 관계를 구성하지 않는다.

- 함의 관계의 두 단어 | kiss ⇒ touch   [함의]
- '부정' 구문의 투사성 | didn't kiss ⇒ didn't touch   [비함의]

이번에는 '연언(conjunction)' 구성이 일어나거나 '상호교차 수식어 (intersective modifier)'가 실현되는 경우로서, 이 성분은 일반적으로 상향 단조성을 보이는 연산자이므로 단어 사이의 함의 관계가 그대로 유지될 수 있다.

- 함의 관계의 두 단어 ┃ dinghy ⇒ boat   [함의]
- '연언' 구문의 투사성 ┃ **orange** dinghy ⇒ **orange** boat   [함의]

즉 위에서 'dinghy'는 'boat'에 포함되므로, 단어 차원에서 함의 관계를 구성하는데, 이때 'orange'와 같은 수식어가 동반되는 경우에도 함의 관계는 그대로 유지된다.

선언(disjunction)의 접속이 일어나는 경우, 이 유형도 일반적으로 상향 단조성을 보이는 연산자이므로, 다음과 같이 'waltzed'와 'danced' 두 단어 사이의 함의 관계는, 'or sang'과 같은 접속어구가 수반되어도 그대로 유지된다.

- 함의 관계의 두 단어 ┃ waltzed ⇒ danced   [함의]
- '선언' 구문의 투사성 ┃ waltzed or sang ⇒ danced or sang   [함의]

다만 'red'와 'blue'처럼 배타적인 관계(alternation)의 두 단어에 대해 선언 접속이 일어났을 경우에는, 'red or yellow'는 'blue or yellow'에 대해 상호 '비의존 관계(independence)'를 나타내게 된다. 즉 두 단어 가 어떠한 추론 관계를 갖는가에 따라 투사 관계는 다르게 나타난다.

'조건문(conditionals)'이 실현된 경우, 조건절의 '선행 내용'은 하향 단조의 특징을 보이지만, 본 절의 '결과 내용'은 상향 단조의 특징을 보인다.

- 조건절의 하향 단조 | If he drinks liquor, he feels nauseous ⇒
  If he drinks tequila, he feels nauseous [함의]
- 주절의 상향 단조 | If he drinks tequila, he feels nauseous ⇒
  If he drinks tequila, he feels sick [함의]

☞ 수량사(quantifiers), 동사(verbs), 함축(implication) 구문

　수량사가 실현되는 경우는, 앞서 '단조성'의 논의에서 살핀 바와 같이 개별 수량사가 각각 상향 단조 또는 하향 단조를 요구하는 속성에 따라 그 구문의 함의 관계가 결정된다.

　동사가 삽입되는 경우, 투사성에 있어 보다 다양한 양상을 보인다. 대부분의 동사들은 상향 단조의 특징을 보인다. 다만 두 명사구가 'cats'와 'dogs'의 경우처럼 '배타적' 관계이거나 또는 'humans'와 'nonhumans'처럼 '부정'의 관계일 때에는 '비의존 관계(independence)'가 되는 것을 볼 수 있다.

- cats & dogs | eats cats ⇒ eats dogs [배타〉비함의]
- humans & nonhumans | eats humans ⇒ eats nonhumans [부정〉비함의]

　반면, 동사가 'is married to'나 'is the capital of'와 같이 일종의 기능적 관계를 보이는 유형일 때에는, 해당 목적어에 대해서 배타적인 관계를 구성하게 된다. 예를 들어 'German'과 'Italian'은 서로 배타적인 관계를 보이는 단어들이고, 'German'과 'non-German'은 서로 반의 관계를 구성하는 단어들인데, 이 경우에는 이를 내포한 구문쌍이 서로 '배타적인 관계'로 설정된다. 즉 위의 동사 'eat'의 경우 그 구문쌍이 '중립' 관계를 구성하게 된다면, 'is married to'의 경우에는 그 구문쌍

이 '모순'의 관계를 구성하게 된다.

- German & Italian |
  is married to German ⇒ is married to Italian   [배타〉비함의(모순)]
- German & non-German |
  is married to German ⇒ is married to non-German   [부정〉비함의(모순)]

끝으로 'manage to' 또는 'refuse to', 'admit that'과 같은 일련의 함축동사(implicatives)와 사실동사(factives)들이 실현되는 경우의 추론(Nairn et al. 2006)에 대한 고찰이 필요하다. Nairn et al.(2006)에서는 이러한 동사 연산자들을 9가지의 함축(implication) 유형으로 분류하였는데, MacCartney(2009)에서 재구성한 표를 보이면 다음과 같다.

	signature	example
implicatives	+/−	*manage to*
	+/∘	*force to*
	∘/−	*permit to*
	−/+	*fail to*
	−/∘	*refuse to*
	∘/+	*hesitate to*
factives	+/+	*admit that*
	−/−	*pretend that*
	∘/∘	*believe that*

위의 표에서 '+, -, ∘'는 '긍정문/부정문'의 문맥에서, 연산자의 보문절(complements)에 대해 '긍정적(positive), 부정적(negative), 또는 무

(null)' 함축을 하는 유형을 보여준다. 즉 이러한 특징에 따라 9가지(즉 긍정문에서 3가지 가능성 x 부정문에서 3가지 가능성 = 9가지)의 사실성/함축성 동사 유형이 분류되었다.

여기서 '함축동사'의 예로서 'manage to'를 보면, 'managed to escape'는 {+/-}의 속성을 가진다. 즉 긍정문의 문맥에서 긍정적(+) 함축(implication)을 하기 때문에 'escaped'를 함축하게(imply) 된다. 반면 부정문의 문맥에서는 부정적(-) 함축을 하기 때문에, 'didn't manage to escape'는 'didn't escape'를 함축하게 된다.

- 'manage to'의 긍정문 | **managed to escape ⇒ escaped**   [함의]
- 'manage to'의 부정문 | **didn't manage to escape ⇒ didn't escape**
[함의]

반대로 또다른 유형의 함축동사의 예로서 'refuse to'의 경우를 보면, {-/ㅇ}의 속성을 가진다. 즉 긍정문의 문맥에서는 부정적(-) 함축을 하여 'refused to dance'는 'didn't dance'를 함축하며, 부정문의 문맥에서는 무함축(ㅇ)의 특징을 갖기 때문에 'didn't refuse to dance'는 'danced'를 함축하지도 않고 'didn't dance'를 함축하지도 않게 된다.

- 'refuse to'의 긍정문 | **refused to dance ⇒ didn't dance**   [함의]
- 'refuse to'의 부정문 | **didn't refuse to dance ⇒ danced / didn't dance**
[중립]

여기서 함축성(implicatives) 연산자와 사실성(factives) 연산자의 중요한 차이는, '사실성' 연산자들만이 긍정문과 부정문의 문맥에서 동일한 '함축(implication)'을 한다는 점이다. 이 속성은 바로 이 연산자들의 '본질적인 함축(primary implication)' 속성과 연관되어 있다. 일반적인 관점(Karttunen 1971)에서 이를 바꾸어 표현하면, '사실성' 구문은 그 목적절의 진리가(truth)를 '함의(entail)'하는 것이 아니라 '전제(presuppose)'한다고 보는 것이다. 즉 예를 들어 사실동사 'admit'의 경우, 'he admitted that he knew'는 'he knew'를 '전제(presuppose)'하는 것으로, 주절 동사의 '긍정/부정' 변화에 관계없이 목적절의 진리가는 변하지 않는다는 특징을 보인다.

- 'admit that'의 긍정문 | he **admitted** that he knew ⇒ **he knew**   [함의]
- 'admit that'의 부정문 | he **didn't admit** that he knew ⇒ **he knew**
[함의]

'함의(entailments)'와 대립해서, '전제(presuppositions)'의 중요한 특징의 하나는 이와 같이 '부정(negation)'에 영향받지 않는다는 점이다. 즉 이러한 이유로 '사실성' 연산자 구문에서는 긍정문이나 부정문 모두에서 '동일한 함축'의 속성을 보이는 것이다.

반면 '함축성' 연산자의 경우에는 목적절의 진리가를 '전제'하지 않고 '함의'한다고 받아들여진다. 즉 예를 들어 'he managed to escape'는 'he escaped'를 '함의(entail)'한다. 물론 함축성 연산자도 '전제(presuppositions)'을 포함할 수 있다. 즉 'he managed to escape'는 'he tried to escape'나 'it was hard to escape'와 같은 전제 명제를 내포하는 것으로 이해될 수 있다. 그러나 함축성 연산자와 그 목적절의 관계에 있어서 이러한 관계는 부차적인 것이 된다.

결론적으로 '함축성' 연산자가 삭제되거나 삽입되는 경우, 그 구문의 투사(projection) 특징이 달라진다. 예를 들어 {+/ㅇ} 특징을 갖는 연산자를 삭제하게 되면, 이 경우에는 두 문장 사이의 '함의 관계'를 구성할 수 있다. 즉 'he was forced to sell'의 문장은 'he sold'를 함의한다. 그러나 {-/ㅇ} 특징을 갖는 연산자를 삭제하면 '배타적인 관계', 즉 모순 관계를 구성하게 된다. 예를 들어 'he refused to fight'는 'he fought'

와 모순 관계를 이루게 된다. 즉 이를 정리하면 아래와 같다.

- 'force to'의 삭제 | he was forced to sell ⇒ he sold [함의]
- 'refuse to'의 삭제 | he refused to fight ⇒ he fought [모순]

마찬가지로 사실성 연산자의 경우에도 이를 삭제하거나 삽입할 때 두 구문 사이의 함의 관계가 달라지게 된다. 이러한 함축/사실 연산자 구문의 함의 관계를 고려하기 위해서 각 연산자가 갖고 있는 단조성의 속성이 함께 고려될 필요가 있다.

2 자연어추론 데이터셋과 벤치마크

    추론(inference)과 관련된 초기의 논의들이 대체로 형식 논리학 또는 의미론 영역에서 다루어지거나 규칙기반 언어학 연구를 바탕으로 발전되어 왔다면, 2000년대 중반에 들어서 기계번역(machine translation)이나 질의응답시스템(question answering system), 정보추출(information extraction)과 같은 영역에서의 다양한 의미 처리의 한계를 극복하기 위한 '텍스트함의인식(RTE: Recognizing Textual Entailment)' 연구가 본격화되면서 그 패러다임이 변화하기 시작하였다. 다음 표는 2000년대 중반부터 소개되기 시작한, 자연어추론 연구를 위한 벤치마크들의 변화 양상을 보인다(Storks et al. 2020).

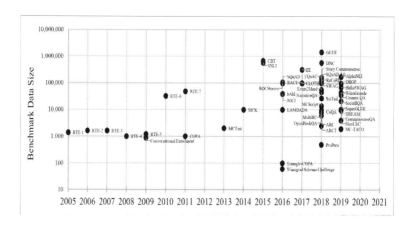

위의 표에서 볼 수 있듯이, 2005년도부터 RTE 챌린지(Dagan et al. 2005)를 통해 보다 본격적인 NLI 벤치마크들이 개발되기 시작하였으며,

특히 2015년 이후 대규모의 자연어추론 데이터셋 및 벤치마크가 공개되기 시작하면서 신경망 기반 언어모델들의 학습이 가능하게 되었다.

2018년 BERT와 같은 트랜스포머(transformer)기반 언어모델들이 발표되면서 이러한 NLI 벤치마크에 대해 좋은 성능을 보이기 시작하였고, 이를 통해 연구자들은 언어모델들이 자연어 형태로 추론하고 이해할 수 있는 가능성을 보기 시작하였다(Lin 2023).

그러나 이러한 대규모 데이터셋만으로는 자연언어의 복잡한 메카니즘을 충분히 학습시키는 것이 사실상 불가능하다는 점이 여러 방법으로 지적되기 시작하였고, 이에 따라 언어학적 지식이 내포되지 않은 데이터셋의 학습 효과에 대한 다양한 의문 제기 및 실험 성과들이 발표되기도 하였다.

2.1 텍스트함의인식(RTE) 데이터셋

텍스트 함의(Textual entailment)는 하나의 '텍스트(text)'[3])와 하나의 '가설문(hypothesis)' 사이의 '방향성있는 관계(directional relation)'로서, 텍스트가 주어졌을 때 보통의 일반 사람이 여기서 어떤 가설문을 유도할 수 있다면 그 텍스트는 그 가설문을 '함의한다(entail)'고 정의된다(Dagan et al. 2005).

'텍스트함의인식(RTE: Recognizing Textual Entailment)' 분야의 초기 연구에서는 이러한 '함의(E: Entailment)' 관계와 '비함의(NE: Non-Entailment)' 관계의 이분법을 사용하였다면, 4차~5차 RTE 챌린지에 이르러서는 '모순(C: Contradiction)'의 관계를 도입한 벤치마크를 제시하였다. RTE 챌린지는 '일반적인 보통 사람(a typical human)'이

---

3)앞서 살핀 바와 같이 현대 NLI 연구에서는 '가설문(premise)'이라는 용어가 더 일반적으로 사용되고 있다.

하나의 텍스트가 다른 하나를 함의하는가(entail)를 결정하기 위해 필요로 하는 '상식적 배경 지식(common background knowledge)'과 '추론하는 능력(reasoning capabilities)'을 기계가 획득하였는가를 평가하는 것을 목표로 수행되었다. 다음은 RTE 챌린지의 데이터 예를 보인다.

- Text | American Airlines began laying off hundreds of flight attendants on Tuesday, after a federal judge turned aside a union's bid to block the job losses.
- Hypothesis | American Airlines will recall hundreds of flight attendants as it steps up the number of flights it operates.
- Label | not entailment

1차 RTE 챌린지에서 5차에 이르는 기간의 데이터는 각 1,000개 수준에 불과했으나, 2010년의 6차 데이터는 33,000개, 7차 데이터는 49,000개로 크게 확장되는 것을 볼 수 있다.

RTE 챌린지의 4차와 5차에 제안된 트리플 방식의 분류 태스크, 즉 함의와 모순, 중립의 분류 태스크가 적용된 SICK(The Sentence Involving Compositional Knowledge) 벤치마크는 약 10,000개의 문장쌍으로 구성되어 있다(Marelli et al. 2014). SICK 벤치마크는 '의미적 합성성(semantic compositionality)'과 무관한 다양한 언어 현상들, 즉 '개체명 인식(named entity recognition)' 문제나 '다단어표현(multi-word expressions)', 그리고 '백과사전적 지식(encyclopedic knowledge)'의 개입을 배제하고, 단지 의미적 합성성에 의해서만 추론이 가능하도록 디자인된 점이 특징이다. 예를 들면 다음과 같다.

- Premise | A man is jumping into an **empty** pool.
- Hypothesis | A man is jumping into an **full** pool.
- Gold Label | contradiction

- Premise | **Children** are being dressed in costumes and playing a game.
- Hypothesis | **Kids** are being dressed in costumes and playing a game.
- Gold Label | entailment

- Premise | A child is experiencing a new world.
- Hypothesis | A boy under an umbrella is being held by his father who is wearing a coat dyed in blue.
- Gold Label | neutral

2.2 대규모 자연어추론 벤치마크의 등장

➡ SNLI 데이터셋

2015년에 발표된 '스탠포드 자연어추론 데이터셋(SNLI: Stanford Natural Language Inference)'은 거의 60만 문장쌍으로 구성된 대규모 데이터셋이다(Bowman et al. 2015). SNLI는 자연어추론의 신경망 기반 모델을 위한 대규모 데이터셋을 제공하기 위해 구성된 것으로, 크라우드 소싱(crowdsourcing) 방법론을 사용하여 생성되었다. RTE 4차 -5차 챌린지에서 구상한 것처럼 '함의, 모순, 중립'의 3가지 유형을 결정 짓는 '트리플 결정 태스크'의 특징을 가지며, 이때 5명의 작업자가 각 문장쌍에 대한 추론관계를 라벨링하는 방식을 취하여 그 신뢰도를 높이도록 하였다.

Flickr30k 데이터셋(Young et al. 2014)의 이미지 캡션으로부터

'전제문(P)' 문장을 추출하고, 이렇게 주어진 전제문에 대하여 5명의 작업자들이 '함의, 모순, 중립'의 3가지 레이블에 해당되는 '가설문(H)'을 생성하도록 하는 방식으로 진행되었다. 즉 하나의 전제문에 3개의 가설문이 대응되는 방식으로 생성하도록 한다. 다음은 SNLI 데이터셋의 예를 보인다.

- Premise | This church choir sings to the masses as they sing joyous songs from the book at a church.
- Hypothesis | neutral | The church has cracks in the celling
  | entailment | The church is filled with song.
  | contradiction | A choir singing at a baseball game.

앞서 RTE 데이터셋의 가설문(H)은 그 규모는 크지 않았지만 일반적으로 사람이 직접 생성한 고품질 데이터셋의 특징을 보였다면, SNLI에서는 '아마존 메커니컬 터크(Amazon Mechanical Turk)'의 크라우드 소싱을 이용한 대규모 데이터 구축을 위해 다음과 같은 가이드라인을 구성하였다(Bowman et al. 2015).

> We will show you the caption for a photo. We will not
> show you the photo. Using only the caption and what
> you know about the world:
>
> - Write one alternate caption that is **definitely** a
>   **true** description of the photo. *Example: For the
>   caption "Two dogs are running through a field."
>   you could write "There are animals outdoors."*
>
> - Write one alternate caption that **might be** a **true**
>   description of the photo. *Example: For the cap-
>   tion "Two dogs are running through a field." you
>   could write "Some puppies are running to catch a
>   stick."*
>
> - Write one alternate caption that is **definitely** a
>   **false** description of the photo. *Example: For the
>   caption "Two dogs are running through a field."
>   you could write "The pets are sitting on a couch."
>   This is different from the* maybe correct *category
>   because it's impossible for the dogs to be both
>   running and sitting.*

위의 지시문에서 보는 바와 같이 SNLI에서 전제문으로 사용한 텍스트는 이미지 캡션의 문장들이며, 이와 함께 사진 자체는 따로 제공하지 않았다. 이때 작업자들은 주어진 캡션과 각자 세계에 대한 지식을 이용해서 3가지 유형의 새로운 캡션 문장을 생성하도록 요구된다.

- 사진 설명이 '명백히 참인(definitely true)' 캡션 | 예를 들어 "두 마리 개가 풀밭을 달리고 있다"라는 캡션에 대해 "야외에 동물들이 있다"와 같은 새로운 캡션을 작성할 수 있다.

- 사진 설명이 '참일 수 있는(might be true)' 캡션 | 예를 들어 "두 마리 개가 풀밭을 달리고 있다"라는 캡션에 대해 "몇마리 강아지들이 막대기를 잡으려 달려가고 있다"와 같은 문장을 작성할 수 있다.

- 사진 설명이 '명백히 거짓인(definitely false)' 캡션 | 예를 들어 "두 마리 개가 풀밭을 달리고 있다"라는 캡션에 대해 "반려동물들이 소파위에 앉아 있다"와 같은 문장을 작성할 수 있다. 즉 개들이 달리는 행위와 소파위에 앉아 있는 행위를 동시에 하는 것은 불가능하기 때문이다.

여기서 맨처음 문장 유형은 함의(E)로 레이블링되고, 두 번째 문장 유형은 중립(N)으로, 그리고 마지막 문장 유형은 모순(C)으로 레이블링된다. 이러한 방식으로 다음과 같이 5명의 작업자가 레이블링을 하면 이를 바탕으로 최종 레이블링을 결정한다.

A man inspects the uniform of a figure in some East Asian country.	**contradiction** C C C C C	The man is sleeping
An older and younger man smiling.	**neutral** N N E N N	Two men are smiling and laughing at the cats playing on the floor.
A black race car starts up in front of a crowd of people.	**contradiction** C C C C C	A man is driving down a lonely road.
A soccer game with multiple males playing.	**entailment** E E E E E	Some men are playing a sport.
A smiling costumed woman is holding an umbrella.	**neutral** N N E C N	A happy woman in a fairy costume holds an umbrella.

여기서 사진에 대한 설명문으로서의 '두 캡션 문장'에 대한 관계를 결정하는 SNLI 데이터 속성상, 특히 '모순(C)'의 범주에서 일반적인 문장쌍의 추론 관계와는 다소 이질적인 성격이 나타난다. 위에서 살핀 예를 다시 반복해보면,

- 전제문 | 두 마리 개가 풀밭을 달리고 있다.
- 가설문 | 반려동물들이 소파위에 앉아 있다.

전제문의 "두 마리 개가 풀밭을 달리고 있다"라는 캡션에 대해 "반려동물들이 소파위에 앉아 있다"와 같은 가설문은 모순 관계의 추론쌍을 구성한다고 하였다. 이는 두 문장이 모두 '주어진 사진에 대한 묘사'를 가정하고 있으므로, 전제문의 설명이 참(true)이라면, 즉 실제로 달리고 있는 두 마리의 개를 보이는 사진이라면, 가설문의 설명은 당연히 거짓(false)으로 판명되어야 하므로 두 문장은 모순 관계로 분류되는 것이 맞다.

다만 '팩트(fact)를 나타내는 사진'에 대한 기술(description)이라는 특징을 고려하지 않고 두 문장을 언어적 두 연쇄로 간주한다면, 이 자체로는 두 가지 서로 다른 현실을 묘사하는 '중립' 관계의 두 문장으로 분류하는 것도 가능해진다. 실제로 이러한 판단의 어려움은 위의 표에서 살핀 5명 작업자들의 분류 불일치의 현상과도 맞닿아있다. 여기서 SNLI 데이터에서 논의하는 '불확정성(indeterminacy)'의 문제가 대두된다.

불확정성의 문제는 개체(entity) 또는 사건(event)의 '공지칭관계(coreference)'의 문제와 연관되어 있는데, 즉 위에서 '두 마리의 개'와 '반려동물들'은 사진에 제시된 바로 그 두 마리의 개를 가르키는, 즉 공지칭 관계의 성분으로 간주하도록 하는 것이다. 이 경우 '동일한 개체'가 달리거나 앉아있거나 두 동작을 동시에 할 수는 없으므로, 두 번째 문장은 모순된 문장으로 분류되어야 하는 것이다. 이런 맥락에서 "한 관광객이 뉴욕을 방문했다(A tourist visited New York)"는 "한 관광객이 그 도시를 방문했다(A tourist visited the city)"와 함의 관계가 되는데, 그 이유는 '뉴욕'과 '그 도시'는 기본적으로 동일한 대상을 나타내는 것으로 전제하고 레이블링을 하기 때문이다.

앞서 살핀 작업자 레이블링 비교표에서 모순(C)으로 분류된 다음 쌍을 살펴보자.

- 전제문 | A black race car starts up in front of a crowd of people.
- 가설문 | A man is driving down a lonely road.

위의 두 문장도 SNLI 데이터에서 5명의 작업자 모두 모순(C)의 관계로
레이블링하였다. 그러나 '검은 레이싱카가 사람들 앞에서 출발한 사실'과
'한 사람이 빈 도로를 달리고 있는 사실'은 문장 자체의 관계만으로는,
첫 문장이 참일 때 두 번째 문장이 반드시 거짓이 되어야 한다고 판단하
기 어렵고, 두 문장은 '논리적으로는' 중립(N)의 관계로 판단될 수 있다.

이 외에 SNLI 데이터를 바탕으로 제안된 SNLI-VE 데이터셋(Xie et
al. 2019)은 SNLI에서 사용한 이미지들을 직접 전제문으로 설정하고, 이
에 대해 작업자들이 3가지 가설문을 생성하도록(visual entailment) 하
는 방식으로 개발된 데이터이다. 다음에서 보듯이,[4] 작업자들은 주어진
하나의 이미지에 대하여 3가지 레이블에 해당되는 가설문을 생성하도록
요구된다.

Two people next to a fire.
-> entailment
A child and it's grandmother next to a fire.
-> neutral
Nobody has their hands on their face.
-> contradiction

---

4) https://github.com/necla-ml/SNLI-VE

이상에서 본 바와 같이 이미지 캡션을 기반으로 하는 SNLI 데이터에서는, 이미 답이 주어진 팩트를 담은 사진에 대한 전제문이 참일 때, 이와 상반되는 내용을 담은 가설문은 거짓이 되어야 하므로, 이런 관점에서 이러한 '모순'과 '중립'의 문제를 정의하여 해결하도록 하였다. 실제로 그 뒤에 이어지는 다른 NLI 데이터셋 연구에서는 이와 같은 이미지 캡션의 좁은 범위는 벗어나지만, 기본적으로 두 문장의 추론 관계를 논의할 때 전혀 무관한 두 사건이나 개체에 대한 관계는 고려하지 않는다는 묵시적인 설정을 유지하였다.

➡ MNLI 데이터셋

SNLI 데이터셋의 후속 버전으로 '멀티 장르 자연어추론 데이터셋(MNLI: Multi-Genre NLI corpus)'이 제안되었다(Williams et al. 2018). MNLI는 SNLI와 동일한 구축 방법론을 취하지만, SNLI과 달리 다양한 장르의 코퍼스로부터 전제문 문장을 구성한다.

실제로 앞서도 지적한 바와 같이 SNLI는 이미지 캡션이라는 제한된 형식의 텍스트를 기반으로 하고 있기 때문에, 대체로 '단순하고 구체적인 장면'에 대한 문장으로 전제문이 채워진다. 즉 '과거'와 같은 '시간적인 추론(temporal reasoning)'이 개입되기 어렵고, '추상적인 어떤 믿음 (belief)'의 표현, 또는 '현실과 반대되는 가정' 등의 '양태(modality)' 유형의 언어 표현들은 여기에 포함되지 않았다. MNLI는 이러한 한계를 극복하기 위해서 10가지의 데이터 원천으로부터 전제문의 문장들을 수집하였다. 실제 사람들의 대화 문장이나 공적인 문서 자료, 서한문이나 다양한 형태의 보고서, 또는 전화 대화 내용, 다양한 소설 문학 작품 등을 대상으로 하였다. SNLI와 마찬가지로 작업자들이 3가지 추론 관계 레이블에 따라 새롭게 가설문을 생성하는 방식으로 진행하였다. MNLI의 예를 들면 다음과 같다.

- Premise | I am a lacto-vegetarian.
- Hypothesis | I enjoy eating cheese too much to abstain from dairy.
- Gold Label | neutral

- Premise | At 8:34, the Boston Center controller received a third transmission from American 11.
- Hypothesis | The Boston Center controller got a third transmission from American 11.
- Gold Label | entailment

- Premise | Met my first girlfriend that way.
- Hypothesis | I didn't meet my first girlfriend until later.
- Gold Label | contradiction

위의 예에서 볼 수 있는 것처럼 MNLI는 사진 묘사가 아니라 다양한 대화체 기록 또는 공적 문서 등에서 전제문을 수집하였기 때문에, 이에 대응되는 가설문의 생성을 위한 작업자 지시문도 앞서 SNLI와는 다른 양상을 보인다. 가령 '비소설류(non-fiction)' 텍스트에서 추출된 전제문에 대해, 3가지 레이블에 해당하는 가설문을 생성하는 작업 가이드에서는 "각 라인은 하나의 상황(situation)이나 사건(event)을 묘사하므로, 이 내용과 본인의 세계 지식만을 사용하여 다음과 같은 3가지 문장을 생성하라"는 지시가 제시된다.

- 전제문에 제시된 상황 또는 사건과 관련하여 '명백히 맞는(definitely correct)' 하나의 문장을 작성하라.
- 전제문에 제시된 상황 또는 사건과 관련하여 '맞을 수 있는(might be correct)' 하나의 문장을 작성하라.
- 전제문에 제시된 상황 또는 사건과 관련하여 '명백히 틀린(definitely

incorrect)' 하나의 문장을 작성하라.

MNLI는 이와 같은 방식을 통해 약 40만 문장쌍 규모의 데이터셋으로 구성되었으며, 뒤의 GLUE 벤치마크에서도 활용된다(Wang et al. 2018).

▶ GLUE & SuperGLUE 벤치마크

자연어이해(NLU)를 위한 다양한 태스크의 벤치마크이면서, 분석 플랫폼을 제공하는 GLUE(the General Language Understanding Evaluation) 벤치마크는, 현존하는 NLU 태스크들을 위한 여러 모델들의 성능을 평가하기 위한 일련의 도구(tool)들을 제공한다(Wang et al. 2019). 이를 기반으로 SuperGLUE는 보다 난해한 자연어이해 태스크를 처리할 수 있도록 보강된 버전으로, 1년여 후에 발표되었다.

GLUE에서는 전문가가 직접 만든 진단용 테스트셋(a hand-crafted diagnostic test suite)을 함께 제공하여, 좀더 상세한 언어학적 접근이 가능하도록 하였다는 점이 특징이다. GLUE에서는 자연어이해에 있어 특히 질의응답(question answering), 감성분석(sentiment analysis), 텍스트 함의(textual entailment) 등의 태스크에 초점을 맞추고, 기존에 이미 만들어진 데이터셋을 활용하는 방식으로 구성되었다. 여기서 흥미로운 점은, 모델에 의해 학습된 지식의 유형을 파악하고 또한 언어학적으로 의미있는 해결 전략을 강화하기 위해서, 앞서도 언급한 바와 같이, 모델 향상을 위한 진단용 데이터셋을 전문가가 직접 구성하여 제공한다는 점이다. 여기에는 특히 세계 지식(world knowledge)과 논리적 연산자(logical operators) 등을 사용하는 챌린지를 부각시키는 데이터가 포함되었다. 이러한 진단용 데이터를 통해 일련의 모델들을 실험한 결과, '어휘적' 특징에서는 비교적 좋은 성능을 나타내었으나, '통사적 또는 논리적' 구조에서는 상대적으로 취약한 성능을 보여주었음을 보고하였다.

실제로 GLUE의 진단용 데이터는 FraCaS(Cooper et al. 1996) 연구에 영향받았음을 밝히고 있는데, 앞서 논의한 바와 같이 FraCaS는 전산의미론을 위한 프레임워크(A Framework for Computational Semantics)로서 개발되었다. FraCaS는 인위적으로 생성된 간결한 문장 유형의 예시들을 중심으로 '언어학적 이론들(linguistic theories)'을 테스트하기 위해 구성되었다는 점에서, GLUE 데이터와는 차이를 보인다. 다음은 GLUE의 문장쌍의 예를 보인다.

Tags	Sentence 1	Sentence 2	Fwd	Bwd
Lexical Entailment (Lexical Semantics), Downward Monotone (Logic)	The timing of the meeting has not been set, according to a Starbucks spokesperson.	The timing of the meeting has not been considered, according to a Starbucks spokesperson.	N	E
Universal Quantifiers (Logic)	Our deepest sympathies are with all those affected by this accident.	Our deepest sympathies are with a victim who was affected by this accident.	E	N
Quantifiers (Lexical Semantics), Double Negation (Logic)	I have never seen a hummingbird not flying.	I have never seen a hummingbird.	N	E

위에서 Fwd와 Bwd는 각각 Sentence1이 전제일 경우와 Sentence2가 전제일 경우를 나타낸다. E는 함의(Entailment)를 나타내고, N은 중립(Neutral), C는 모순(Contradiction)을 나타낸다. 좌측의 Tags 항목은 각 예문쌍이 나타내는 언어학적 특징을 의미하며, 이들은 궁극적으로 4가지 대분류(표에서는 괄호안에 표시)에 속하는 현상으로 분류된다. 다음은 진단용 데이터에 주석된 언어현상들(linguistic phenomena)의 유형으로, 이들은 이러한 '4가지 주요 범주(four major categories)'로 대분류된다.

Coarse-Grained Categories	Fine-Grained Categories
Lexical Semantics	Lexical Entailment, Morphological Negation, Factivity, Symmetry/Collectivity, Redundancy, Named Entities, Quantifiers
Predicate-Argument Structure	Core Arguments, Prepositional Phrases, Ellipsis/Implicits, Anaphora/Coreference Active/Passive, Nominalization, Genitives/Partitives, Datives, Relative Clauses, Coordination Scope, Intersectivity, Restrictivity
Logic	Negation, Double Negation, Intervals/Numbers, Conjunction, Disjunction, Conditionals, Universal, Existential, Temporal, Upward Monotone, Downward Monotone, Non-Monotone
Knowledge	Common Sense, World Knowledge

GLUE 진단용 데이터에서는 전체 550여개의 문장쌍에 대해서 전제문과 가설문을 서로 교차해서 1,100개의 추론쌍을 구성하여 함의와 모순, 중립으로 레이블링하는 방식으로 구성하였다. 이 결과 함의 관계가 42%, 중립이 35%, 모순이 23%의 비율로 구성되었다.

GLUE 진단용 데이터에서 고려된 언어현상들은 위의 표에서 보는 바와 같이 4가지 카테고리로 분류되며, 이를 다시 정리하면 다음과 같다.

☞ 어휘 의미론 범주 (Lexical Semantics)

- 어휘적 함의 (Lexical Entailment)
- 형태적 부정 (Morphological Negation)
- 사실동사 사용 (Factivity)
- 대칭성/집단성 (Symmetry/Collectivity)
- 잉여성 (Redundancy)
- 개체명 (Named Entities)
- 수량사 (Quantifiers)

☞ 서술어-논항 구조 (Predicate-Argument Structure)

- 핵심 논항 (Core Arguments)

- 전치사구 (Prepositional Phrase)
- 생략/함축적 기재 (Ellipsis/Implicits)
- 대명사/공지칭 (Anaphora/Coreference)
- 능동문/수동문 (Active/Passive)
- 명사화 (Nominalization)
- 속격/부분 (Genitive/Partitives)
- 여격 구문 (Datives)
- 관계절 (Relative Clauses)
- 등위접속문 (Coordination Scope)
- 상호교차 (Intersectivity)
- 한정성 (Restrictivity)

☞ 논리 구조 (Logic)

- 부정 (Negation)
- 이중부정 (Double Negation)
- 간격/숫자 (Intervals/Numbers)
- 논리곱 (Conjunction)
- 논리합 (Disjunction)
- 조건 (Conditionals)
- 보편양화사 (Universal)
- 존재양화사 (Existential)
- 시간성 (Temporal)
- 상향단조성 (Upward Monotone)
- 하향단조성 (Downward Monotone)
- 비단조성 (Non-Monotone)

☞ 지식 범주 (Knowledge)

- 상식 (common Sense)
- 세계지식 (World Knowledge)

GLUE 진단용 데이터에서는 이상 위의 4가지 카테고리에 대하여 전체 33가지의 언어 현상들을 논의하였고, 이러한 현상들이 실현된 예문쌍을 1,100여개를 제시하였다. 이를 바탕으로 각 자연언어의 언어학적 속성을 고려한, 보다 정교한 데이터셋의 구축이 필요함을 확인할 수 있다.

2.3 어휘·논리·통사 기반 데이터셋 연구

▶ 주석 인공물(Annotation Artifacts)에 대한 논의

앞서 언급한 바와 같이 2015년에 SNLI 데이터셋이 제안되고, 2018년에 MNLI 데이터가 제안되면서 대규모 NLI 데이터셋의 개발이 본격화되었다. 이러한 대규모 데이터셋은 기본적으로 기존의 다양한 출처로부터 전제문(premise)을 획득하고, 이에 대해 크라우드 워커들이 '함의/모순/중립'의 3가지의 레이블에 해당되는 가설문(hypothesis)을 생성하도록 하여 추론쌍을 구성하였다. 이 경우 크라우드 워커들에 의한 가설문 생성은 전형적인 어떤 경향성을 보일 수 있다는 한계가 지적되었다 (Gururangan et al. 2018, Poliak et al. 2018).

이러한 경향성을 '주석 인공물(annotation artifacts)'[5]의 개념과 연관하여 설명하는 실험(Gururangan et al. 2018)이 하나의 대표적인 사례이다. 즉 작업자들이 전제문 문장을 보면서 이와 3가지 추론 관계로 대응되는 가설문 문장을 생성할 때, 전형적으로 사용하는 기재가 있기 때문에 실제로 모델이 두 문장 사이의 추론 관계를 예측할 때 전제문을 보지 않고 '가설문만 보고도(the hypothesis alone)' 어느 레이블로 분류할지 추정하는 것이 가능하다는 것이다. 이러한 실험에서 SNLI 데이터

---

5) 'Annotation artifacts'을 여기서는 '주석인공물'이라는 용어로 표현하였으나, 실제 의미를 표현하기에는 한계가 있다. 이 용어에 대한 핵심적인 의미는 본문에서 설명되는 내용을 참고하는 것이 바람직하다.

에 기반한 모델의 경우에는 67%의 확률로 그 분류 레이블을 맞추었고, MNLI 데이터의 경우에는 53%의 확률로 레이블을 맞추었다는 결과를 보고하였다.

즉 가설문만 고려하였을 때, 사람들의 '여성/남성 젠더 표현'이 '중립적'인 형태로 실현된 문장은 '함의(entailment)' 관계의 추론쌍을 구성하는 경우가 많았고, 일련의 '목적절(purpose clause)'이 포함된 문장은 '중립(neutral)' 관계의 추론쌍을 구성하는 경우가 많았으며, '부정(negation)' 표현이 실현된 경우에는 '모순(contradiction)' 관계를 구성하는 경우가 많았다는 것이다. 다음은 SNLI 데이터의 예로서, 가설문을 생성할 때 나타나는 인공물(artifacts) 현상의 사례를 보인다.

- Premise | A woman selling bamboo sticks talking to two men on a loading dock.

- Entailment | There are at least three people on a loading dock.
- Neutral | A woman is selling bamboo sticks to help provide for her family.
- Contradiction | A woman is not taking money for any of her sticks.

위의 함의문(E)에서 보듯이 가설문에 남성/여성의 젠더 정보를 삭제하거나 수량에 대한 정보를 모호하게 만들어서 함의 관계 문장을 구성하는 전략이 빈번하게 사용되고, 또한 '동물(animal)', '악기(instrument)' 등과 같은 보편적 범주의 명사들(예를 들어 전제문에 나타나는 '개(dog)', '기타(guitar)' 등과 같은 구체적 명사들에 대응)이 나타나는 경향을 보이는 것으로 나타났다.

반면, 중립(N) 관계의 가설문에는 목적절 또는 원인절과 같은 부사절이 실현되는 경우가 빈번하게 포착되며, 추가적인 정보를 내포하게 하는 일련의 '수식어들(tall, sad, popular 등)'이 등장하거나, 진술의 정도성을 상대적으로 극단적인 형태로 강화하는 '최상급 표현(first, favorite, most 등)' 등이 등장하여 전제문에 명시되지 않은 정보성을 추가하는 전략이 사용되는 것을 관찰할 수 있다.

또한 'no, never, nothing' 등과 같은 부정 표현이 실현된 경우에는 모순(C) 관계의 가설문을 유도하는 경우가 많다. 또한 'sleeping'이나 'naked'와 같은 표현들의 출현이 나타나는데, 이들은 SNLI의 이미지 묘사에서 나타나는 특정 활동(activity)이나 의류(clothing)에 대한 설명에 대해 반대되는 일련의 반의어 계열의 명사들이 실현된 것으로 파악된다.

➡ 단조성에 기반한 자연어추론 데이터셋 MED

MED(Monotonicity Entailment Dataset)는 자연어추론 모델의 '단조성 추론(monotonicity reasoning)' 성능 평가를 위한 테스트셋이다 (Yanaka et al. 2019b). MED는 HELP(Handling Entailment with Lexical and logical Phenomena) 데이터셋(Yanaka et al. 2019a)의 후속 버전으로 발표된 것으로, 자동으로 구축된 HELP 데이터를 보완하기 위해 크라우드 워커와 언어학자들의 개입을 통해 구축되었다. HELP 데이터가 7,784개의 상향 단조 예문과 21,192개의 하향 단조 예문, 그리고 1,105개의 비단조 예문을 포함하여 약 36K의 규모로 구성되어 있다면, MED 데이터는 1,820개의 상향 단조 예문과 3,270개의 하향 단조 예문, 그리고 292개의 비단조 예문을 포함하여 전체 5,382개의 전제-가설문 쌍으로 구성되었다. 단조성의 문제를 다루었던 FraCaS 데이터와 GLUE 데이터의 규모와 비교하면, FraCaS의 전체 346개 중의 37개 예문과 GLUE의 전체 1,100여개 중 93개의 예문과 비교할 때 충분히 큰 규모의 데이터셋을 구성한다. MED 데이터의 예를 보이면 다음과 같다.

Genre	Tags	Premise	Hypothesis	Gold
Crowd	up	*There is a cat on the chair*	*There is a cat sleeping on the chair*	NE
	up: cond	*If you heard her speak English, you would take her for a native American*	*If you heard her speak English, you would take her for an American*	E
	up:rev: conj	*Dogs and cats have all the good qualities of people without at the same time possessing their weaknesses*	*Dogs have all the good qualities of people without at the same time possessing their weaknesses*	E
	up:lex	*He approached the boy reading a magazine*	*He approached the boy reading a book*	E
	down:lex	*Tom hardly ever listens to music*	*Tom hardly ever listens to rock 'n' roll*	E
	down:conj	*You don't like love stories and sad endings*	*You don't like love stories*	NE
	down:cond	*If it is fine tomorrow, we'll go on a picnic*	*If it is fine tomorrow in the field, we'll go on a picnic*	E
	down	*I never had a girlfriend before*	*I never had a girlfriend taller than me before*	E
Paper	up:rev	*Every cook who is not a tall man ran*	*Every cook who is not a man ran*	E
	up:disj	*Every man sang*	*Every man sang or danced*	E
	up:lex: rev	*None of the sopranos sang with fewer than three of the tenors*	*None of the sopranos sang with fewer than three of the male singers*	E
	non	*Exactly one man ran quickly*	*Exactly one man ran*	NE
	down	*At most three elephants are blue*	*At most three elephants are navy blue*	E

여기 사용된 레이블은 E(함의)와 NE(비함의)로서, NE는 비단조성의 관계를 의미한다. Crowd는 크라우드워커의 작업을 의미하고, Paper는 언어학 저술에서 수집된 데이터를 의미하며, 이와 더불어 Tags에서는 여기에 구성된 추론쌍들이 단조성 및 언어적 속성에 있어 어떠한 특징을 나타내는가를 분류해서 제시하고 있다.

MED 데이터셋 연구에 따르면, 현존하는 NLI 모델들의 단조성 추론 성능을 실험한 결과 55% 이하의 성능을 보이는 것으로 보고되었고, 특히 하향단조성 추론에 더 취약한 것으로 나타났다. 단조성 추론은 어휘 구조와 통사 구조에 대한 이해가 반드시 요구되는 추론 과정으로, 예를 들면 다음과 같은 문장쌍에서 관찰된다.

- [1a] All [workers ↓] [joined for a French dinner ↑]

- [1b] All workers joined for a dinner [함의]
- [1c] All new workers joined for a French dinner [함의]

자연어 문장에서 일반적으로 상향 단조(↑)가 이루어지면 두 문장은 함의 관계가 된다. 즉 위의 예에서 [1a]의 'French dinner'는 [1b]에서 'dinner'라는, 보다 일반적이고 큰 개념으로 치환(upward monotone) 됨으로서, 두 문장은 함의 관계를 구성하게 되었다. 한국어의 대응 문장을 고려하면, '모든 작업자들이 프랑스식 저녁식사에 참석했다'라는 [1a] 문장에 대해서, '모든 작업자들이 저녁식사에 참석했다'와 같이 '프랑스식 저녁식사 ⇒ 저녁식사'라는 일반 개념으로의 상향 단조가 일어난 경우, [1b] 문장은 [1a]에 대해 함의 관계를 구성하는 것이다.

그런데 [1a]로부터 [1c]의 관계를 보면, [1a]의 주어 성분인 'workers' 가 'new workers'라는, 더 구체적이고 좁은 개념으로 치환(downward monotone)되었는데, 두 문장도 여전히 함의 관계를 구성하는 것을 볼 수 있다. 즉 한국어 문장으로 대응해보면, '모든 작업자들이 프랑스식 저녁식사에 참석했다'라는 [1a] 문장에 대해서, '모든 신규 작업자들이 프랑스식 저녁식사에 참석했다'와 같이 '작업자들 ⇒ 신규 작업자들'이라는 특수 개념으로 하향 단조가 일어난 경우, [1c] 문장이 [1a]에 대해 함의 관계를 구성하는 것이다.

즉 여기서 주어(NP)와 술어(VP)에 있어 이러한 반대 방향의 단조성이 모두 함의 관계를 구성하는 것은 연산자 'all'에 의한 것으로, 이 연산자는 '첫 번째 논항(즉 주어 위치의 NP)'에 대해 '하향 함의'를 허용하고 '두 번째 논항(즉 술어 위치의 VP)'에 대해 '상향 함의'를 허용하는 특성을 가지기 때문이다.

연산자 'all' 대신에 'every'로 치환하는 경우에도 이와 유사한 상황이 나타난다.

- [2a] Every [NP person ↓] [VP bought a movie ticket ↑]

- [2b] Every person bought a ticket   [함의]
- [2c] Every young person bought a movie ticket   [함의]

위와 대응되는 한국어 문장쌍을 보이면 다음과 같다.

- [3a] 모든 [NP **사람들이↓**] [VP 영화 티켓을 샀다 **↑**]

- [3b] 모든 사람들이 티켓을 샀다 [함의]
- [3c] 모든 **젊은** 사람들이 영화 티켓을 샀다 [함의]

[3a]의 '모든 사람들이 영화 티켓을 샀다'는 문장에서 제2논항(즉 VP)이 상향 단조(↑)가 되면, [3b]의 '모든 사람들이 티켓을 샀다'는 문장이 생성되고, 두 문장은 함의 관계를 구성한다. 즉 [3a]가 '참(true)'일 때 [3b]도 '참(true)'이 되기 때문이다. 동시에 [3c]를 보면, '모든 사람들이 영화 티켓을 샀다'는 [3a] 문장에서 제1논항(즉 NP)이 하향 단조(↓)가 되어 '모든 젊은 사람들이 티켓을 샀다'는 문장이 생성되면서, 이 두 문장도 함의 관계를 구성하게 되는 것이다. 이와 같이 함의 관계를 구성하기 위해서 제1논항과 제2논항의 단조성의 방향이 달라져야 하는 연산자(operator)의 대표적 유형으로, 다음과 같은 영어 한정사들의 예를 살펴볼 수 있다.

Determiners	First argument	Second argument
every, each, all	downward	upward
some, a, a few, many, several, proper noun	upward	upward
any, no, few, at most X, fewer than X, less than X	downward	downward
the, both, most, this, that	non-monotone	upward
exactly	non-monotone	non-monotone

즉 'every, each, all'과 같은 '보편 양화사(universal quantifier)' 유형

의 한정사가 실현되는 경우에 위의 예에서 살핀 바와 같다면, 'some, a, a few, many'와 같은 소위 '존재 양화사(existential quantifier)' 유형의 한정사가 오면 제1논항(NP)에 이와 반대 방향의 단조성 관계가 구성되어야 함의 관계가 이루어진다.

반면 'any, no, few'와 같은 '부정(negation)' 의미의 한정사가 오는 경우에는 제1논항(NP)와 제2논항(VP)에서 하향 단조가 이루어져야 하며, 'the, both, most, this' 등과 같은 한정사 유형이 나타나면 NP와 VP에 비단조와 상향 단조의 논항들이 분포되어야 한다. 마지막으로 'exactly'와 같은 명시적인 값을 나타내는 한정사가 실현되면 NP와 VP 모두에 비단조성 논항 분포가 이루어져야 하는 것을 볼 수 있다.

다음에서 부정 한정사 'no'가 실현된 경우를 보자. 이 경우에는 제1논항이 하향단조(↓)가 일어나야 함의 관계가 구성된다(Yanaka, 2019a).

- [7a] No [NP boys ↓] are happily dancing
- [7b] No schoolboys are happily dancing   [함의]

위의 영어 문장쌍과 비교될 수 있는 한국어 문장쌍을 구성해보면 다음과 같다.

- [8a] 어느 [NP 학생도 ↓] 즐겁게 춤추지 않았다
- [8b] 어느 고등학생도 즐겁게 춤추지 않았다   [함의]

즉 '하향단조 연산자(downrnward operator)'는 부정 표현이나 조건문 등의 특정 표현들을 중심으로 구성되는데, 한정사뿐 아니라 부사나 동사, 명사, 전치사, 접속사 등에서 다양하게 실현된다. 다음을 보자.

Category	Examples
determiners	*every, all, any, few, no*
negation	*not, n't, never*
verbs	*deny, prohibit, avoid*
nouns	*absence of, lack of, prohibition*
adverbs	*scarcely, hardly, rarely, seldom*
prepositions	*without, except, but*
conditionals	*if, when, in case that, provided that, unless*

단조성(monotonicity)은 일반적으로 논리학이나 형식 의미론에서 제한된 유형의 문장 구조에 대해 이론적으로 다루어졌다. MED 연구는 이러한 개념을 자연어추론 데이터셋에 체계적으로 도입하여 모델의 추론 능력을 향상시키기 위한 연구로서의 의의를 갖는 것으로 평가된다.

▶▶ 통사적 특징에 기반한 자연어추론 데이터셋 HANS

현재의 모델 학습 방법이, 반복되는 유형에 대해서는 휴리스틱한 방법으로 예측하여 좋은 점수를 내고 있으나, 조금이라도 난해하거나 저빈도의 언어 현상이 나타나는 경우 매우 낮은 성능을 보이는 현상에 주목하며 HANS(Heuristic Analysis for NLI Systems) 평가셋이 제안되었다(McCoy et al. 2019). 여기서는 현행 모델들의 다음 3가지 유형의 휴리스틱 추론 가능성에 주목하면서, 통사적 지식이 수반되지 않는 일반적인 NLI 모델이 실패할 수 있음을 실험하였다.

- '어휘적 중첩' 휴리스틱(lexical overlap heuristic)
- '연속된 연쇄' 휴리스틱(subsequence heuristic)
- '문장 구성성분' 휴리스틱(constituent heuristic)

실제로 MNLI 데이터셋을 통해 학습된 BERT 모델에 대하여 HANS 데이터셋으로 테스트한 결과, 매우 저조한 성능을 보임을 확인하였는데, 예를 들어 다음을 보자.

- [1a] Premise | The judge was paid by the actor.
- [1b] Hypothesis | The actor paid the judge.   [함의]

위의 두 문장은 '함의' 관계로 레이블링 되어야 하는데, 이때 NLI 모델이 이 문장쌍을 함의 관계로 맞출 확률이 높다고 판단된다. 다만 이 과정은 모델이 진정으로 두 문장의 의미 관계(어휘적 그리고 통사적 관계 포함)를 이해하여 이러한 추론을 수행한 것이 아니라, 전제문의 '단어(word)'들이 모두 가설문에 등장하고 있다는 사실에 의해 두 문장이 함의 관계라고 예측하였을 확률이 높다는 것이다(즉 '어휘적 중첩' 휴리스틱으로 명명). 만일 주어진 모델이 이와 같은 휴리스틱 방법을 사용한 것이라면, 다음 [2]의 문장쌍의 경우도 '함의'로 예측할 확률이 높아진다. 다만 이 경우는 틀린 예측이 된다.

- [2a] Premise | The actor was paid by the judge.
- [2b] Hypothesis | The actor paid the judge.   [비함의]

즉 처음 문장쌍 [1]에서는 수동문과 능동문의 변형이므로 두 문장이 의미적으로 동일한 정보를 내포하고 있는 함의 관계로 해석되지만, 두 번째 문장쌍 [2]에서는 수동문과 능동문의 두 문장 내의 두 논항도 서로 바뀐 형태로 실현되었으므로 더 이상 동일한 의미를 갖지 못한다. 즉 [1]과 [2]는 어휘의 구성이나 문장 구조에 있어서는 두 문장쌍이 매우 유사해 보이지만, 실제로 논항의 분포가 같지 않다는 '통사적 논항 관계'를 정확히 이해해야만 올바른 추론 레이블링이 가능하다는 점을 알 수 있다. HANS 데이터에서는 바로 이와 같이 실패하기 쉬운 통사 구조적 휴리스틱 문제를 진단하기 위해서 새로운 평가셋을 제안한다. 우선 HANS에서 정의하는 3가지 휴리스틱의 예를 보이면 다음과 같다.

Heuristic	Definition	Example
Lexical overlap	Assume that a premise entails all hypotheses constructed from words in the premise	**The doctor** was **paid** by **the actor**. $\xrightarrow[\text{WRONG}]{}$ The doctor paid the actor.
Subsequence	Assume that a premise entails all of its contiguous subsequences.	The doctor near **the actor danced**. $\xrightarrow[\text{WRONG}]{}$ The actor danced.
Constituent	Assume that a premise entails all complete subtrees in its parse tree.	If **the artist slept**, the actor ran. $\xrightarrow[\text{WRONG}]{}$ The artist slept.

HANS 데이터셋 연구에서는 이러한 3가지 휴리스틱에 대하여 각각 10,000개의 쌍을 구성하여 전체 3만여개의 문장쌍이 포함되도록 하였다. 각 휴리스틱에는 이를 지지하는 예문을 위한 5가지 템플릿과 이를 위반하는 예문을 위한 5가지 템플릿을 구성하였고, 각 템플릿에는 1,000개의 문장쌍이 내포되도록 하였다. 다음에서 이러한 3가지 휴리스틱의 예와 템플릿을 살펴보기로 한다.

☞ '어휘적 중첩' 휴리스틱 (lexical overlap heuristic)

첫 번째 휴리스틱은 '어휘적 중첩(lexical overlap)'에 관한 것으로, 전제문의 단어들이 반복되어 구성된 모든 가설문들은 전제문과 함의 관계를 이룬다는 가정이다. 이 경우 다음과 같은 문장쌍에 이러한 휴리스틱이 적용되면 잘못된 추론 결과를 획득하게 된다.

- Premise | The doctor was paid by the actor.
- Hypothesis | The doctor paid the actor.   [비함의]

이러한 '어휘적 중첩' 휴리스틱을 실험하기 위해, HANS에서는 다음과 같이 '함의 관계를 구성하는 통사적 구조쌍의 5가지 템플릿'과 '비함의 관계를 보이는 통사적 구조쌍의 5가지 템플릿'을 구성하였다.

- 함의(entailment) 관계를 구성하는 템플릿 5가지

Subcase	Template	Example
Entailment: Untangling relative clauses	The N_1 who the N_2 V_1 V_2 the N_3 $\rightarrow$ The N_2 V_1 the N_1.	The athlete who the judges admired called the manager. $\rightarrow$ The judges admired the athlete.
Entailment: Sentences with PPs	The N_1 P the N_2 V the N_3 $\rightarrow$ The N_1 V the N_3	The tourists by the actor recommended the authors. $\rightarrow$ The tourists recommended the authors.
Entailment: Sentences with relative clauses	The N_1 that V_2 V_1 the N_2 $\rightarrow$ The N_1 V_1 the N_2	The actors that danced saw the author. $\rightarrow$ The actors saw the author.
Entailment: Conjunctions	The N_1 V the N_2 and the N_3 $\rightarrow$ The N_1 V the N_3	The secretaries encouraged the scientists and the actors. $\rightarrow$ The secretaries encouraged the actors.
Entailment: Passives	The N_1 were V by the N_2 $\rightarrow$ The N_1 V the N_2	The authors were supported by the tourists. $\rightarrow$ The tourists supported the authors.

- 비함의(Non-entailment) 관계를 구성하는 템플릿 5가지

Non-entailment: Subject-object swap	The N_1 V the N_2. $\nrightarrow$ The N_2 V the N_1.	The senators mentioned the artist. $\nrightarrow$ The artist mentioned the senators.
Non-entailment: Sentences with PPs	The N_1 P the N_2 V the N_3 $\nrightarrow$ The N_3 V the N_2	The judge behind the manager saw the doctors. $\nrightarrow$ The doctors saw the manager.
Non-entailment: Sentences with relative clauses	The N_1 V_1 the N_2 who the N_3 V_2 $\nrightarrow$ The N_2 V_1 the N_3	The actors advised the manager who the tourists saw. $\nrightarrow$ The manager advised the tourists.
Non-entailment: Conjunctions	The N_1 V the N_2 and the N_3 $\nrightarrow$ The N_2 V the N_3	The doctors advised the presidents and the tourists. $\nrightarrow$ The presidents advised the tourists.
Non-entailment: Passives	The N_1 were V by the N_2 $\nrightarrow$ The N_1 V the N_2	The senators were recommended by the managers. $\nrightarrow$ The senators recommended the managers.

위에서 논의된 템플릿 중에서 '수동태(Passives)' 구조쌍의 경우를 한국어에 적용해 보면, 다음과 같은 예를 볼 수 있다.

- Entailment: Passives [1a] 우크라이나가 러시아에게 선제 공격을 당했다.
  [1b]⇒ 러시아가 우크라이나를 선제 공격을 했다.

- Non-entailment: Passives [2a] 우크라이나가 러시아에게 선제 공격을 당했다.
  [2b]⇏ 우크라이나가 러시아를 선제 공격을 했다.

☞ '연속된 연쇄' 휴리스틱 (subsequence heuristic)

두 번째 휴리스틱은 '연속된 연쇄(subsequence)'에 관한 것으로, 전제문에 실현된 일련의 연속된 연쇄가 가설문에 그대로 재현되는 경우에 그 가설문은 전제문과 함의 관계를 구성한다는 가정이다. 이 경우에도 다음과 같은 문장쌍에 이러한 휴리스틱을 적용하게 되면 잘못된 추론 결과를 획득하게 된다.

- Premise | The doctor near the actor danced.
- Hypothesis | The actor danced.   [비함의]

이 경우에도, '연속된 연쇄' 휴리스틱을 실험하기 위해 다음과 같이 함의 관계를 구성하는 통사적 구조쌍의 5가지 템플릿과 비함의 관계를 보이는 통사적 구조쌍의 5가지 템플릿을 구성하였다.

- 함의(entailment) 관계를 구성하는 템플릿 5가지

Subcase	Template	Example
Entailment: Conjunctions	The N_1 and the N_2 V the N_3 $\rightarrow$ The N_2 V the N_3	The actor and the professor mentioned the lawyer. $\rightarrow$ The professor mentioned the lawyer.
Entailment: Adjectives	Adj N_1 V the N_2 $\rightarrow$ N_1 V the N_2	Happy professors mentioned the lawyer. $\rightarrow$ Professors mentioned the lawyer.
Entailment: Understood argument	The N_1 V the N_2 $\rightarrow$ The N_1 V	The author read the book. $\rightarrow$ The author read.
Entailment: Relative clause on object	The N_1 V_1 the N_2 that V_2 the N_3 $\rightarrow$ The N_1 V_1 the N_2	The artists avoided the senators that thanked the tourists. $\rightarrow$ The artists avoided the senators.
Entailment: PP on object	The N_1 V the N_2 P the N_3 $\rightarrow$ The N_1 V the N_2	The authors supported the judges in front of the doctor. $\rightarrow$ The authors supported the judges.

- 비함의(Non-entailment) 관계를 구성하는 템플릿 5가지

Subcase	Template	Example
Non-entailment: NP/S	The N_1 V_1 the N_2 V_2 the N_3 $\nrightarrow$ The N_1 V_1 the N_2	The managers heard the secretary encouraged the author. $\nrightarrow$ The managers heard the secretary.
Non-entailment: PP on subject	The N_1 P the N_2 V $\nrightarrow$ The N_2 V	The managers near the scientist resigned. $\nrightarrow$ The scientist resigned.
Non-entailment: Relative clause on subject	The N_1 that V_1 the N_2 V_2 the N_3 $\nrightarrow$ The N_2 V_2 the N_3	The secretary that admired the senator saw the actor. $\nrightarrow$ The senator saw the actor.
Non-entailment: MV/RR	The N_1 V_1 P the N_2 V_2 $\nrightarrow$ The N_1 V_1 P the N_2	The senators paid in the office danced. $\nrightarrow$ The senators paid in the office.
Non-entailment: NP/Z	P the N_1 V_1 the N_2 V_2 the N_3 $\nrightarrow$ The N_1 V_1 the N_2	Before the actors presented the professors advised the manager. $\nrightarrow$ The actors presented the professors.

여기서는 위에서 논의된 템플릿 중에서 '관계절(Relative clause on object)' 구조쌍의 경우를 한국어에 적용해 보자. 다만 영어와 한국어는 어순이 다르기 때문에 영어의 예에서처럼 목적어와 주어 위치의 관계절

의 변환으로 인한 추론쌍은 여기서 논의하는 '연속된 연쇄' 휴리스틱에 적용되지 않는다. 한국어의 경우 다음과 같은 방식으로 관계절을 구성할 때 가설문에서 '연속된 성분들'이 실현되어 함의/비함의의 상반된 관계를 구성할 수 있다.

- Entailment: Relative clause
  [1a]   의사는 **어제 환자를 방문했던** 남자가 우는 것을 보았다.
  [1b] ⇒ **어제 환자를 방문했던** 남자가 울었다.

- Non-entailment: Relative clause
  [2a]   의사는 **어제 환자를 방문했던** 남자가 우는 것을 보았다.
  [2b] ⇒ 의사는 **어제 환자를 방문했**다.

☞ '문장 구성성분' 휴리스틱 (constituent heuristic)

세 번째 휴리스틱은 '문장 구성성분(constituent)'에 대한 것으로, 전제문의 트리 구조에서 '종속절 성분(all complete subtrees)'이 가설문에 온전한 문장의 형태로 나타난 모든 경우에 있어서, 두 문장은 함의 관계를 구성한다는 가정이다. 이 경우에도 다음과 같은 문장쌍에 이러한 휴리스틱을 적용하게 되면 잘못된 추론 결과를 획득하게 된다.

- Premise | If the artist slept, the actor ran.
- Hypothesis | The artist slept.   [비함의]

'문장 구성성분' 휴리스틱을 실험하기 위해서, '함의 관계를 구성하는 통사적 구조쌍의 5가지 템플릿'과 '비함의 관계를 보이는 통사적 구조쌍의 5가지 템플릿'을 다음과 같이 구성하였다.

- ## 함의(entailment) 관계를 구성하는 템플릿 5가지

Subcase	Template	Example
Entailment: Embedded under preposition	P the N_1 V_1, the N_2 V_2 the N_3 → The N_1 V_1	Because the banker ran, the doctors saw the professors. → The banker ran.
Entailment: Outside embedded clause	P the N_1 V_1 the N_2, the N_3 V_2 the N_4 → The N_3 V_2 the N_4	Although the secretaries recommended the managers, the judges supported the scientist. → The judges supported the scientist.
Entailment: Embedded under verb	The N_1 V_1 that the N_2 V_2 → The N_2 V_2	The president remembered that the actors performed. → The actors performed.
Entailment: Conjunction	The N_1 V_1, and the N_2 V_2 the N_3. → The N_2 V_2 the N_3	The lawyer danced, and the judge supported the doctors. → The judge supported the doctors.
Entailment: Adverbs	Adv the N V → The N V	Certainly the lawyers resigned. → The lawyers resigned.

- ## 비함의(Non-entailment) 관계를 구성하는 템플릿 5가지

Non-entailment: Embedded under preposition	P the N_1 V_1, the N_2 V_2 the N_2 ↛ The N_1 V_1	Unless the senators ran, the professors recommended the doctor. ↛ The senators ran.
Non-entailment: Outside embedded clause	P the N_1 V_1 the N_2, the N_3 V_2 the N_4 ↛ The N_3 V_2 the N_4	Unless the authors saw the students, the doctors helped the bankers. ↛ The doctors helped the bankers.
Non-entailment: Embedded under verb	The N_1 V_1 that the N_2 V_2 the N_3 ↛ The N_2 V_2 the N_3	The tourists said that the lawyer saw the banker. ↛ The lawyer saw the banker.
Non-entailment: Disjunction	The N_1 V_1, or the N_2 V_2 the N_3 ↛ The N_2 V_2 the N_3	The judges resigned, or the athletes mentioned the author. ↛ The athletes mentioned the author.
Non-entailment: Adverbs	Adv the N_1 V the N_2 ↛ The N_1 V the N_2	Probably the artists saw the authors. ↛ The artists saw the authors.

위에서 논의된 템플릿 중에서 '부사절(Embedded under preposition)' 구조쌍의 경우를 한국어에 적용해 보면, 다음과 같은 예를 볼 수 있다.

- Entailment: Embedded under preposition (부사절)
  [1a] **갑작스럽게 비가 많이 와서, 그 야외행사는 모두 취소했어야 했다.**
  [1b]⇒ **갑작스럽게 비가 많이 왔다.**

- Non-entailment: Embedded under preposition (부사절)
  [2a] **갑작스럽게 비가 많이 왔다면, 그 야외행사는 모두 취소했어야 했을거야.**
  [2b]⇒ **갑작스럽게 비가 많이 왔다.**

이상에서 살펴본 HANS 데이터셋의 통사적 현상들에 대한 30가지 템플릿은 개별 자연언어의 속성을 반영하는 것이어서, 한국어에도 공통으로 적용되는 유형들도 존재하는 반면, 영어 고유의 통사 속성에 기반하는 유형들이 상당 부분 존재한다.

실제 HANS 연구에서 보고한 MNLI 학습 데이터셋에는, 이러한 휴리스틱을 지지하는 문장쌍의 비율이, 그렇지 않은 문장쌍의 비율보다 압도적으로 높게 나타난다는 점이 지적되었다. 다음을 보자.

Heuristic	Supporting Cases	Contradicting Cases
Lexical overlap	2,158	261
Subsequence	1,274	72
Constituent	1,004	58

위의 표에서처럼, 학습데이터에 이 3가지 휴리스틱을 지지하는 문장쌍의 비율이 8배에서 17배에 이르는 것을 볼 때, 이와 같은 비율의 문장쌍을 통해 학습한 추론 모델은 휴리스틱에 어긋나는 문장 유형에 대해서는 현저하게 낮은 성능을 보이게 될 것임을 예상할 수 있다.

2.4 상식·문맥에 기반한 자연어추론 데이터셋 연구

➡ 상식적 인과관계 추론 데이터셋 ATOMIC

'일반적인 상식(common sense)에 기반한 추론'의 필요성을 강조한 ATOMIC(An ATlas Of MachIne Commonsense) 데이터셋(Sap et al. 2019)은 877k 규모로 구성되었다. 예를 들어 하나의 사건(event)이 묘사되면, 사람들은 보통 이 사건과 관련된 원인(causes), 결과(effects) 등과 관련된 추론을 할 수 있는데, 가령 'X repels Y's attack'과 같이 'X가 Y의 공격을 물리쳤다'면, 이와 관련된 몇 가지 추론이 가능하다.

- Plausible motivations | X는 자기 자신을 지키고자 하였다.
- Plausible pre-conditions | X는 자신을 지킬 수 있게 훈련 받았다.
- Plausible characteristics | X는 용감하고 충분히 힘이 세다.
- Plausible effects | [X] 몹시 화가 났고 경찰에 신고하기를 원한다.
                           | [Y] 잡힐까봐 겁이 났고 도망가기를 원한다.

즉 위에서 보인 다양한 유형의 추론 관계들은 다음 그림과 같이 도식화 될 수 있다.

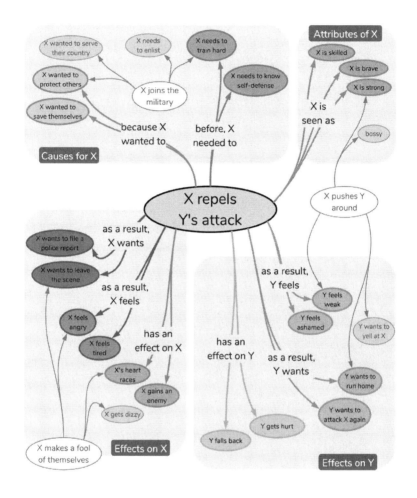

ATOMIC 연구에서는 현재의 언어모델들이 특정 유형의 태스크에 특화되어 있어, 일반적인 상식과 관련된 기본적인 추론의 성능이 높지 않다는 점을 지적하며, 'if-then' 추론 유형을 계층 구조화(taxonomy) 하여 소개하였다. 이때 이러한 추론 유형을 분류하기 위해 다음 두 가지 방법을 제안하였다. 첫째는 '추론되는 내용(content predicted)'에 기반하여 분류하는 것이며, 둘째는 '원인 관계(causal relation)'에 의해 분류하

는 방법이다. 우선 '추론되는 내용'에 기반하여 분류하는 경우, 다음 3가지 유형의 기준에 따른다.

- 심리적 상태(mental state)의 추론 | 하나의 '이벤트(event)'가 일어날 때, 일종의 '심리적 상태'가 추론될 수 있는가(예를 들어 'X가 Y를 칭찬하다'와 같은 이벤트가 일어나면 'X는 친절하고자 하는 의도가 있었다'거나 'X가 기분이 좋은 상태이었다'나 'Y가 사랑받는다는 느낌을 가졌다'와 같이 어떤 감정적 상태의 추론이 가능한가).

- 다른 이벤트(event)의 추론 | 하나의 '이벤트(event)'가 일어날 때, 또 다른 이벤트가 추론될 수 있는가(예를 들어 '커피를 내린다'는 행동의 선행 동작으로 '커피머신에 필터를 넣었다'는 행동이 추론되거나, 또는 후행 동작으로 '커피에 설탕을 넣는다'거나 '감사의 표시를 한다'와 같은 행동들이 추론될 수 있는가).

- 페르소나(persona)의 추론 | 하나의 '이벤트(event)'가 일어날 때, 어떤 '페르소나(persona)', 즉 어떤 인물의 속성이나 성격 등을 추론할 수 있는가(예를 들어 'X가 경찰을 불렀다'면, 'X는 준법정신이 투철한 사람이다'와 같은 속성이 추론될 수 있는가).

반면, '원인 관계'에 의해 분류하는 방법에서는, 이벤트의 인과 관계 유형에 따라 다음과 같은 3가지 유형으로 분류될 수 있음을 제안하였다.

- 원인(causes)
- 결과(effects)
- 상태(stative)

인간의 일반적인 '상식적 지식(commonsense knowledge)'을 일련의 '개념(concept)'들이 '관계(relation)'로 연결되는 그래프로 표상한

ConceptNet(Speer et al. 2017)과 달리, ATOMIC 데이터는 이러한 일반적 상식이 아닌 '이벤트'들과 이와 연관되는 사회적 상식에 초점을 두었다. ConceptNet 5.5에서 제시된 핵심 관계는 다음과 같이 기술되어 있는데, 아래에서 볼 수 있는 바와 같이 이벤트 추론에 초점을 둔 ATOMIC과는 그 양상이 다른 것을 볼 수 있다.

- **Symmetric relations**: *Antonym, DistinctFrom, EtymologicallyRelatedTo, LocatedNear, RelatedTo, SimilarTo*, and *Synonym*

- **Asymmetric relations**: *AtLocation, CapableOf, Causes, CausesDesire, CreatedBy, DefinedAs, DerivedFrom, Desires, Entails, ExternalURL, FormOf, HasA, HasContext, HasFirstSubevent, HasLastSubevent, HasPrerequisite, HasProperty, InstanceOf, IsA, MadeOf, MannerOf, MotivatedByGoal, ObstructedBy, PartOf, ReceivesAction, SenseOf, SymbolOf*, and *UsedFor*

ATOMIC 데이터셋의 If-Event-Then-X commonsense knowledge의 예를 들면 다음과 같다.

Event	Type of relations	Inference examples	Inference dim.
"PersonX pays PersonY a compliment"	If-Event-Then-Mental-State	PersonX wanted to be nice PersonX will feel good PersonY will feel flattered	xIntent xReact oReact
	If-Event-Then-Event	PersonX will want to chat with PersonY PersonY will smile PersonY will compliment PersonX back	xWant oEffect oWant
	If-Event-Then-Persona	PersonX is flattering PersonX is caring	xAttr xAttr
"PersonX makes PersonY's coffee"	If-Event-Then-Mental-State	PersonX wanted to be helpful PersonY will be appreciative PersonY will be grateful	xIntent oReact oReact
	If-Event-Then-Event	PersonX needs to put the coffee in the filter PersonX gets thanked PersonX adds cream and sugar	xNeed xEffect xWant
	If-Event-Then-Persona	PersonX is helpful PersonX is deferential	xAttr xAttr

		PersonX wants to report a crime	xIntent
	If-Event-Then-Mental-State	Others feel worried	oReact
"PersonX calls the police"	If-Event-Then-Event	PersonX needs to dial 911	xNeed
		PersonX wants to explain everything to the police	xWant
		PersonX starts to panic	xEffect
		Others want to dispatch some officers	oWant
	If-Event-Then-Persona	PersonX is lawful	xAttr
		PersonX is responsible	xAttr

➡ 문맥기반 인과관계 추론 데이터셋 GLUCOSE

GLUCOSE(GeneraLized and COntextualized Story Explanation) 데이터셋은 일반 상식 및 문맥 기반 인과관계 지식에 대한 대규모 데이터셋이다(Mostafazadeh et al. 2020). 인과관계의 추론을 위한 데이터셋으로 제안된 ATOMIC 데이터셋과 비교될 수 있지만, 다음과 같은 2가지 한계를 보이는 ATOMIC과 차별될 수 있음을 강조한다.

첫째로, ATOMIC 데이터는 '문맥(context)'이 없이 문장이 주어지므로, 여러 상황으로 해석될 수 있는 중의성의 문제를 가지고 있다. 예를 들어 "PersonX arrives the next day."와 같은 이벤트는 그 이벤트의 동기, 또는 '의도(xIntents)'로서 '바캉스를 떠나다'나 '회의에 참석하다'와 같은 중의적 의도 추론이 가능하며, 그 '결과(xEffects)'로도 '휴식의 시간을 가지다'나 '동료들을 만나다'와 같은 형태들과 연결될 수 있는데, 각각의 xIntent들이 하나의 xEffect와 연결되어야 한다는 점을 고려할 때 ATOMIC 데이터는 이러한 문제를 해결하기 어렵다는 구조적 한계를 가지고 있다.

둘째로, ATOMIC의 이벤트(events)와 관계들(relations)은 모두 '인물 중심적(person centric)'인 특징을 갖는다는 한계를 보인다. 즉 모든 관계는 personX나 personY와 연관되어 있어서, 행위자가 없는 이벤트가 다루어지지 않는다는 점이다. 따라서 장소나 사물, 불특정 집단에 대한 이벤트 관계를 다루지 못한다는 점이다. GLUCOSE는 이러한 한계점들을 극복하는 데이터셋을 제안하고자 하였다.

GLUCOSE에서는 이러한 인과관계를 10가지 영역으로 나누어 설명하는데, 그 예를 보이면 다음과 같다. 다음 표는 'X= Gage turned his bike sharply'라는 문장에 대한 스토리를 설명하는 GLUCOSE 데이터셋의 예를 보인다.

- Dimension 1: Event that directly causes or enables X

Semi-structured Specific Statement and Inference Rule: antecedent *connective* consequent

A car turned in front of him *Causes/Enables* Gage turned his bike
subject verb preposition object   subject verb object

Something_A turns in front of Something_B (that is Someone_A's vehicle) *Causes/Enables*
  subject   verb   preposition   object
Someone_A turns Something_B away from Something_A
  subject   verb   object1   preposition   object2

- Dimension 2: Emotion or basic human drive that motivates X

Gage wants safety *Causes/Enables* Gage turned his bike
subject verb object   subject verb object

Someone_A wants safety *Causes/Enables* Someone_A moves away from Something_A (that is dangerous)
  subject   verb   object   subject   verb   preposition   object

- Dimension 3: Location state that enables X

Gage was close to a car *Enables* Gage turned his bike away from the car
subject verb preposition object   subject verb object1 preposition object2

Someone_A is close to Something_A *Enables* Someone_A moves away from Something_A
  subject   verb preposition   object   subject   verb   preposition   object

- Dimension 4: Possession state that enables X

- Dimension 5: Other attributes enabling X
  N/A

- Dimension 6: Event that X directly causes or enables

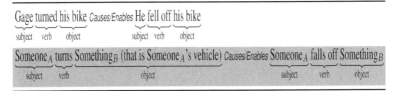

- Dimension 7: An emotion that is caused by X
  N/A

- Dimension 8: A change in location that X results in

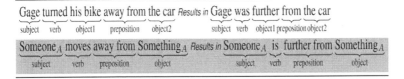

- Dimension 9: A change of possession that X results in
  N/A

- Dimension 10: Other changes in property that X results in
  N/A

➡ 다이얼로그 함의 추론 데이터셋 CIDER

CIDER(Commonsense Inference for Dialogue Explanation and Reasoning) 데이터셋(Ghosal et al. 2021)은 사람들의 대화를 설명하기 위해서는 문맥에 대한 이해뿐 아니라 인과관계와 시간성 개념, 그리고 상식에 기반한 추론 등 다양한 추론적 속성을 이해해야 한다는 인식에서 출발하였다. 특히 다이얼로그를 설명하기 위해 두 가지 유형의 상식 추론을 제시하였는데, 첫째는 '명시적인 추론쌍(explicit triplets)'이고 두 번째는 '암시적인 추론쌍(implicit triplets)'이다.

전자는 기존의 지식 그래프 연구 등에서 보이는 바와 같이, 통사적 또는 의미적 파서나 패턴 매칭 등의 기재를 통해 '실제 나타난 표현들'을 중심으로 추론쌍을 구성할 수 있는 형태를 말한다. 반면 후자는 전적으로 문맥에 의존적인 경우로서, 여러 겹의 추론을 통해 획득할 수 있는, 보다 난해한 유형의 추론 관계를 의미한다. 즉 후자의 경우는 각각의 특수 문맥을 고려하는 것이 필요하지만, 보다 중요한 추론 정보를 제공할 수 있다. 예를 들어 다음 다이얼로그를 살펴보자.

A1: Gordon, you're ever so late.
B1: Yes, I am sorry. I missed the bus.
A2: But there's a bus every ten minutes, and you are over 1 hour late.
B2: Well, I missed several buses.
A3: How on earth can you miss several buses?
B3: I, ah ..., I have got late.
A4: Oh, come on, Gordon, it's the afternoon now. Why were you late really?
B4: Well, I ... I lost my wallet, and I ...
A5: Have you got it now?
B5: Yes, I found it again.
A6: When?
B6: This morning. I mean ...
A7: This tardiness causes embarrassment every time.

위 다이얼로그는 회사에 지각한 Gordon과 회사 동료 사이의 대화로서, 지각하게 된 원인을 설명하고 반박하는 내용을 보인다. 위에서 '버스를 놓쳤다'는 사실은, 일반적인 상식적 지식에 기반할 때, '지각하는' 상황에 대한 원인 제공을 할 수 있다는 점에서, '추론 관계 트리플' {missed the bus, causes, late}을 구성할 수 있다. 그런데 이러한 특정 트리플은, 다른 이유로 지각을 하게 되었을 '다른 문맥의 대화'에서는 유효하지 않을 수 있다.

마찬가지로 '지갑을 잃어버렸다'는 사실은 '지각하는 상황'의 원인이 될 수도 있고, 또는 '걱정에 잠겨있다'는 상태에 대한 원인이 될 수도 있다. 또한 '지각을 했다'는 사실이 '곤란함'의 상태의 원인이 될 수 있으므로, {tardiness, causes, embarrassment}와 같은 트리플이 구성될 수 있지만 이러한 설정은 모든 사람에게 동일하지 않은 '페르소나 특징적(persona-specific)' 성격을 보일 수 있다.

위에서 {tardiness, causes, embarrassment}는 대화속에 직접 어휘적으로 언급된 '명시적 트리플(explicit triplets)'의 예를 보이지만, 그 외의 인과관계는 모두 실제 언어표현으로 드러나지 않은 '암시적 트리플'의 유형으로 분류될 수 있다. 가령 '여러 대의 버스를 놓쳤다'는 사실이 '1시간 넘게 늦었다'의 원인이 될 수 있음을 이해하려면, 실세계 지식에 기반한 상식적 추론이 수행되어야 한다.

이러한 추론 관계들을 유추하기 위해서 CIDER에서는 ConceptNet으로부터 19가지의 관계(relations)를 가져오고, 여기에 6가지의 새로운 관계를 추가하여 모두 25가지의 핵심 관계를 설정하였다. 이 전체는 다음과 같은 방식으로 범주화된다.

Category	Relation	Example
Attribution	Capable Of Depends On* Has A Has Property Has Subevent Is A Manner Of	knife → cut postage fee → weight of the post bird → wing; pen → ink ice → cold eating → chewing car → vehicle; Chicago → city auction → sale
Causal	Causes Causes Desire Implies*	exercise → sweat having no food → buy food wet cloth → caught in rain
Comparison	Antonym Distinct From Similar To Synonym	black ↔ white; hot ↔ cold red ↔ blue; August ↔ September mixer ↔ food processor sunlight ↔ sunshine
Conditional	Has Prerequisite	dream → sleep
Intentional	Desires Motivated By Goal Obstructed By Used For	person → love compete → win sleep → noise bridge → cross water
Social	Social Rule*	apology → late
Spatial	At Location Located Near	try clothes → changing room table → chairs
Temporal	Before* Happens On* Simultaneous*	brush teeth → go to bed celebration → birthday heavy sports → heavy breath

위에서 보듯이 25가지 핵심 관계(relation)는 8가지 대범주(category)로 분류되어 구성된다.

　　CIDER에서는 다양한 서브 태스크들을 제시하는데, 여기서 다이얼로그 레벨에서의 NLI를 위한 DNLI(Dialogue-level Natural Language

Inference) 데이터의 예를 살펴보자. 아래 예에서 '전제문(premise)'은 현재 주어진 다이얼로그 전체 텍스트가 되며, '가설문(hypothesis)'은 하단에 주어진 각 트리플이 된다. 즉 전제문에 대해 각 가설문이 참인지 거짓인지를 판단하여, 참이면 함의(entailment)의 레이블을 부여하고, 거짓이면 모순(contradiction)의 레이블을 부여한다.

> **A:** I'd like to pay a visit to the Smiths at 3:30 p.m. Will you go with me, Mary?
> **B:** I'd love to, but I won't be off work from my factory until 4:00 p.m.
> **A:** How about 4:15?
> **B:** I'll be free then, Jack.
> **A:** OK. Let's meet at the bus stop and take the No.5 bus to go there.
> **B:** Why not by bike? The bus would be crowded at that time.
> **A:** But my bike is broken.
> **B:** You can use your sister's new bike, can't you?
> **A:** Yes. I'll wait for you in front of the bookstore opposite the cinema.

Entailment: visit to the Smiths, Has Prerequisite, be off work

Entailment: bus would be crowded, Causes Desire, Why not by bike

Entailment: Why not by bike, Obstructed By, bike is broken

Contradiction: bike is broken, Causes Desire, take the No.5 bus

즉 위에서 {visite to the Smiths, Has Prerequisite, be off work}의 트리플(즉 가설문 h)은 상단의 다이얼로그 텍스트(즉 전제문 p)에 대해 참의 관계를 보이므로 함의(entailment)가 된다. 반면 {bike is broken, Causes Desire, take the No.5 bus}의 트리플은 다이얼로그와 일치하지 않으므로 모순(contradiction)이 된다.

▶▶ 문맥기반 다이얼로그 함의 추론 데이터셋 CICERO

CICERO(ContextualIzed CommonsEnse InfeRence in dialOgues)

데이터셋(Ghosal et al. 2022)은 5가지의 '발화 층위의 추론'을 위한 데이터셋이다. 즉 '원인(cause), 후행 이벤트(subsequent event), 선행 조건(prerequisite), 동기(motivation), 감정 반응(emotional reaction)'의 5가지 유형의 추론 관계를 분류하는 것을 목표로, 5,672개의 다이얼로그로부터 53,105개의 추론 관계를 구성하여 제안되었다. 이를 통해 원인과 후행 이벤트, 그리고 선행 조건과 동기, 청자의 감정 반응 등을 생성하고 또한 '타당한 대안(plausible alternatives)'을 추출하는 태스크를 수행하였다. CICERO 데이터에서 주석하는 추론 관계의 예를 보면, 가령 다음 대화의 상황은 장갑을 사러 온 고객의 발화 상황으로서, 다음 발화에서 '그 행위의 원인'을 추측해보면 다음과 같은 설정이 가능하다.

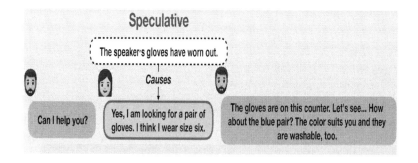

즉 고객이 '사이즈 6의 장갑을 찾고 있다'는 발화를 통해, '화자의 장갑이 닳아 없어졌다'는 추측을 하는 것이 가능하고, 이러한 사실이 이러한 행위 및 발화의 원인(cause)이 되었을 것이라는 추정이 가능하다. '대상 문장(target utterance)'은 여기서 빨간색 진한 테두리로 표시되었다.

다음은 아들과 아빠의 저녁 식사에 대한 대화인데, 엄마가 집을 비운 사이 아빠가 할 수 있는 요리는 생선튀김과 치킨수프 밖에 없는 것으로 보이며, 이러한 메뉴가 반복되면서 아들이 '이번에는 맥도날도에 가고 싶다'는 발화를 하고 있는 대화의 예를 보인다.

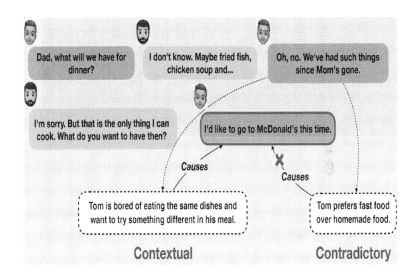

위의 다이얼로그 상황에서는, 아들이 맥도널드에 가고 싶다는 발화(표에서 빨간 테두리 발화)의 그 '원인'을 이해하려면 그 전 발화의 문맥을 이해하는 것이 필요하다. 즉 이 문장만으로 직접적인 추론을 한 오른쪽 하단의 박스 '아들(Tom)이 집밥보다는 패스트푸드를 좋아한다'는 내용은 실제로는 이 대화 내용과 맞지 않는 '모순적(contradictory)' 가정이 된다. 즉 이 경우에는 그 전 발화(즉 '엄마가 집을 비운 이후 늘 그런 것만 먹었다'는 아들의 발화)를 통해, '아들(Tom)이 같은 음식만 먹는다는 것에 질렸고, 그래서 무언가 새로운 음식을 먹고 싶어하는 것이 원인'이라는 '문맥적(contextual)' 가정을 하는 것이 필요한 것이다. 즉 '이번에는 맥도널드에 가고 싶다'는 발화에 대해 5가지 유형의 추론 관계를 추출하는 것이 가능하다. 즉 그 원인과 후행 사건, 선행 조건, 동기, 감정 반응 등이 추론될 수 있는데, 이를 도식화해서 나타내면 다음과 같다.

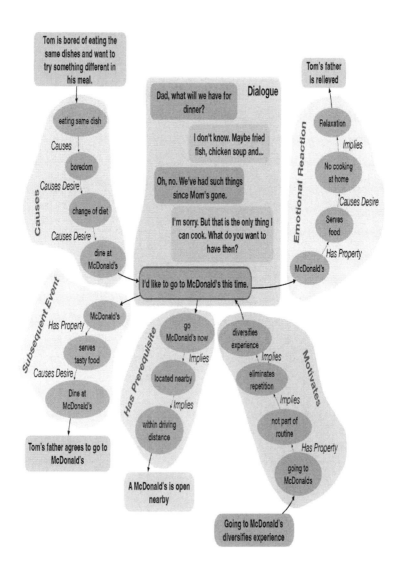

즉 위와 같은 5가지 유형의 추론 관계를 구성하기 위해서, 작업자들은 우선 다음과 같은 유형의 'dialogue-target' 입력문을 제공받는다.

Linda would you care for some candies or cookies?

No don't try to tend me. I'm becoming chubby and I have to slender down.

You are not really chubby. You are actually thin enough.

I don't think so. I know I've put on weight this winter.

위의 대화는 'A가 B(Linda)에게 쿠키를 권하자 B가 살이 찌는 것 같다며 걱정을 하고, 그래서 A가 그렇지 않다고 하자, B가 다시 반박하면서 이번 겨울에 체중이 늘어난 것 같다'고 하는 대화쌍이다. 여기에서 마지막의 빨간 테두리의 발화문이 목표 발화(target utterance)가 되며, 이에 대해서 주석자들은 다음 5가지의 추론쌍을 1개 이상 생성하도록 요청 받는다.

- Q1 | 목표 문장의 직접적 '원인(cause)'이 되었을 것은?
  [대답의 예] Linda는 이번 겨울에 규칙적으로 운동을 하지 않았다.

- Q2 | 목표 문장 다음의 '후행 사건(subsequent event)'이 될 것은?
  [대답의 예] Linda는 다이어트를 시작하고 몸무게를 줄이려 애쓴다.

- Q3 | 목표 문장의 '선행 조건(prerequisite)'이 될 수 있는 것은?
  [대답의 예] Linda는 이번 겨울 이전에는 더 날씬했다.

- Q4 | 목표 문장의 '동기(motivation)'가 된 감정/인간 욕구는?
  [대답의 예] 여기서는 해당 사항 없음(Not Applicable)

- Q5 | 청자의 가능한 '감정 반응(emotional reaction)'은?
  [대답의 예] 청자는 Linda가 다이어트를 유지하도록 격려한다.

위에서 주석자들은, 충분한 정보가 주어져있지 않을 때에는, 추측할 수 있는 가능한 하나의 경우를 가정하도록 요구되고, 반복되는 답변을 피하고 일관성을 갖도록 요구된다.

위에서 특히 '원인(cause)'과 '전제 조건(prerequisite)'은 구별이 필요한데, 어떤 사건 X의 '원인'은 'X를 직접적으로 유발하는 하나의 사건'인 반면, '전제 조건'은 '사건 X가 일어나기 위해 충족되어야 하는 조건'을 의미한다. 즉 'Linda가 체중이 늘었다'는 사건 X에 대해, 'Linda가 운동을 하지 않았다'는 X의 '원인'이 될 수 있는 반면, 'Linda가 그 이전에는 더 날씬했다'는 X의 원인이 아닌 '전제 조건'이 되는 것이다.

또한 목표 문장의 '동기(motivation)'가 된 화자의 감정 또는 인간적 욕구란 예를 들어 음식, 물, 옷, 따뜻함, 휴식, 보호, 안전, 친밀한 관계, 친구, 위신, 성취감, 자기 만족, 창의적 활동, 즐거움 등의 '인간의 기본적인 욕구 또는 감정'을 의미한다. 마지막으로 청자의 '감정 반응(emotional reaction)'이란 다음과 같은 유형의 어휘 부류 또는 이러한 의미 계열의 단어들을 사용하여 표현하는 것이 가능하다.

Admiration	Affection	Afraid	Angry	Annoyed
Anticipating	Anxious	Apprehensive	Ashamed	Awe
Awkwardness	Boredom	Calmness	Caring	Confident
Confusion	Content	Craving	Devastated	Disappointed
Disgusted	Eagerness	Embarrassed	Encouragement	Enthusiasm
Excited	Faithful	Fear	Furious	Grateful
Gratitude	Guilty	Happy	Hopeful	Impressed
Interest	Jealous	Joyful	Lonely	Nostalgic
Prepared	Proud	Relief	Romance	Sad
Satisfaction	Sentimental	Surprised	Terrified	Trusting

이와 같은 방식을 통해 주석된 CICERO 데이터셋의 예를 보이면 다음과 같다. 즉 주어진 다이얼로그 텍스트에 대해 주석자들은 5가지 추론의 형태를 위의 5가지 질문에 상응하도록 생성하는 것이 요구된다.

A (u_1): Hi, Jenny. Is it true you're moving to London? **B (u_2)**: Yes, it is. **A (u_3)**: What made you decide to do that? **B (u_4)**: Work, mainly. I'm sure I'll be able to find a job there. **A (u_5)**: You're probably right. But where are you going to live? **B (u_6)**: I hope I'll find a flat to share with somebody. That way it will be cheaper. **A (u_7)**: Yes, that's a good idea. Are you taking your dog with you? **B (u_8)**: No, I don't think so. My parents have offered to take care of him, and I don't think he'd be happy in the city. **A (u_9)**: You're probably right. But aren't you afraid of moving to such a big place, especially after living in a small village? **B (u_{10})**: Not really. I think I'll enjoy myself. There's so much to do there; I expect I won't miss the countryside much and I can always come back and visit. **A (u_{11})**: Well, I just hope you'll invite me to stay when you get settled. **B (u_{12})**: Of course I will.

Target - u_6; **Inference:** Cause; **Annotation:** Being an expensive city, it is quite difficult to find an affordable place to live in London.

Target - u_{10}; **Inference:** Cause; **Annotation:** Jinny realizes that a city like London will provide a great quality of life for her.

Target - u_6; **Inference:** Subsequent Event; **Annotation:** The listener gives an idea to Jenny to find the flat on some online portal for searching flatmates as well plenty of cheaper options.

Target - u_{10}; **Inference:** Subsequent Event; **Annotation:** Jenny inquired a social club in London and ask for their membership to utilize her free time.

Target - u_4; **Inference:** Prerequisite; **Annotation:** Jenny has completed her studies.

Target - u_{12}; **Inference:** Prerequisite; **Annotation:** Jenny and the listener are good friends.

Target - u_6; **Inference:** Motivation; **Annotation:** Jenny is optimistic about having someone as her flatmate to save rent.

Target - u_{12}; **Inference:** Reaction; **Annotation:** The listener is happy for Jenny and looks forward to being invited to London by Jenny.

➡ 사회적 편향성 추론 데이터셋 SBIC

SBIC(Social Bias Inference Corpus) 데이터셋(Sap et al. 2020)

은 '고정관념(stereotype)'이나 '사회적 편견(social biases)'에 대한 문제를 해결하기 위한 데이터셋이다. 특히 명시적으로 나타나지 않고 암시적으로 표현되는 이러한 편견적 발화는 탐색해내는 것이 매우 어려운데, 예를 들어 "we shouldn't lower our standards to hire more women"과 같은 문장에서처럼, '더 많은 여성을 고용하기 위해 우리의 기준선을 낮추는 것은 안된다'와 같은 문장은 '여성 후보는 더 낮은 능력을 가지고 있다'는 진술을 함의하고 있다. 많은 형식 의미론적 연구(semantic formalism)들은 사실상 이와 같은 화용적 함의(pragmatic implication)의 문제를 잘 처리하지 못하고 있다. 그러나 사람들은 실제 발화 속에서 이러한 사회적 편견과 차별성을 다양한 방법으로 표현하고 있다. SBIC 데이터는 SBF(Social Bias Frames), 즉 사람들이 타인에 대해 사회적 편견을 투사하는 화용적인 프레임을 모델링하기 위한 '개념 형식구조(conceptual formalism)'와 함께 제안된 대규모 데이터로서, 소셜미디어 포스트로부터 구조화된 150k의 주석데이터셋을 구성한다. SBF는 다음과 같은 7가지 기준을 통해 구성되었다.

- 공격성(Offensiveness) | 상대방을 비하하거나 상대에게 무례하거나 또는 유해한 모든 유형의 공격적인 표현들로서, 'yes/maybe/no'의 3가지 방식으로 주석된다.
- 불쾌하게 하려는 의도(Intent to offend) | 화자의 발화 동기가 불쾌하게 하려는 의도를 가진 것으로 받아들여지는가를 판단하는 것으로, 이것은 화자의 발화가 어떻게 받아들여지는가를 이해하는 열쇠가 된다. 위의 '공격성'과는 달리 다루어지며, 'yes/probably/probably not/no'의 4가지 레이블로 분류된다.
- 외설적임(Lewd) | 상대방에게 성적인(sexual) 모욕감 또는 불쾌감을 주는 발화인지를 판단하는 것으로서 'yes/maybe/no'의 3가지 방식으로 분류된다.
- 집단을 대상으로 하기(Group implications) | 이것은 일정 집단에 대

한 모욕이나 공격으로, 'F*ck you' 유형과 같이 개인 한사람에 대한 공격 또는 모욕을 하는 유형과 구별된다. 이 경우 'yes(group targeted)/no(individual only)'의 두 가지로 분류된다.

- 대상 집단의 유형(Targeted group) | 특정 사회적 집단이나 연령층 집단에 대한 공격적 표현들을 '자유 답변 유형(free-text answers)'으로 수집한 것으로, 다만 사회적 집단이나 연령 집단의 기본 리스트를 구성하여 이를 기반으로 데이터를 구성함으로써 데이터의 균형을 유지하도록 하였다.

- 편견이 함축된 진술(Implied statement) | 이 경우도 '자유 답변 유형(free-text answers)'으로 수집한 것으로, 사회적 편견이 함축된 진술들을 수집한 경우이다. 예를 들어 "Women are ADJ"나 "gay men VBP"와 같은 패턴으로 실현되는 문장 유형을 포함한다.

- 대상 집단의 언어(In-group language) | 대상(target)이 된 사회적 또는 연령층 집단에 속하는 사람이 작성한 텍스트 유형으로, 스스로를 비하하거나 재생산된 비방글의 형태를 포함한다. 'yes/maybe/no'와 같은 방식으로 분류된다.

post	off?	int?	lewd?	group?	targeted group	implied statement	ingroup?
Kendrick just dropped the coldest video of all fucking time	no	no	no				
What a fucking stupid bitch shut the fuck up already	yes	yes	no				
need to fuck sum bad , I got some pressure built up :P	no	no	yes				
I take a bitch home give her long dick	yes	yes	yes	no			
You annoyed me every day for months you're a fucking moron	yes	yes	no	no			
My problem with Korean artists: I dont know how to pronounce your name I can't hanggul to save my life	yes	no	no	yes	Korean folks	have weird names	no
I'll continue this thread till non-lifting fags stop lifting like idiots at the gym... Which is never.	yes	yes	no	yes	gay men	are weak and not manly	no
I thought drugs were the only things black people could shoot up Boy was I wrong	yes	yes	no	yes	Black folks	do drugs kill people commit shootings	no

위 표는 이와 같은 방식으로 구성된 데이터의 예를 보인다. SBIC는 Twitter, Reddit 등의 온라인 사이트에서 44,671개의 포스트를 수집하여, 미국와 캐나다의 MTurk(Amazon Mechanical Turk) 작업자들에게 이러한 유형의 질문지를 제시하여 이에 답하게 함으로써 데이터를 구성하였는데, 논문에서 밝히고 있듯이 백인 중심의 영어권 화자의 제한된 주석자의 판단에 기반하고 있다. 실제로 이러한 연구는 역설적으로 자연언어별 다양한 언어 및 문화 속성에 기반한 편향성 주석 작업이 병행되어야 함을 보여준다.

2.5 국내 자연어추론 학습데이터셋의 연구

➥ 기계번역 기반 대규모 한국어 추론 데이터셋 KorNLI

한국어 자연어추론 데이터셋 KorNLI(Ham et al. 2020)는 영어의 다음 3가지 NLI 데이터셋에 기반하여 구축되었다.

- SNLI (2015) | 이미지 캡션에 기반한 570K 규모의 영어 문장쌍
- MNLI (2018) | 10개 장르 텍스트 기반 455K 규모의 영어 문장쌍
- XNLI (2018) | MNLI 데이터셋을 15개 언어로 확장한 문장쌍

XNLI 데이터(Conneau et al. 2018)의 15가지 언어에 한국어는 포함되지 않았으며, KorNLI는 SNLI과 MNLI의 학습 데이터(training sets)와 XNLI의 개발 데이터(development sets) 및 평가 데이터(test sets)를 기계 번역 엔진을 통해 한국어로 번역하여 획득하였다. 그 다음 XNLI의 두 데이터에 대해 전문가 검수를 통해 후처리를 수행하여 평가 품질을 확보하도록 하였다.

이러한 일련의 과정을 통해 KorNLI 데이터는 942,854개의 자동 번역된 문장쌍과 7,500개의 수동 번역된 문장쌍으로 구성되었다. 다음은 MNLI 데이터에 대한 기계번역을 통해 구성된 학습용 데이터셋의 실제 일부 예를 보인다.

- 개념적으로 크림 스키밍은 제품과 지리라는 두 가지 기본 차원을 가지고 있다
- 제품과 지리학은 크림 스키밍을 작동시키는 것이다.   /neutral

- 시즌 중에 알고 있는 거 알아? 네 레벨에서 다음 레벨로 잃어버리는 거야 브레이브스가 모팀을 떠올리기로 결정하면 브레이브스가 트리플 A에서 한 남자를 떠올리기로 결정하면 더블 A가 그를 대신하러 올라가고 A 한 명이 그를 대신하러 올라간다.
- 사람들이 기억하면 다음 수준으로 물건을 잃는다.   /entailment

- 우리 번호 중 하나가 당신의 지시를 세밀하게 수행할 것이다.
- 우리 팀의 일원이 당신의 명령을 엄청나게 정확하게 실행할 것이다.
                                                                /entailment

- 펠리시아의 여정은 그녀의 태어나지 않은 아이의 아버지를 찾기 위한 희망적인 탐구로 영국으로 바다를 건너는 어린 아일랜드 소녀 펠리시아의 눈 뒤에서 일어난다; 그리고 그녀의 젊은 남자가 그녀에게 캐디쉬하게 전표를 주었다는 것이 분명해지면 나태함에 부계 관심을 갖는 뚱뚱하고 중년의 음식점 매니저 히디치.
- 여자는 그 남자가 멀리 있는 한 어디에 있든 상관하지 않았다.
                                                                /contradiction

위에서 보듯이, 실제 KorNLI 데이터셋을 검토해 보면, 우선 영어와 한국어의 언어적, 문화적 차이에서 오는 부자연스러움과 더불어, 기계번역으로 인한 번역 자체의 오류 등이 상당수 관찰되는 것을 볼 수 있다.

KorNLI 데이터는 빠른 시간내에 대규모의 데이터를 확보한다는 면에서 그 의미를 가진다고 할 수 있지만, 실제로 그 퀄리티에 있어 많은

한계를 가진 데이터의 특징을 보이므로, 이를 기반으로 학습되는 한국어 NLI 모델의 향상을 위해서는 보다 보완된 방식의 한국어 추론 데이터셋 구축이 요구되는 것을 확인할 수 있다.

➡ 한국어 추론 학습데이터셋 KLUE

KLUE(Korean Language Understanding Evaluation) 벤치마크 (Park et al. 2021)는 다음과 같은 8가지 한국어 자연어이해(NLU) 태스크를 위한 데이터셋을 포함하고 있다.

- 토픽 분류 (Topic Classification)
- 텍스트 유사도 측정 (Semantic Textual Similarity)
- 자연어 추론 (Natural Language Inference)
- 개체명 인식 (Named Entity Recognition)
- 관계 추출 (Relation Extraction)
- 의존 파싱 (Dependency Parsing)
- 기계 독해 이해 (Machine Reading Comprehension)
- 대화 상태 추적 (Dialogue State Tracking)

이러한 8가지 영역에 대한 데이터셋은 기존의 다양한 출처로부터 획득하였고, 이러한 데이터셋과 더불어 KLUE-BERT, KLUE-RoBERTa 모델을 생성하였다. 여기서 KLUE-RoBERTa large 모델이 상대적으로 높은 성능을 보여주었다.

자연어추론을 위한 KLUE 데이터셋은 다음의 6가지 출처로부터 10,000개의 전제문 문장 추출을 통해 이루어졌다.

- WIKITREE, POLICY, WIKINEWS, WIKIPEDIA, NSMC, AIRBNB

위와 같은 출처로부터 구성된 코퍼스는 다양한 토픽을 다루고 있으며, 한국어 현대 문장들의 다양한 문체들을 포함하고 있다. 처음 3가지는 모두 뉴스 기사들이며, WIKIPEDIA는 개인들이 참여한 백과사전적 정보를 담고 있는 텍스트로, 모두 정형화된 표현을 사용하고 있다. 반면 NSMC와 AIRBNB는 영화와 여행 관련 도메인에서의 구어체적인 후기글들을 모은 코퍼스이다. 이와 같은 출처로부터 10,000개의 전제문을 구성하는데, 이때 유효한 전제문은 다음과 같은 3가지 조건을 충족시켜야 한다.

첫째로, 전제문은 우리가 '진리가(truth value)'를 할당할 수 있는 평서문(declarative sentence) 형태로, 하나의 명제(proposition)를 구성해야 한다. 즉 수학적 공식이나 리스트 형식 등은 배제된다.

둘째로, 전제문은 최소한 하나의 서술어(predicate)를 포함해야 한다. 이때 서술어는 'states(be, believe, know 등)'나 'activities(play, smile, walk 등)', 그리고 'achievements(realize, reach, break 등)', 'accomplishments(eat, build, paint 등)'의 다양한 형태가 가능하다.

세 번째로, 전제문은 여백을 포함하여 20 문자(characters)에서 90 문자 사이의 길이로 구성되어야 한다.

이상과 같은 방식으로 전제문이 구성되면, 주석자들은 각 전제문에 대해 3가지의 가설문을 생성하게 된다. 이를 통해 함의문과 모순문, 그리고 중립문의 비중을 동일하게 구성할 수 있다는 장점을 가진다. 이때 3가지 레이블링은 다음과 같이 정의된다.

- ENTAILMENT | 전제문이 참일 때 가설문은 반드시 참이 됨
- CONTRADICTION | 전제문이 참일 때 가설문은 반드시 거짓이 됨
- NEUTRAL | 전제문이 참일 때 가설문은 참이거나 참이 아님

KLUE 데이터에서도 앞서 논의한 바 있는 '주석 인공물(annotation artifacts)'의 문제점에 대해 주의를 기울였다고 언급하고 있다. 그러나

이러한 부담에도 불구하고, 자동 생성된 데이터보다는 사람에 의해 직접 생성된 데이터의 품질이 더 우수하기 때문에, 작업자들에게 충분한 가이드라인을 제시하면서 수동으로 데이터를 구축하는 방법을 사용하였다.

우선 가설문 생성시에 다양한 어휘적 선택, 통사적 구조 및 실세계 지식 등을 사용할 것을 요구하였고, 예를 들어 어휘적 선택에 있어서는 동의어나 반의어, 상하위어 등의 사용을 가이드하여 진행하였다.

통사적 구조에 있어서는 단어 뒤섞기나 수동태/능동태의 변화, 사역 구문 등의 전략을 공유하였고, 실세계 지식에 있어서는 시간 개념이나 수량 표현, 그리고 지리적 정보 등과 같은 다양한 지식을 사용하도록 가이드하여 가설문을 생성하도록 하였다.

또한 의미적으로 이해하기 어렵거나 문법적으로 어색한 전제문들은 배제하도록 하였으며, 윤리적으로 문제가 되는 유형들이나 개인 정보, 편견, 혐오 표현 등도 포함되지 않도록 하였다.

각 전제문에 대해 한 사람이 작업한 후 다시 네명의 작업자가 작업하여 이를 통해 최종 레이블을 결정하는 방법을 택하였으며, 이러한 과정을 통해 궁극적으로 30,998개의 문장쌍을 구성하였다. 여기서 80%의 데이터는 학습 데이터(train data)로 사용하고, 개발 데이터(development data)와 평가 데이터(test data)로 각각 10%, 즉 3,000개씩을 사용하였다. 이때 각 3천개는 정형화된 데이터에서 60%를 추출하고 구어체 데이터에서 40%를 추출하는 방식으로 구성하였다.

KLUE 데이터셋은 사람이 직접 추론쌍을 구축한 결과물이므로, 번역기를 통해 영어에서 자동 번역한 결과에 기반하는 KorNLI 데이터에 비해, 문장 의미의 자연스러움이나 통사적 정확성의 측면에서 더 우수한 양상을 보인다. 다만 규모면에서 KorNLI는 90만 문장쌍에 이르는 대규모 양상을 보인다면, KLUE 데이터는 약 3만개 규모에 이른다는 차이를 보이며, 이때 하나의 전제문에 대하여 3가지 레이블에 따른 3개의 가설문을 대응하는 방식으로 추론쌍을 구성하여 실제 전제문은 1만여개에 그친다는 차이를 보인다. KLUE 학습용 데이터의 예를 보면 다음과 같다.

- 100분간 잘껄 그래도 소닉붐땜에 2점준다
- 100분간 잤다.   2(모순)

- 100분간 잘껄 그래도 소닉붐땜에 2점준다
- 소닉붐이 정말 멋있었다.   1(중립)

- 100분간 잘껄 그래도 소닉붐땜에 2점준다
- 100분간 자는게 더 나았을 것 같다.   1(중립)

- 10년 만에 찾는 피터를 웬디는 따뜻하게 맞이하고 피터는 성공리에 연설을 마치는데 딴 세상인 마법 섬에서 온 후크선장은 피터 배닝의 남매인 잭과 매기를 납치한다.
- 웬디는 피터를 차갑게 맞이했다.   2(모순)

- 10년 만에 찾는 피터를 웬디는 따뜻하게 맞이하고 피터는 성공리에 연설을 마치는데 딴 세상인 마법 섬에서 온 후크선장은 피터 배닝의 남매인 잭과 매기를 납치한다.
- 잭과 매기는 피터 배닝의 동생들이다.   1(중립)

- 10년 만에 찾는 피터를 웬디는 따뜻하게 맞이하고 피터는 성공리에 연설을 마치는데 딴 세상인 마법 섬에서 온 후크선장은 피터 배닝의 남매인 잭과 매기를 납치한다.
- 피터 배닝, 잭, 매기는 남매사이다.   0(함의)

위에서 볼 수 있듯이, KLUE에서는 전제문도 기계번역된 결과물이 아니고 가설문도 사람이 수동으로 직접 생성하였기 때문에 KorNLI에 비해 더 자연스러운 추론쌍을 보이고 있지만, 전체 데이터의 문장쌍들이 언어학적 속성에 따라 하위 유형화되는 구조로 디자인되지는 않았기 때문에, 반복적인 방식의 추론쌍 구성은 피하기 어렵다는 한계가 존재한다.

실제로 '진단용 데이터셋(diagnostic test suite)'을 제시한 바 있는 GLUE 데이터셋과 달리, 한국어 KLUE 데이터에는 이러한 별도의 진단용 데이터셋은 포함되지 않았으나, 한지윤(2021)의 연구에서 GLUE를 기반으로 하는 한국어 진단용 데이터셋 논의가 수행되었다. 여기서는 KLUE 데이터에서 약 4천 문장을 임의로 추출하여 이에 대한 분석을 통해 GLUE와 같은 진단용 데이터 구성을 제안하였다. 즉 GLUE의 4가지 대분류(어휘의미론, 술어-논항구조, 논리학, 지식 및 일반상식)에 대응되는 한국어 세분류 28가지를 제시하였다.

이상에서 살핀 바와 같이, 한국어 자연어추론 데이터셋은 영어와 같은 언어에 비해 상대적으로 매우 초보적인 단계에 있다. 한국어 고유의 언어적 속성을 고려한 다양한 방식의 추론 데이터의 구축이 필요하다고 판단된다.

3 자연어추론 데이터셋 구축 접근법

3.1 웹문서 기반 전제문과 크라우드워커의 가설문

➺ 전제문(premise)의 구성

앞서 논의한 바와 같이, 대규모의 자연어추론 데이터셋의 구축은 '스탠포드 자연어추론 데이터(SNLI)'에서 시작되었다. 대규모의 데이터셋을 구축하기 위해, 전제문(P)은 이미 작성되어 있는 자연어 문장에서 추출하는 방법을 사용하였다. SNLI 데이터 구축을 위해서는 이미지 캡션 설명 텍스트로부터 '전제문'을 발췌하였고, MNLI 데이터에서는 다양한 장르의 기존 텍스트를 수집하여 여기서 전제문 문장을 추출하는 방식을 사용하였다. 그 이전의 '텍스트 함의 인식(RTE)'에서 제안되었던 데이터셋은 그 규모는 작았지만 많은 부분이 언어학자들에 의해 직접 구축되던 것과는 본격적으로 다른 양상을 보이게 된 것이다.

전제문 텍스트를 사람이 수동으로 직접 생성하던 방법과 비교할 때 이와 같이 기존에 이미 존재하던 텍스트를 사용하는 경우에는 몇 가지 장점이 있다. 첫째는 문장이 인위적이지 않고 실제 사용하는 자연스러운 문장으로 구성된다는 점이다. 둘째, 다양한 출처로부터 전제문을 추출하는 경우, 사람이 직접 상상하여 구성하는 유형과 달리, 다양한 유형의 문장을 확보할 수 있고, 특정 형태로 반복되는 것을 어느 정도 통제할 수 있다는 장점이 있다. 셋째는 시간이나 비용면에서 훨씬 더 빠른 속도로 대규모 데이터를 확보할 수 있다는 효율성의 장점이 존재한다.

반면 기존 텍스트에서 전제문을 수집하는 경우 갖게 되는 한계점들도 존재하는데, 우선 도메인의 다양성은 어느정도 확보한다고 하더라도, 수

집되는 개별 문장 자체를 일일이 검토하지 않는 경우, 문장 자체의 퀄리티를 담보하기 어렵다는 점이다. 즉 문법적으로 불완전하거나, 문장의 길이나 구성이 지나치게 길고 복잡한 부적절한 문장들이 포함될 수 있다. 둘째로, 윤리적으로 부적절하거나 사회적 편견이 암시적으로 내재되어 있는 문장들이 포함될 수 있으며 문장의 의미가 명확하게 전달되지 않는 질낮은 유형의 비속어 표현들이 삽입될 수 있다. 셋째로 도메인 자체의 다양성을 고려한다고 해도, 실제 각 문장들의 언어학적 다양성을 디자인하거나 의도한 균형잡힌 데이터셋의 구축이 가능하지 않다는 점이다.

특히 한국어 NLI 데이터셋의 경우, 다양한 인터넷 웹문서로부터 한국어 텍스트를 직접 수집하는 방식을 이용한 KLUE 데이터와 달리, 대규모의 데이터를 빠르게 확보하기 위해 영어의 SNLI 데이터나 MNLI 데이터를 자동 번역기를 이용하여 획득하는 방법을 사용한 KorNLI의 경우, 영어 데이터 자체에서 가지고 있는 한계와 더불어 한국어와의 언어적, 문화적 차이, 또한 기계 번역상의 오류가 덧붙여짐으로써, 실제 데이터로서의 신뢰도가 상대적으로 많이 저하될 수 밖에 없다는 점이 지적된다.

▶▶ 가설문(hypothesis)의 구성

대규모 데이터셋 구성을 위해 기존의 텍스트에서 전제문이 수집되면, 이에 대한 가설문이 구성되어야 한다. 이 경우도 초기에 언어학자들이 직접 문장을 생성하여 추론쌍을 구성하던 방법은 대규모 문장쌍을 작성하는 데에 적절하지 않으므로, MTurk와 같은 다양한 방식의 크라우드 소싱을 사용하여 가설문을 생성하게 된다.

이 경우 빠른 시간내에 대규모의 데이터셋을 구성한다는 점에서 장점이 있으나, 우선 많은 사람이 동시에 투입되기 때문에 이에 대한 퀄리티를 확보하기 어렵다는 문제가 발생한다. 둘째, 단순히 많은 사람의 참여 문제뿐 아니라, 언어적 능력과 논리적 판단 능력 등에 개인차가 존재하므로, 언어학자나 전문가에 의한 추론쌍 생성과는 차이가 발생한다. 셋째, '함의/중립/모순'의 추론쌍을 구성하는 방법이 일정 반복적 형태로 한정되는 위험이 발생한다. 소위 '주석 인공물(annotation artifacts)'의 문제이다. 이 문제는, 앞서 논의한 바와 같이, 여러 논문들에서 이러한 대규모 데이터셋의 '가설문' 자체에 대한 다양한 실험과 연구를 통해 지적한 바 있다.

이러한 문제점들을 해결하기 위해 주석 작업전 상세한 가이드라인을 구축하는 노력들이 제안되었으며, 작업자들에게 이와 관련된 충분한 교육을 수행하는 것이 필요하다는 점도 강조되었다. 또한 여러 사람에 의한 상호 검수를 수행하기 위해서 일부 표본 데이터에 대해 2~5명의 작업자들의 주석을 비교 검토하여 이를 바탕으로 '골드 레이블(gold label)'을 구성하는 방법을 제안하기도 하였다.

또한 데이터 구축의 비용과 시간을 절감하기 위해 이미 기구축된 언어의 데이터를 기계번역하여 사용하는 연구들도 논의되었는데, 한국어 KorNLI 데이터는 이러한 접근법의 대표적인 한 경우이다. 영어 데이터를 자동 번역하여 구성한 KorNLI 한국어 데이터셋의 경우, 자동 번역 결과가 갖는 통사적 · 의미적 오류의 문제는 차치하고라도 문화적 배경이 다른 주석 작업자들의 결과를 한국어로 번역한 것이기 때문에 한국어 학습 데이터로 사용하기에 많은 제한점을 갖게 된다.

3.2 언어학적 특징을 고려한 데이터셋의 설계

➡ 특정 언어학적 속성을 고려한 수동 구축

앞서 살핀 자연어추론 데이터 중에는 특정 언어학적 현상에 대한 '언어모델(pretrained language model)'의 성능을 향상시키기 위해, 해당 언어학적 속성을 잘 드러내는 추론쌍을 별도로 구축하여 '파인 튜닝

(fine-tuning)'에 사용하는 경우들이 존재하였다. 이런 경우 전제문과 가설문을 모두 직접 생성하는 경우가 있고, 또는 전제문은 외부 텍스트에서 수집하고, 이에 대응되는 가설문만 특정 주석자들이 작업하는 경우들이 있다.

다만 구축하고자 하는 특수 데이터셋이 정교하고 난해한 유형일수록 실제 언어 현실에서 전제문을 수집하는 것이 용이하지 않으므로, 이 경우는 전제문과 가설문을 모두 사람이 직접 생성하는 방식으로 데이터셋을 구성하게 된다. 이러한 대표적인 경우가 앞서 논의한 HANS 데이터셋이나 일부 MED 데이터셋의 사례이다.

➡ 생성 모델을 활용한 하이브리드 접근법

최근 들어 '생성 AI 모델(generative AI models)'의 성능이 높아지기 시작하면서, 정교한 언어학적 데이터셋을 구성하는 경우에도 1차로 생성 모델을 사용하고, 이를 기반으로 2차 단계에서 사람이 개입하는 하이브리드 방식의 두 단계 데이터 구축이 가능해지기 시작하였다.

이 경우 생성 모델 결과의 품질을 높이기 위해 프롬프트를 명시적인 방법으로 정확히 작성하는 것이 중요하다. 또한 태스크의 난이도에 따라 모델의 생성 결과를 수동으로 검수하여, 궁극적으로 데이터의 신뢰도를 높이는 것이 필요하다. 본 연구의 3장에서 소개하는 KOLIN 데이터셋은 바로 이러한 접근법을 통해 구축된 한국어 추론 데이터셋(남지순 외 2024)이다.

다음 2장에서는 이와 같이 한국어의 언어학적 특징을 반영하여 구성된 자연어추론 데이터셋을 구축하기 위해서, 어떠한 언어적 속성을 고찰해야 하는가에 대해서 상세히 살펴보기로 한다.

제2장

언어학적 속성 기반 한국어추론 데이터 연구

♛ 언어학적 속성 기반 한국어 추론 데이터

앞서 이 책의 제1장에서는 다양한 유형의 NLI 데이터와 함께, 특히 '언어학적 속성'에 기반하는 추론 데이터 구축의 중요성을 실험하는 최근 동향들을 소개한 바 있다.

2015년 SNLI 데이터셋을 시작으로 대규모의 자연어추론 데이터 구축이 본격화되었고, 이를 기반으로 학습된 언어모델이 실제로 편향되거나 제한된 예측만을 수행할 수 있다는 연구들이 발표되었다(Gururangan et al. 2018, Poliak et al. 2018 등). 이후 '단조성(monotonicity)'의 속성을 이해하는가를 검증하기 위한 MED(Yanaka et al. 2019b) 데이터셋이나, '통사적 구문 구조'에 따른 의미 차이에 대한 이해가 가능한가를 검증하기 위한 HANS(McCoy et al. 2019) 데이터셋 등이 제안되었다. 이와 더불어 GLUE(Wang et al. 2019)의 진단용 데이터셋의 경우에는 영어의 다양한 어휘·통사적 특징을 반영하는 추론쌍의 유형을 분류하여 소개하였다.

한국어의 경우, 영어의 SNLI 데이터와 MNLI 데이터, XNLI 데이터를 자동 번역하는 방식으로 약 90만개 규모의 KorNLI 데이터셋이 구성되었으며(Ham et al. 2020), 이후 영어의 GLUE 데이터셋을 표본으로 하는 KLUE(Park et al. 2021) 데이터셋이 약 3만여개 규모로 구축되었다. 그러나 영어 NLI 데이터 연구에서 '언어학적 특성을 반영하는 데이터셋'으로 제안된 유형과 같은, 특화된 형태의 한국어 NLI 데이터셋의 구축은 전무한 상황이다.

이 장에서는 이와 같이 언어학적 속성에 기반한 한국어 추론 데이터셋 구축의 필요성에 입각하여, 이를 설계하기 위해 고찰되어야 하는 한국어 고유의 언어학적 속성들을 전체 78가지 유형으로 나누어 논의한다.

♛ 언어학적 속성 78가지 유형 연구

이 장에서는 한국어의 언어학적 속성을 고려한 자연어추론 데이터셋 구축시 논의되어야 하는 언어 현상들을 78가지로 분류하여, 다음과 같이 이를 4가지 대범주 카테고리(category)로 기술하였다.

번호	대범주 카테고리	중번호	중분류	세분류
1	논항 변환 스키마 (ARGUMENT)	1	논항 교차	A01-A05
		2	논항 변형	A06-A11
		3	논항 삭제	A02-A18
		4	논항 등위접속	A19-A23
2	술어 변환 스키마 (PREDICATE)	5	술어 부정	P01-P04
		6	술어 변형	P05-P10
		7	술어 삭제	P11-P13
		8	술어 등위접속	P14-P15
3	수식성분 변환 스키마 (MODIFIER)	9	관형어 변형	M01-M07
		10	관형어 등위접속	M08-M09
		11	관계절 변형	M10-M13
		12	부사절 변형	M14-M19
		13	부사어 변형	M20-M21
4	어휘·지식 변환 스키마 (LEXICON & KNOWLEDGE)	14	유의/반의어 변형	L01-L06
		15	상위어/하위어 변형	L07-L10
		16	지식/상식표현 변형	L11-L19

현재 제2장에서 기술되는 78가지 세부 스키마는 앞서 영어의 GLUE 진단용 데이터셋에서 제시한 33가지 유형보다 방대하며, HANS의 통사

적 구조에 기반한 30가지 템플릿보다 훨씬 더 다양한 언어학적 현상들을 포함하고 있다. 특히 한국어 고유의 현상인 '주격 중출문', '목적격 중출문', 또는 '격조사의 변형이나 삭제', '우언적 구성'에 대한 통사구조의 변환 문제도 포함되어 있으며, '함축동사(implicative verb)'와 사실동사(factive verb)', '논리곱(AND)/논리합(OR) 등의 등위접속에 의한 변환', 양화사(quantifier)에 의한 '상향단조(upward monotone)나 하향단조(downward monotone)' 현상 등, 통사구조뿐 아니라 논리구조적으로도 복합적인 현상에 대한 논의들도 포함되어 있다.

어휘적으로 추론 관계에 관여하는 '유의어/반의어/상하위어' 등의 관계도 문장의 통사적 구조 내에서 달라질 수 있음을 고찰하였고, 의미적 합성성(semantic compositionality)에 기반하지 않는 실세계의 언어외적 상식 및 지식을 통해 추론 관계를 결정해야 하는 현상들이 포함된 문장 유형에 대해서도 논의하였다.

전체 78가지로 세분류된 이러한 문장쌍 유형들은 다음에서 4가지 대분류 카테고리별로 논의된다. 이때 각 유형별 통사적 문장 구조 패턴에 대한 기술과 함께 대표 예문쌍(전제문(P)과 '함의(E)/모순(C)/중립(N)'의 3가지 추론 관계의 가설문(H)으로 구성된 문장쌍) 및 각 유형별 특징과 세부 속성에 대한 논의가 진행된다.

이 장에서 논의된 78가지 세부 스키마를 바탕으로 구성된 '한국어 언어학적 속성 기반 NLI 데이터 스키마 KOLINS (KOrean LInguistic feature-based NLI dataset Schema)'와 이를 기반으로 구축된 '한국어 추론 데이터셋 KOLIN'이 제3장에 이어서 소개된다.

제2장의 각 언어학적 유형별 추론쌍의 통사 구조를 기술하는 데에 사용된 약어 표현은 다음과 같은 의미를 나타낸다.

약어	의미
N(1, 2, 3)	명사구 (일반적으로 N1은 주어, N2는 목적어/부사격 논항 등)
N(n, m)	명사구 (n과 m은 두 문장쌍에서 공지칭 관계를 의미)
N_Space 유형	명사의 의미 속성 (N_XXX 유형으로 표현, 여기서는 '공간N')
PRED(n, m)	서술어 (n과 m은 해당 명사구와의 주술 관계를 표현)
VERB	동사
ADJ	형용사
ADV	부사
POST	모든 후치사(조사)를 총칭함
가/를/와/에/에게/로	개별 후치사의 대표형 ('가'는 주격, '를'은 목적격)
PRO	대명사
MODIF	수식어 (일반적으로 관형어)
QUANTIF	수량사 수식어
NEGATOR	부정소 (부정 부사 또는 부정 보조용언)
W	불특정 임의의 단어(word)를 의미
Ncomp	보문소 (보문절을 유도하는 명사구)
Npred	서술명사 (Predicative Nouns)
Vsup	기능동사 (Support Verbs)
NegPfx	부정(Negation) 접두사
DetEnd	관형형 활용어미 (동사/형용사 어간에 결합)
ConditionEnd	조건의 부사절을 유도하는 활용어미 (동사/형용사 어간에 결합)
ConcessionEnd	양보의 부사절을 유도하는 활용어미 (동사/형용사 어간에 결합)
PurposeEnd	목적의 부사절을 유도하는 활용어미 (동사/형용사 어간에 결합)
CauseEnd	원인의 부사절을 유도하는 활용어미 (동사/형용사 어간에 결합)
TimeEnd	시간의 부사절을 유도하는 활용어미 (동사/형용사 어간에 결합)
DescriptionEnd	설명의 부사절을 유도하는 활용어미 (동사/형용사 어간에 결합)

I 논항 변환 스키마

ARGUMENT | A01-A23

♛ 논항(ARGUMENT) 변환 스키마의 23가지 세부 유형

번호	중분류	코드	세부 유형
1	논항 교차(crossing)	A01	주어와 'N-와' 논항의 교차
2		A02	목적어와 'N-와' 논항의 교차
3		A03	주어와 'N-에/로' 논항의 교차
4		A04	목적어와 'N-에/로' 논항의 교차
5		A05	목적어와 주어의 교차
6	논항 변형(change)	A06	속격의 주격중출문 논항으로의 변형
7		A07	속격의 목적격중출문 논항으로의 변형
8		A08	내포문 주격의 주절 목적격으로의 변형
9		A09	주격의 무표격 논항으로의 변형
10		A10	목적격의 무표격 논항으로의 변형
11		A11	부사격의 후치사 변형
12	논항 삭제(deletion)	A12	주격 논항의 삭제
13		A13	주격 중출문의 논항 삭제
14		A14	목적격 논항의 삭제
15		A15	목적격 중출문의 논항 삭제
16		A16	동족논항 구문의 논항의 삭제
17		A17	부사격 논항의 삭제
18		A18	공지칭 대명사 논항의 삭제
19	논항 등위접속(coordination)	A19	명사구의 AND 등위접속
20		A20	명사구의 OR 등위접속
21		A21	주격 논항의 외치 등위접속
22		A22	목적격 논항의 외치 등위접속
23		A23	부사격 논항의 외치 등위접속

논항 변환 스키마

논항 교차 | A01-A05

논항(argument)과 관련된 일련의 통사적 구조 변경을 통해 추론쌍을 구성하는 방법의 첫 번째 유형은 논항들의 '교차(crossing)'에 의한 것이다. '논항 교차 구문'은 두 문장이 동일 술어로 구성되고, 두 개의 명사구가 다른 문장에서 서로 상반된 역할을 수행하는 통사 구조로서, 다음 5가지로 분류되어 논의된다.

- A01 | 주어와 'N-와' 논항의 교차
- A02 | 목적어와 'N-와' 논항의 교차
- A03 | 주어와 'N-에/로' 논항의 교차
- A04 | 목적어와 'N-에/로' 논항의 교차
- A05 | 목적어와 주어의 교차

1 A01 주어와 'N-와' 논항의 교차

'주어(N1)'와 'N2-와' 논항의 교차 현상은 일반적으로 '대칭 술어 (symmetric predicate)' 구문에서 나타나는 현상으로, 다음과 같은 통 사적 구조쌍의 관계로 정의된다.

- 전제문(P) │ Nn1-가 Nm2-와 PRED
- 가설문(H) │ Nm1-가 Nn2-와 PRED

이 유형의 추론쌍의 예를 들면 다음과 같다. 아래에서 P는 전제문을, H 는 가설문을 나타낸다. 그리고 E는 함의관계, C는 모순 관계, 그리고 N 은 중립 관계의 레이블에 해당하는 예문을 나타낸다. 또한 4개의 문장중 에서 위의 추론쌍 정의에 부합되는 2개 문장은 엷은색으로 표시되었다.

P		**혼다는** 닛산과 공식적으로 합병할 예정이다.
	E	닛산은 **혼다와** 공식적으로 합병할 예정이다.
H	C	혼다는 닛산과 합병할 계획을 취소했다.
	N	혼다는 현대와 합병할 계획을 검토중이다.

위 예문에서 P문의 주어 '혼다'가 H문에서 'N-와' 논항으로 실현되고, P 문의 'N-와' 논항이 주어 위치로 실현되는 두 문장은 동사 형태의 변화 없이 '논항의 상호 교차(crossing)'라는 특이한 통사적 속성을 보인다. 여기서 '혼다가 닛산과 합병한다'면 '닛산이 혼다와 합병하는 것'도 참이 되므로 두 문장은 함의(E) 관계를 구성한다. 여기서 모순(C)과 중립(N)의 문장들은 문장의 형식과 내용에 있어 P문과 상당히 거리가 있는 자유로

운 문장 유형으로 구성되는 것이 가능하다. 다만 모델의 분류(classification) 태스크의 난이도를 높이기 위해, 의도적으로 이들을 유사한 문장 구조로 구성하여 그 예를 제시하고자 하였다.

위에서 본 바와 같이, 주어와 비주어 논항의 상호 교차가 이루어질 수 있으며 이때 두 문장의 의미가 바뀌지 않는 현상은 대칭 술어 구문의 전형적인 현상이다. 예를 들어 다음과 같이 '비난하다'라는 술어 구문에서는 두 논항이 서로 교차되는 경우, 두 문장은 더 이상 동일한 의미를 함축하지 못하는 것을 볼 수 있다.

- P | **혼다**는 **닛산**을 비난했다.
- H | **닛산**은 **혼다**를 비난했다.   [중립]

대칭 술어는 동사와 형용사에 모두 나타나는 특징으로, '싸우다, 결혼하다, 헤어지다' 등과 같은 동사류(홍재성 1987)와 '평행하다, 똑같다'와 같은 형용사류(Nam 1996, 남지순 2007) 등으로 실현된다. 이들은 모두 'N2-와' 대칭 논항을 수반하며, 이때 주어(N1)와 대칭 논항(N2)은 서로 교차될 수 있는 특징을 보인다. 동사의 경우에는 대칭 타동사가 별도로 존재하여, 이 경우에는 목적어와 목적보어의 상호 교체가 이루어지는 대칭 관계를 구성한다.

주어와 'N-와' 논항 교차를 통해 NLI 추론쌍을 구성하는 경우, 다음과 같은 유형으로 나누어 고찰할 수 있다.

1. 대칭 술어 구문에서 주어와 'N-와' 논항이 교체되는 유형

대칭 술어 구문에서 주어와 'N-와' 논항이 상호 교차되어 '함의' 관계를 구성하는 추론쌍의 경우로서, 예를 들면 다음과 같다.

- P | 3개의 선분 중에서 **A선은** B선과 **평행하다.**
- H | 3개의 선분 중에서 B선은 **A선과 평행하다.** [함의]

- P | 어제 내 **친구들이** 이웃 학교 아이들과 **심하게 싸웠다.**
- H | 어제 이웃 학교 아이들이 **내 친구들과 심하게 싸웠다.** [함의]

'N2-와' 논항은 'N2-이랑' 또는 'N2-하고'와 같은 형태로 실현될 수 있다. 또한 주어 성분이 'N-와' 논항 위치로 교차가 일어나는 경우, 문장 내에서 주제화 또는 초점화의 변화가 발생할 수 있지만, 추론쌍을 이루는 두 문장 사이의 진리가를 판단하는 관점에서 두 문장은 함의 관계로 정의된다.

2. 타동사 술어 구문에서 '서로'에 의해 대칭성이 형성되는 구문

본래 'N-를' 목적어를 내포한 타동사 구문에서 변형된 구문으로, 재귀사 '서로'가 포함되면서 대칭성을 갖게 되는 추론쌍의 경우이다.

- [1] P | **일본 축구팀은** 중국 축구팀을 격하게 비난했다.
       H | 중국 축구팀은 **일본 축구팀을** 격하게 비난했다. [중립]

- [2] P | **일본 축구팀은** 중국 축구팀과 서로 격하게 비난했다.
       H | 중국 축구팀은 **일본 축구팀과** 서로 격하게 비난했다. [함의]

즉 [1]에서 두 논항의 교차는 '비함의' 관계를 도출하지만, [2]와 같은 구조로 치환되는 경우 두 문장은 함의 관계를 구성하게 된다. 예를 들어 '공격하다, 흉내내다, 밀어내다, 때리다' 등과 같은 다양한 타동사 구문이 여기 해당된다.

3. 동작 동사 구문에서 '함께' 의미의 동반격 논항이 실현되는 유형

'N-와' 논항이 실현되었으나, 이 경우 '함께'와 같은 동반 부사가 삽입될 수 있는 '동반 구문'을 구성하는 동작 동사 구문의 예이다.

- P | **주임 교사들은** 봉사활동에 참여한 학생들과 저녁을 먹었다.
- H | 봉사활동에 참여한 학생들은 **주임 교사들과** 저녁을 먹었다.　　　　[함의]

- P | **주임 교사들은** 봉사활동에 참여한 학생들과 함께 저녁을 먹었다.
- H | 봉사활동에 참여한 학생들은 **주임 교사들과** 함께 저녁을 먹었다.　　[함의]

위의 P문에서는 '봉사활동에 참여한 학생들과'라는 'N-와' 논항이 실현되었으나, 서술어 '먹다'는 대칭성 논항을 필수로 함의하지 않는 일반 타동사이다. 이때 'N-와' 논항은 그 동작을 함께 수행한 사람을 표현하는 동반격 논항으로서, 이 술어 구문의 기본 구조는 '주임 교사들은 저녁을 먹었다'와 같이 기술된다. 위 추론쌍의 P문에서 '주임 교사들'이 '학생들'과 어떤 행위를 함께 수행했다면, '학생들'도 '주임 교사들'과 함께 수행했다는 사실을 의미적으로 함의하므로, 두 문장은 '함의'의 추론 관계를 구성하게 된다.

2 A02 목적어와 'N-와' 논항의 교차

목적어와 'N-와' 논항이 상호 교차(crossing)할 수 있는 경우로서, 전형적인 '대칭 타동사' 구문에서 나타나는 현상이다. 다음과 같은 문장 구조로 형식화될 수 있다.

- 전제문(P) | N1-가 Nn2-를 Nm3-와 PRED
- 가설문(H) | N1-가 Nm2-를 Nn3-와 PRED

즉 P문의 'N2-를'이 H문에서 'N2-와' 논항으로 실현되고, P문의 'N3-와'가 H문에서 'N3-를' 목적어로 상호 교차되는 관계로서, '비교하다, 교환하다'와 같은 동사 구문이 여기 해당한다. 예를 들면 다음과 같다.

P		사람들은 **미국 유머를** 영국 유머와 종종 비교하고는 한다.
	E	사람들은 **영국 유머를** 미국 유머와 종종 비교하고는 한다.
H	C	사람들은 미국 유머를 영국 유머와 절대 비교하지 않는다.
	N	사람들은 미국 유머와 영국 유머를 종종 비판하고는 한다.

이 구문은 다음 두 가지 유형으로 나누어 고찰할 수 있다.

1. 대칭 타동사 구문에서 목적어와 'N-와' 논항이 교차되는 유형

대칭 타동사 구문에서 목적어와 'N-와' 논항이 교차되어 '함의' 관계를 구성하는 추론쌍의 경우로서, 예를 들면 다음과 같다.

- P | 행사장에서 참가자들이 **아이폰을** 갤럭시폰과 교환했다.
- H | 행사장에서 참가자들이 갤럭시폰을 **아이폰과** 교환했다. [함의]

이 경우에도 'N-와' 논항은 'N-이랑' 또는 'N-하고'와 같은 형태로 실현될 수 있다. 그런데 동일한 유형의 대칭 타동사 구문에서, 주어와 'N-와' 논항이 교차되어 '함의' 관계를 구성할 수 있다.

- P | 행사장에서 **남성 참가자들이** 여성 참가자들과 번호를 교환했다.
- H | 행사장에서 여성 참가자들이 **남성 참가자들과** 번호를 교환했다. [함의]

위의 예에서는 P문의 목적어인 '번호를'은 H문에 변화없이 실현되고, 주어 '남성 참가자들'이 H문에 '남성 참가자들과'와 같이 'N-와' 논항으로 치환되었다. 즉 이 경우는 대칭 타동사 구문이지만, 앞서 A01에서처럼 대칭 관계가 '주어'와 'N-와' 논항 사이에 형성되는 문장 구조의 특징을 보인다.

2. 동작성 타동사 구문에서 'N-와' 논항이 '동반격 논항'인 유형

대칭 술어 구문이 아니지만 'N3-와' 유형의 동반격 논항이 내포될 수 있는 구문으로, 예를 들면 다음과 같다.

- P | 손님들이 **두부를** 계란과 함께 먹으니 더 좋아합니다.
- H | 손님들이 계란을 **두부와** 함께 먹으니 더 좋아합니다. [함의]

위에서 서술어 '먹다'는 대칭 술어가 아닌 타동사로서, 'N3-와' 명사구는 동반의 의미를 나타내는 부가어로 사용되었다. 이 경우도 문장의 변화에 따라 의미적 초점에 차이가 발생하지만, 두 문장의 함의 관계는 그대로 유지된다.

3 A03 주어와 'N-에/로' 논항의 교차

주어와 'N-에/로' 명사구가 두 문장 사이에서 상호 교차가 일어나서 함의 관계가 구성되는 유형이다. 다음과 같은 통사 구문 구조로 기술될 수 있다.[6]

- 전제문(P) | Nn1-가 Nm2-에 PRED
- 가설문(H) | Nm1-가 Nn2-로 PRED

즉 첫 문장의 주어가 두 번째 문장에서 'N-로' 명사구가 되고, 첫 문장의 'N-에' 명사구가 두 번째 문장에서 주어가 되어 상호 교차가 이루어지는 현상이다. 이 유형의 추론쌍의 예를 들면 다음과 같다.

P		**노트북 박스들이** 파란색 대형 트럭에 꽉 차있습니다.
	E	**파란색 대형 트럭이** **노트북 박스들로** 꽉 차있습니다.
H	C	노트북 박스들이 파란색 대형 트럭에서 모두 사라졌습니다.
	N	휴대폰 박스들이 파란색 대형 트럭에 꽉 차있습니다.

위에서 P문의 주어(N1) 위치에는 '어떤 공간을 점유하는 점유물' 명사구가 실현되고, 'N2-에' 위치에는 '어떤 공간'을 나타내는 장소성 명사구가 실현된 형태로서, 이 경우 상호 교차가 이루어지는 특이한 현상은 술어

---

6) 제2장에서 제시되는 이러한 통사 구조는 편의상 하나의 방향성으로 고정하여 기술되었다. 즉 설명의 명료성을 위하여 A03 문장쌍은 P문에 'N-에' 보어가 실현되고 H문에서 'N-로'가 내포되는 방식으로 기술되었으나, 실제 데이터 구축시에는 이러한 방향성과 더불어 역방향의 방향성을 동시에 고려하여 두 문장의 추론 관계를 구성하는 유형으로 이해되어야 한다.

구 '꽉 차있다'의 의미·통사적 속성에서 기인한다(Boons et al. 1976, Salkoff 1983). 그런데 실제로 이러한 교차 현상은 다양한 의미·통사적 특징을 보이는 술어 구문에서 관찰된다(Nam 2014). 다음에서 3가지 유형으로 나누어 고찰한다.

1. '장면' 술어 구문에서 주어와 'N-에/로'가 교차되는 유형

'장면(scene)' 술어 구문은 '장소성 주어'와 'N-로'로 실현된 '점유물 개체'가, 다른 문장에서 각각 'N-에' 논항과 주어로 교차되어 함의 관계를 구성하는 구문이다. 예를 들어 '가득하다, 빽빽하다, 시끌시끌하다 같은 형용사나 '붐비다, 가득차다' 같은 자동사로서, 어떤 공간을 일정 점유물이 채운 상황을 묘사하는 '장면' 술어들이 여기 해당한다.

- P | **큰 플라스틱 통이** 파란 액체로 가득찬 것을 보니 흥미로웠다.
- H | 파란 액체가 **큰 플라스틱 통에** 가득찬 것을 보니 흥미로웠다. [함의]

- P | **좁은 강당이** 어린 방문객들로 시끌시끌해서 학생들은 깜짝 놀랐다.
- H | 어린 방문객들이 **좁은 강당에** 시끌시끌해서 학생들은 깜짝 놀랐다. [함의]

위와 같이 두 논항의 교차가 일어나는 경우, 문장 의미의 초점은 변화하지만 두 문장의 함의 관계는 변화하지 않는다.

2. '심리' 형용사 구문에서 주어와 'N-에/로'가 교차되는 유형

한 문장 속의 '주어'와 'N-로' 명사구가, 다른 문장에서 각각 'N-에 (게)'와 '주어'로 교차되는 현상은 '심리 형용사' 술어 구문에서도 관찰된다. 이 구문에서 주어는 '심리 경험주'를 나타내고, 'N-로' 명사구는 '심리 원인'을 나타낸다. 이 경우 주어가 'N-에(게)'로 치환되고 'N-로'가 주어로 교차된 문장이 함의 관계의 추론쌍을 구성한다.

- P | **그 남자는** 부모의 심한 잔소리로 늘 피곤했다고 변호사가 진술했다.
- H | 부모의 심한 잔소리가 **그 남자에게는** 늘 피곤했다고 변호사가 진술했다. [함의]

3. '가상' 형용사 구문에서 주어와 'N-에'가 교차되는 유형

'가상' 형용사 술어는 명사화 접미사 '기'로 이루어진 내포절을 주어로 하는 일련의 형용사들로서, '쉽다, 어렵다, 곤란하다'와 같은 형용사들이 여기 해당한다. 이 구문은 '기' 내포절이 주어로 실현된 형용사 술어 구문에서 'N-에' 유형으로 치환되고, 그 내포절의 목적어가 주어로 치환되어 함의 관계의 추론쌍을 구성한다. 즉 다음과 같은 문장 구조 관계로서,

-     [Nn-를   V-기]1-가   ADJ
- =   Nn1-가 [V-기]2-에   ADJ

예를 들면 다음과 같다.

- P | **이 옷을** 혼자 입고 벗기가 너무 어렵다.
- H | **이 옷은** 혼자 입고 벗기에 너무 어렵다.   [함의]

위 두 문장의 통사적 관계에 대한 언어학적 분석은 다양한 관점에서 제안될 수 있으며, '이 옷은 혼자 입고 벗기가 너무 어렵다'와 같은 주격 중출문 형태의 구문도 함께 논의될 수 있다. 여기서는 이러한 유형의 술어 구문을 주어와 'N-에' 명사구의 교차 유형의 하나로 간주하여 추론쌍을 구성하는 방법에 대해 고찰하였다.

4 A04 목적어와 'N-에/로' 논항의 교차

목적어와 'N-에/로' 명사구가 상호 교차되는 유형으로, 다음과 같은 구조로 기술될 수 있다.

- 전제문(P) | N1-가   [Nn_Space]2-를   [Nm_Filler]3-로   PRED
- 가설문(H) | N1-가   [Nm_Filler]2-를   [Nn_Space]3-에   PRED

이러한 유형의 추론쌍의 예를 들면 다음과 같다.

P		인부들은 **큰 컨테이너를** 검정 박스들로 가득채웠다.
	E	인부들은 검정 박스들을 **큰 컨테이너에** 가득채웠다.
H	C	인부들은 큰 컨테이너에서 검정 박스들을 모두 꺼냈다.
	N	인부들은 큰 트럭을 검정 박스들로 가득채웠다.

P문의 목적어(N2) 위치에는 '어떤 공간'을 나타내는 장소성 명사구가 실현되고, 'N3-로' 위치에는 '어떤 공간을 점유하는 점유물' 명사구가 실현된 형태로서, 술어 '가득채우다'는 이러한 관계의 두 명사구의 출현을 요구하는 3항 술어의 특징을 보인다. 즉 이 경우, 목적어와 제 3 논항 사이의 교차를 허용하는 특징을 가진다.

이 유형의 추론쌍은 앞서 A03의 '장면' 술어 구문에 대한 사역형 또는 타동형 동사 구문으로서, 이러한 통사적 특징을 보이는 유형의 동사 술어들이 실현되어 함의 관계를 구성할 수 있다.

5 A05 목적어와 주어의 교차

동일한 형태의 술어로 구성된 두 문장에서, 전제문의 목적어가 가설문에서 주어로 실현될 수 있는 특수한 통사 구조의 추론쌍 유형이다. 이 구조적 특징은 다음과 같이 기술될 수 있다.

- 전제문(P) | Nn1-가   Nm2-를   PRED
- 가설문(H) | Nm1-가   PRED

이러한 관계를 허용하는 술어는 '중립동사(middle verb, neutral verb)'로 명명되는 일련의 동사류(연재훈 1989)로서, '인하하다, 인상하다, 움직이다, 멈추다, 울리다, 풍기다' 등과 같은 형태가 여기 포함된다. 이러한 유형의 추론쌍의 예를 들면 다음과 같다.

P		한국은행은 청년 예금자 전용 적금의 **금리를** 인하했다.
	E	청년 예금자 전용 적금의 **금리가** 인하했다.
H	C	한국은행은 청년 예금자 전용 적금의 금리를 인상했다.
	N	한국은행은 시니어 예금자 전용 적금의 금리를 인하했다.

실제로 이러한 특징은 일반적인 동사 술어 구문에서는 허용되지 않는 중립동사들의 고유한 속성이다. 다음을 보자.

- [1a] 한국은행은 청년 예금자 전용 적금의 **금리를** 발표했다.
- [1b] *청년 예금자 전용 적금의 **금리가** 발표했다.   [문장 성립 불가]

즉 [1a]의 '발표하다' 술어 구문은 표면적으로는 앞서 '인하하다' 술어 구문과 동일한 표면 구조를 취하고 있으나(Nn1-가 Nm2-를 V), 목적어를 주어로 하는 구문(Nm1-가 V) 형식의 대응쌍은 구성하지 못한다.

다만 중립동사 구문에서는 P문의 타동사의 목적어가 H문의 자동사의 주어로 실현되는 특이성을 보이지만 타동문의 주어 정보가 사라지게 되므로, 두 문장은 엄격하게는 동일한 의미 정보를 표현하지는 않는다. 따라서 위의 추론쌍에서 전제문에 자동문이 실현되고 가설문에 타동문이 실현되는 역방향의 관계에서는 함의 관계가 아닌 중립 관계를 구성하게 된다.

- P | 청년 예금자 전용 적금의 **금리가** 인하했다.
- H | 한국은행은 청년 예금자 전용 적금의 **금리를** 인하했다.   [중립]

여기서 논의하는 중립동사 구문은 다음과 같이 논항의 교차 없이 목적어가 생략될 수 있는 통사적 구조와는 구별되어야 하며,

- P | 한국은행이 이번달 다시 **청년지원사업을** 추진할 예정이다.
- H | 한국은행이 이번달 다시 추진할 예정이다.   ['목적어' 생략]

논항 교차는 일어났지만, H문이 동의 관계의 자동사문이 아니라 목적어가 생략된 타동사문인 다음 추론쌍과도 구별되어야 한다.

- P | 어제 경기에서 한국팀이 **중국팀을** 먼저 공격했다.
- H | 어제 경기에서 **중국팀이** 먼저 공격했다.   ['목적어' 생략 ☞모순]

또한 중립동사 구문의 통사적 특이성은 술어의 '의미적 속성'을 통해 유추될 수 있는 것도 아니라는 점을 환기할 필요가 있다. 가령 '인하하다/인상하다' 쌍이 이러한 관계를 허용한다면, 의미적으로 유사한 '내리다/올리다'의 경우 '올리다'는 '올리다/오르다'의 서로 다른 동사로 실현되기 때문에 '내리다'와 달리 이러한 추론쌍을 구성하지 않는다.

- P | 한국은행이 이번달 **금리를** 내릴 예정이다.
- H | 이번달 **금리가** 내릴 예정이다.   [함의]

- P | 한국은행이 이번달 **금리를** 올릴 예정이다.
- H | 이번달 **금리가** 오를 예정이다.   [타동문의 '올리다'가 '오르다'로 변환]

논항 변환 스키마

논항 변형 | A06-A11

'논항 변형(argument change)' 스키마는 동일 술어구 문장쌍에서 두 개의 논항 역할이 서로 교차하여 바뀌는 것이 아니라, 한 논항의 그 역할 또는 형태가 두 번째 문장에서 다른 역할 또는 형태로 치환되는 경우를 의미한다. 다음과 같이 전체 6가지 유형으로 분류되어 고찰된다.

- A06 | 속격의 주격중출문 논항으로의 변형
- A07 | 속격의 목적격중출문 논항으로의 변형
- A08 | 내포문 주격의 주절 목적격으로의 변형
- A09 | 주격의 무표격 논항으로의 변형
- A10 | 목적격의 무표격 논항으로의 변형
- A11 | 부사격의 후치사 변형

6 A06 속격의 주격중출문 논항으로의 변형

'속격의 주격중출문 논항으로의 변형'은 전제문의 속격 구문이 가설문에 주격 형태로 실현되어 일종의 주격중출문을 구성하는 경우로, 추론쌍을 구성하는 두 문장 사이에 함의 관계가 형성될 수 있는 통사 관계를 나타낸다. 다음과 같이 기술될 수 있다.

- 전제문(P) | Nn1-의   Nm2-가   PRED
- 가설문(H) | Nn1-가   Nm2-가   PRED

이 추론쌍의 예를 들면 다음과 같다.

P		이 학생의 부모님이 여의도 정치권에서 꽤 유명한 사람입니다.
	E	이 학생이 부모님이 여의도 정치권에서 꽤 유명한 사람입니다.
H	C	이 학생의 부모님은 여의도 정치권에서 잘 알려지지 않은 사람입니다.
	N	이 학생의 부모님이 여의도 증권가에서 꽤 유명한 사람입니다.

위의 P문에 나타난 '이 학생의'는 H문에서 '이 학생이'로 실현되어 주격중출문 형태를 구성하고 있다. 즉 속격 구문이 주제화되어 문두에 실현된 형태로서, 이 경우 두 문장은 함의 관계를 구성한다.

그러나 이러한 유형의 속격 구문이 항상 함의 관계를 구성하는 것은 아니다. 다음 예에서 보는 바와 같이 동일 명사구가 실현된 경우에도 이를 내포한 문장 구조에 따라 중립 관계를 형성할 수 있다.

- [1] P | **후속세대의** 경제관념이 잘 정립되어 있습니다.
  H | **후속세대는** 경제관념이 잘 정립되어 있습니다.   [함의]

- [2] P | **후속세대의** 경제관념이 왜 중요한지 잘 이해해야 합니다.
  H | **후속세대는** 경제관념이 왜 중요한지 잘 이해해야 합니다.   [중립]

[1]의 H문에서 주제화된 성분 '후속세대는'은 속격 구문의 변형이지만, [2]의 H문에서는 주절 동사 '이해하다'의 주어로서, [2] P문에는 실현되지 않았던 새로운 주어가 등장한 형태이다. 이와 같이 추가 정보가 덧붙여진 [2] H문은 P문과 중립 관계를 구성하게 된다.

여기서 논의하는 통사 구성은 다음과 같이 나누어 고찰할 수 있다.

1. 주어 위치의 속격 구문이 주격중출문의 주격으로 치환되는 유형

주어 위치에 실현된 속격 구문이 주격중출문의 주격 형태로 치환되는 경우로서, 예를 들면 다음과 같다.

- P | **홍콩 사람들의** GDP가 상대적으로 높은 편이다.
- H | **홍콩 사람들은** GDP가 상대적으로 높은 편이다.   [함의]

2. 비주어 위치의 속격 구문이 주격중출문의 주격으로 치환되는 유형

다음과 같이 비주어 위치의 '내포문'에 실현된 속격 구문이 주격중출문의 주격 형태로 치환되는 경우이다.

- P | 사람들은 **홍콩 사람들의** GDP가 왜 그렇게 높은지 이해했다.
- H | 사람들은 **홍콩 사람들이** GDP가 왜 그렇게 높은지 이해했다.   [함의]

7 A07 속격의 목적격중출문 논항으로의 변형

전제문에 실현된 속격 구문이 가설문에서 목적격 형태로 실현되어 일종의 목적격 중출문을 구성하는 경우로, 이때 두 문장 사이의 함의 관계가 형성되는 구조이다. 이 특징을 다음과 같이 기술할 수 있다.

- 전제문(P) ┃ N1-가 Nn2-의 Nm3-를 PRED
- 가설문(H) ┃ N1-가 Nn2-를 Nm3-를 PRED

이 추론쌍의 예를 들면 다음과 같다.

P		아이들이 반에서 **제일 어린 친구의 나이를** 가지고 놀려댔다.
	E	아이들이 반에서 **제일 어린 친구를** 나이를 가지고 놀려댔다.
H	C	아이들이 반에서 제일 어린 친구의 나이를 부러워했다.
	N	아이들이 학교에서 제일 어린 친구의 나이를 가지고 놀려댔다.

P문의 속격 구성 '제일 어린 친구의'는 H문에서 목적격으로 바뀌어 목적격 중출문을 구성하였고 함의 관계의 추론쌍을 형성하였다. 주절의 목적어 논항에서 속격 구성이 분리되어 하나의 목적격 표지를 부여받는 현상은 종종 한국어에서 관찰되는 현상이지만, 어느 문맥에서나 허용되는 현상은 아니어서, 가령 다음과 같은 경우 목적격 논항으로 치환되지 못하는 것을 확인할 수 있다.

- P ┃ 아이들이 **동물원의** 고슴도치들을 세심히 관찰했다.
- H ┃ *아이들이 **동물원을** 고슴도치들을 세심히 관찰했다. [목적격 중출문 불가]

반면 다음과 같은 속격 구성은 목적격으로의 치환이 가능하다.

- P | 아이들이 동물원 **고슴도치들의** 발동작을 세심히 관찰했다.
- H | 아이들이 동물원 **고슴도치들을** 발동작을 세심히 관찰했다.　　　[함의]

속격 구성이 목적격으로 치환되는 경우의 그 명사구 내부의 의미적 관계를 살펴보면, 다음과 같이 '속성의 주체'가 되는 경우와 '행동의 주체'가 되는 경우로 나누어 고려할 수 있다.

1. '속성의 주체'로서의 속격 구성이 실현된 유형

속격 구문으로 이루어진 'N-의 N' 구성에서, 두 번째 명사가 주체의 어떤 '속성'을 표현하는 경우로서, 예를 들면 다음과 같다.

- P | 어른들은 **그 아이들의** 사고방식을 이해하지 못했다.
- H | 어른들은 **그 아이들을** 사고방식을 이해하지 못했다.　　　[함의]

다만 두 번째 명사가 주체와 일정 '소유' 관계를 표현할 때, 다음과 같은 술어 구조에 실현되면 목적격 중출문으로의 치환이 허용되지 않는다.

- P | 어른들은 **그 아이들의** 노트북을 팔아버렸다.
- H | *어른들은 **그 아이들을** 노트북을 팔아버렸다.　　[목적격 중출문 불가]

2. '행위의 주체'로서의 속격 구성이 실현된 유형

속격 구문이 '행위의 주체자'를 표현하는 경우로서, 예를 들어 아래의 술어 구문에서는 속격 구성이 목적격으로 치환되어 목적격 중출문을 구성할 수 있다.

- P | 어린 학생들은 **BTS의** 특히 그 현란한 춤동작을 좋아했다.
- H | 어린 학생들은 **BTS를** 특히 그 현란한 춤동작을 좋아했다.　　[함의]

8 A08 내포문 주격의 주절 목적격으로의 변형

전제문에 실현된 내포문의 주어가 가설문에서 주절로 상승하여 목적격 형태로 실현되어 함의 관계의 추론쌍을 구성하는 유형으로, 그 통사적 관계를 기술하면 다음과 같다.

- 전제문(P) | Nn1-가 [Nm2-가 PREDm-라고] PREDn
- 가설문(H) | Nn1-가 Nm2-를 PREDm-라고 PREDn

이 추론쌍의 예를 들면 다음과 같다.

P		사람들은 어제 경찰서를 찾아온 **그 남자가** 세상에 둘도 없는 천사라고 했다.
	E	사람들은 어제 경찰서를 찾아온 **그 남자를** 세상에 둘도 없는 천사라고 했다.
H	C	사람들은 어제 경찰서를 찾아온 그 남자가 세상에 많이 있는 천사라고 했다.
	N	사람들은 어제 경찰서를 찾아온 그 여자가 세상에 둘도 없는 천사라고 했다.

P문의 내포문의 주어 '그 남자가'는 H설문에서 주절의 목적어 형태인 '그 남자를'로 치환되어 함의 관계를 구성하고 있다.

일반적으로 이러한 대응 관계가 성립하기 위해서 내포문의 술어는 'A가 B이다'와 같은 보격 구문을 요구하는 형태로 실현되므로, 형용사나 동사와 같은 다른 유형의 술어가 오는 경우에는 이러한 변환 관계가 성립되기 어렵다. 다음은 내포문의 술어 PREDm이 형용사로 실현된 경우(즉 '초라했다')와 동사로 실현된 경우(즉 '훔쳤다')의 예를 보인다. 이 두 경우 모두 '목적격'으로의 치환이 불가능하다.

- P | 사람들은 어제 경찰서를 찾아온 그 남자가 세상에 둘도 없이 초라했다고 했다.
- H | *사람들은 어제 경찰서를 찾아온 그 남자를 세상에 둘도 없이 초라했다고 했다.[불가]

- P | 사람들은 어제 경찰서를 찾아온 그 남자가 이웃의 차를 훔쳤다고 했다.
- H | *사람들은 어제 경찰서를 찾아온 그 남자를 이웃의 차를 훔쳤다고 했다. [불가]

이 유형의 추론쌍은 내포문의 주어가 '인물성 주어'인 경우와 '비인물성 주어'인 경우로 나누어 고찰할 수 있다.

1. 내포문의 '인물성 명사' 주어가 주절의 목적어로 변형되는 유형

내포문의 명사 주어가 '인물성(human)' 의미 속성을 가진 유형으로, 예를 들면 다음과 같다.

- P | 행사 참가자들은 **한국 여배우들이** 그날의 최고 스타들이었다고 평가했다.
- H | 행사 참가자들은 **한국 여배우들을** 그날의 최고 스타들이었다고 평가했다.[함의]

2. 내포문의 '비인물성 명사' 주어가 주절의 목적어로 변형되는 유형

내포문의 명사 주어가 '비인물성(non-human)'의 의미 속성을 가진 유형으로, 예를 들어 다음 추론쌍의 경우 함의 관계를 구성한다.

- P | 행사 참가자들은 **베스트 작품상이** 그 시상식의 최고 명예라고 생각했다.
- H | 행사 참가자들은 **베스트 작품상을** 그 시상식의 최고 명예라고 생각했다. [함의]

9 A09 주격의 무표격 논항으로의 변형

전제문의 주격 논항이 가설문에서 무표격으로 변형되는 유형으로, 가령 'N-가' 논항이 'N-는/도/만/조차' 등과 같은 특수 의미 표지를 부여받거나 'N-Ø'와 같이 격조사가 삭제되어 추론쌍을 구성하는 경우이다.[7] 다음과 같은 통사적 관계를 구성한다.

- 전제문(P) | Nn1-가   PRED
- 가설문(H) | Nn1-는/도/만/Ø PRED

이 추론쌍의 예를 들면 다음과 같다.

P		**아이들이** 내일 아침에 백팩 하나씩 메고 에버랜드에 갈거야.
	E	**아이들** 내일 아침에 백팩 하나씩 메고 에버랜드에 갈거야.
H	C	아이들이 내일 아침에 백팩 하나씩 메고 일본에 갈거야.
	N	아이들만 내일 아침에 백팩 하나씩 메고 에버랜드에 갈거야.

P문 주어의 조사가 삭제되어 H문이 구성된 경우, 두 문장은 함의 관계를 구성한다. 주격 조사 |가|가 다음과 같이 |는|과 같은 형태로 치환되는 경우에도 두 문장은 함의 관계를 구성하는데,[8]

---

7) 여기서 치환되는 보조사의 의미 유형에 따라, 두 문장의 추론 관계는 '함의'와 '비함의' 관계가 가능하다.
8) 이 경우에도 조사의 의미적 속성이 서로 다르기 때문에, 실제로 이 두 문장은 정확한 동의 관계에 있지 않다. 다만 앞서도 논의한 바와 같이, 문장의 진리가를 판단하는 관점에서 이 문장쌍은 함의 관계를 구성한다.

- P | **아이들이** 내일 아침에 백팩 하나씩 메고 에버랜드에 갈거야.
- H | **아이들은** 내일 아침에 백팩 하나씩 메고 에버랜드에 갈거야. [함의]

반면 다음과 같이 주격 조사가 '도'나 '만'으로 치환된 경우에는 더이상 함의 관계가 성립되지 않는다.

- P | **아이들이** 내일 아침에 백팩 하나씩 메고 에버랜드에 갈거야.
- H | [1] **아이들도** 내일 아침에 백팩 하나씩 메고 에버랜드에 갈거야. [중립]
  [2] **아이들만** 내일 아침에 백팩 하나씩 메고 에버랜드에 갈거야. [중립]

H문 [1]에서 '추가'를 의미하는 조사 '도'가 실현되는 경우에는 '그 외의 사람들도 에버랜드에 간다'는 조건이 충족되어야 사실이 성립되므로, 두 문장은 중립의 관계를 구성하게 된다. H문 [2]의 경우에도 '배타성'을 나타내는 조사 '만'이 실현되었으므로, '어른과 같은 다른 사람들은 함께 가지 않는다'는 조건을 충족해야 참이 된다. 그러므로 두 문장은 중립 관계로 설정되어야 한다. 이런 이유로, P문과 H문이 역방향의 관계로 설정되면 두 문장은 함의 관계를 형성하게 된다.

본 유형의 추론쌍의 경우, 주격 조사와 치환될 수 있는 다양한 후치사들에 대한 개별적인 검토가 요구된다. 주격 조사에는 '가' 이외에도 '에서'나 '께서' 등이 나타날 수 있고, 주격 조사를 치환할 수 있는 보조사 또는 무표격 후치사들은 '는/도/만' 뿐만 아니라 '까지/마저/조차' 등과 이들이 서로 결합한 '까지는'이나 '마저도'와 같은 복합형 구성까지 다양하게 실현된다.

10 A10 목적격의 무표격 논항으로의 변형

　전제문의 목적격 논항이 가설문에서 무표격으로 변형되는 유형으로, 'N-를' 논항이 'N-는/도/만'과 같은 형태로 치환되거나 'N-Ø'와 같이 격조사가 삭제되어 추론쌍을 구성하는 경우이다. 다음과 같이 기술될 수 있다.

- 전제문(P) | Nn1-가　 Nm2-를　　　　 PRED
- 가설문(H) | Nn1-가　 Nm2-는/도/만/Ø　 PRED

이러한 추론쌍의 예를 들면 다음과 같다.

P		우리 아이들은 치즈가 잔뜩 올려있는 **고구마 피자를** 정말 좋아합니다.
	E	우리 아이들은 치즈가 잔뜩 올려있는 **고구마 피자** 정말 좋아합니다.
H	C	우리 아이들은 치즈가 잔뜩 올려있는 고구마 피자 정말 싫어합니다.
	N	우리 아이들은 치즈가 잔뜩 올려있는 페페로니 피자를 정말 좋아합니다.

P문의 목적어 '고구마 피자를'에서 목적격 조사 '를'이 삭제된 H문은 한국어 구어체에서 올바르게 사용되는 문장이며, 두 문장은 함의 관계를 구성한다. 반면 목적격 조사 '를'이 다음과 같은 유형의 후치사로 치환되는 경우를 보자.

- P | 우리 아이들은 치즈가 잔뜩 올려있는 **고구마 피자를** 좋아합니다.
- H | 우리 아이들은 치즈가 잔뜩 올려있는 **고구마 피자만** 좋아합니다.　[중립]

이 경우, 가설문의 '고구마 피자만'은 다른 피자는 좋아하지 않는다는 정보를 명시적으로 내포하기 때문에, 전제문에 없는 새로운 정보가 덧붙여져서 두 문장은 중립 관계가 된다. 반면 두 문장 사이의 관계가 역방향으로 설정될 때에는 함의 관계가 구성된다.

- P ┃ 우리 아이들은 치즈가 잔뜩 올려있는 **고구마 피자만** 좋아합니다.
- H ┃ 우리 아이들은 치즈가 잔뜩 올려있는 **고구마 피자를** 좋아합니다.　[함의]

이 유형은 앞서 주격 조사의 치환에서 살핀 것처럼, 'N-만'이나 'N-도', 'N-조차/마저/이라도'와 같은 형태로 치환되는 경우와 'N-외에'나 'N-빼고' 등과 같은 형태로 치환되는 경우로 나누어 논의할 수 있다.

1. 목적격이 'N-만/도/조차/마저/이라도' 등으로 치환되는 유형

일반적으로 H문에서 P문에 나타나지 않은 그 외의 다른 조건들(가령 'N-만'이 오는 경우에는 '다른 사람들은 그렇지 않다'는 사실)이 동시에 성립해야 함을 의미하는 경우, 두 문장은 중립 관계를 보이게 된다. 다만 역방향으로 추론쌍이 구성되면, 이 경우는 다음과 같이 함의 관계를 구성할 수 있다.

- P ┃ 우리 아이들은 **고구마 피자라도** 좋아합니다.
- H ┃ 우리 아이들은 **고구마 피자를** 좋아합니다.　[함의]

- P ┃ 우리 아이들은 **고구마 피자조차** 좋아합니다.
- H ┃ 우리 아이들은 **고구마 피자를** 좋아합니다.　[함의]

2. 목적격이 'N-외에/빼고' 등으로 치환되는 유형

목적격 조사는 다음과 같은 일련의 후치사로도 치환될 수 있는데,

- P ㅣ 우리 아이들은 **고구마 들어간 피자를** 다 좋아합니다.
- H ㅣ 우리 아이들은 **고구마 들어간 피자빼고** 다 좋아합니다.　　　　[모순]

- P ㅣ 우리 아이들은 **고구마 들어간 피자를** 다 좋아합니다.
- H ㅣ 우리 아이들은 **고구마 들어간 피자외에** 다 좋아합니다.　　　　[모순]

위에서 보는 것처럼 'N-를'의 목적격 논항이 'N-빼고, N-외에, N-제외'와 같은 후치사 결합형으로 치환되면, 그 의미가 반대가 되므로, 두 문장은 '모순'의 관계를 구성하게 된다.

11 A11 부사격의 후치사 변형

전제문에서 'N-로/에/에서/보다' 등의 다양한 부사격 논항 형태가 가설문에서 다른 형태로 치환되거나, 또는 후치사가 삭제되어 무표격 형태를 구성하는 경우의 추론쌍 유형이다. 다음과 같은 통사적 관계를 갖는다.[9]

- 전제문(P) | Nn1-가   Nm2-로/에/에서/보다   PRED
- 가설문(H) | Nn1-가   Nm2-로/에/부터/비해/Ø   PRED

이러한 추론쌍의 예를 들면 다음과 같다.

P		내 친구는 도서관에서 공부하다가 방금 집에 갔어요.
	E	내 친구는 도서관에서 공부하다가 방금 집 갔어요.
H	C	내 친구는 도서관에서 공부하다가 방금 카페에 갔어요.
	N	내 친구는 도서관에서 공부하다가 저녁에 집에 갔어요.

P문의 부사격 논항 '집에'는 H문에서 그 후치사가 생략되어 '집'으로 실현되었다. 이 경우 두 문장은 함의 관계를 구성하며, 두 문장이 역방향으로 구성되어도 여전히 함의 관계가 유지된다.

다음과 같이 '집에'가 '집으로'와 같이 치환될 수 있는데, 이 경우에도 두 문장은 함의 관계를 구성한다.

---

9) 여기 기술된 관계쌍의 후치사들은 일부 예로서, 이 구문에는 실제 한국어의 다양한 부사격 후치사들이 모두 포함된다.

- P ｜ 내 친구는 도서관에서 공부하다가 방금 **집에** 갔어요.
- H ｜ 내 친구는 도서관에서 공부하다가 방금 **집으로** 갔어요.　　　　[함의]

실제로 부사격 논항이 다른 후치사구 형태로 치환되는 유형은 다음과 같이 5가지 하위 범주로 나누어 논의할 수 있다.

1. '장소'를 나타내는 'N-에/에서/로' 논항이 다른 후치사구로 치환되는 유형

　P문에 '장소'를 나타내는 'N-에/에서/로' 유형의 논항이 실현될 때, H문에서 이들이 다른 형태로 치환되어 추론쌍을 구성하는 경우이다.

- [1] P ｜ 목수들이 **마룻바닥에서** 망치질을 하고 있다.
  　　 H ｜ 목수들이 **마룻바닥에** 망치질을 하고 있다.　　　　[함의]

- [2] P ｜ 목수들이 **마룻바닥에서** 둥근 통에 망치질을 하고 있다.
  　　 H ｜ 목수들이 **마룻바닥에** 망치질을 하고 있다.　　　　[중립]

여기서 서술어의 의미 특성에 따라, 'N-에' 논항과 'N-에서' 논항이 서로 치환될 수 있는 유형이 있고, 그렇지 않은 유형이 있다. 위의 예에서도 [1]에서 '망치질을 하다'는 상황 묘사가 명확하지 않으므로 함의 관계를 유추할 수 있으나, [2]에서는 그 대상이 명확히 다르게 묘사되어 있으므로, 더 이상 함의 관계를 구성하지 못한다. '장소'를 나타내는 논항들이 변형되는 경우, 공기하는 술어의 통사·의미 속성에 따라 두 문장의 함의 관계가 결정된다.

2. '원인'을 나타내는 'N-에/로' 논항이 다른 후치사구로 치환되는 유형

'원인'을 표현하는 'N-에' 또는 'N-로' 명사구가 다른 후치사 구문으로 교체되는 추론쌍으로, 다음과 같은 예를 볼 수 있다.

- P | 예상치 못한 **오랜 가뭄으로** 남부지역의 농작물들이 모두 말라죽었다.
- H | 예상치 못한 **오랜 가뭄에** 남부지역의 농작물들이 모두 말라죽었다. [함의]

이 경우 'N-으로 인해/인해서'나 'N-으로 말미암아', 'N-때문에'와 같은 유형의 부사격 논항으로 치환되어 함의 관계를 구성할 수 있다.

3. '비교'를 나타내는 'N-보다/만큼' 논항이 다른 후치사구로 치환되는 유형

'비교'를 나타내는 'N-보다'나 'N-만큼'과 같은 보어가 다른 후치사로 교체되어 추론쌍을 구성하는 경우이다.

- [1] P | 요즘 날씨는 **작년 이맘때보다** 훨씬 더 더운거 같습니다.
  H | 요즘 날씨는 **작년 이맘때에 비해** 훨씬 더 더운거 같습니다. [함의]

- [2] P | 요즘 날씨는 **작년 이맘때만큼** 더운거 같습니다.
  H | 요즘 날씨는 **작년 이맘때처럼** 더운거 같습니다. [함의]

[1]의 예에서 'N-보다'는 '우월 비교'와 '열등 비교'를 표현하기 위한 논항으로 'N-에 비해/비해서'나 'N-와 비교해서/대비해서' 등으로 치환될 수 있다. 반면 [2]에서 'N-만큼'은 '동등 비교'를 표현하기 위해 사용되는 논항으로, 'N-처럼'이나 'N-같이'와 같은 유형과 치환되어 함의 관계를 구성할 수 있다.

4. '경험주'를 나타내는 'N-에게' 논항이 다른 후치사구로 치환되는 유형

'심리적 경험 주체' 또는 '논리적 판단 주체'를 나타내는 'N-에게' 논항이 다른 후치사구로 교체되어 구성되는 추론쌍으로, 다음 쌍은 함의 관계를 구성한다.

- P | **우리에게** 그 뜻밖의 기회가 너무 소중했다.
- H | **우리는** 그 뜻밖의 기회가 너무 소중했다.   [함의]

5. '여격'을 나타내는 'N-에게' 논항이 다른 후치사구로 치환되는 유형

'여격'을 나타내는 'N-에게' 논항이 다른 후치사구로 교체되어 구성되는 추론쌍으로, 다음과 같은 예를 볼 수 있다.

- P | 선생님이 **아이에게** 자꾸 눈치를 주어서 아이는 자신감을 잃었다.
- H | 선생님이 **아이를** 자꾸 눈치를 주어서 아이는 자신감을 잃었다.   [함의]

위의 전제문에 나타난 'N-에게' 여격 논항은 가설문에서 'N-를' 형태로 치환되어 함의 관계를 구성하였다.

논항 변환 스키마
논항 삭제 | A12-A18

여기서 다루어지는 통사적 관계는 한국어 고유의 속성의 하나로, 문장 속의 한 논항 성분이 삭제되어 추론쌍을 구성하는 유형이다. 다음과 같이 모두 7가지 하위 유형으로 고찰할 수 있다.

- A12 | 주격 논항의 삭제
- A13 | 주격 중출문의 논항 삭제
- A14 | 목적격 논항의 삭제
- A15 | 목적격 중출문의 논항 삭제
- A16 | 동족논항 구문의 논항 삭제
- A17 | 부사격 논항의 삭제
- A18 | 공지칭 대명사 논항의 삭제

12 A12 주격 논항의 삭제

'주격 논항이 삭제'[10])되어 추론쌍을 구성하는 문장 유형의 통사적 관계는 다음과 같이 기술될 수 있다.

- 전제문(P) | N1-가   PRED
- 가설문(H) | Ø   PRED

이 유형의 추론쌍의 예를 들면 다음과 같다.

P		회의가 끝나자 **회의에 참석한 임원들은** 급하게들 회의실을 나갔어요.
	E	회의가 끝나자 급하게들 회의실을 나갔어요.
H	C	회의가 끝나도 회의에 참석한 임원들은 회의실에 있었어요.
	N	회의가 끝나자 회의에 참석한 임원들은 핸드폰을 켰어요.

위에서 P문의 주어 '회의에 참석한 임원들'이 H문에서 '삭제'되어 함의 관계를 구성하였다. 다만 P문에 나타나지 않은 주어가 H문에 '삽입'되는 역방향의 관계쌍이 구성되는 경우에는, 삽입되는 명사구의 의미 속성에 따라 두 문장은 함의 또는 중립의 관계를 이루게 된다. 다음을 보자.

---

10) 앞서 언급한 바와 같이, 여기서 전제문과 가설문의 관계는 편의상 하나의 방향성으로 고정하여 기술하였기 때문에, 전제문의 한 성분이 가설문에 '삭제'되는 변형으로 설명되었다. 그러나 두 문장이 역방향으로 구성되면, 이 관계는 가설문에 새로운 성분이 '삽입'되는 변형으로 설명될 수 있다.

- [1] P | 회의가 끝나자 급하게들 회의실을 나갔어요.
  H | 회의가 끝나자 **회의에 참석한 사람들**은 급하게들 회의실을 나갔어요. [함의]

- [2] P | 회의가 끝나자 급하게들 회의실을 나갔어요.
  H | 회의가 끝나자 **회의에 참석한 임원들**은 급하게들 회의실을 나갔어요. [중립]

[1]에서 H문에 삽입된 '회의에 참석한 사람들'은 통상적으로 유추될 수 있는 정보 이상의 의미를 나타내지 않으므로, 두 문장은 함의 관계를 구성한다. 반면 [2]에서 '회의에 참석한 임원들'은 P문에 없는 새로운 구체 정보를 표현하고 있으므로, 두 문장은 중립의 관계를 구성하게 된다.

반면 전제문의 주어에 'N-만'과 같은 특정 유형의 주어 논항이 실현되는 경우에는, 이러한 주어의 삭제는 문장 의미에 변화를 일으키게 되므로, 두 문장은 함의 관계가 아닌 중립 관계를 구성하게 된다. 다음을 보자.

- P | **회의에 참석한 사람들만**이 내일 회의 결과를 공유할 수 있다고 합니다.
- H | 내일 최종 회의 결과를 공유할 수 있다고 합니다.   [중립]

위의 H문에는 '한정적 의미'의 주체에 대한 정보가 누락되어 있어 '일반 사람들'로 확대한 의미 해석을 가능하게 한다. 즉 이 경우 '회의에 참석 하지 않은 사람들도 결과를 공유할 수 있다'는 해석이 배제되지 않으므로, 가설문과 함의 관계를 구성하지 못하게 된다.

13 A13 주격 중출문의 논항 삭제

전제문에 실현된 주격 중출문 논항 중 하나가 가설문에서 삭제되어 추론쌍을 구성하는 유형으로, 그 통사적 관계는 다음과 같다.

- 전제문(P) | Nn1-가   Nm2-가   PRED
- 가설문(H) | Ø Nm1-가 PRED | Nn1-가 Ø PRED

이러한 추론쌍의 예를 들면 다음과 같다.

P		디저트는 역시 치즈케익이 제 입에 맞아요.
	E	역시 치즈케익이 제 입에 맞아요.
H	C	디저트는 치즈케익 빼고 다 제 입에 맞아요.
	N	디저트는 역시 애플파이가 제 입에 맞아요.

P문에 실현된 주격 중출문의 첫 명사구(N1)인 '디저트는'이 생략되면, H문은 P문과 함의(E) 관계를 구성한다. 즉 문두의 '디저트는'은 '디저트에 대해서 말하자면'과 같은 문장의 토픽이 변화된 형태로서, 문장의 본질적인 주어가 아니다. 따라서 이 경우 두 번째 명사구(N2)가 생략되면, P문과는 그 의미가 달라지므로 전제문과 함의 관계를 구성하지 못한다.

한국어의 주격 중출문은 매우 다양한 문장 구조의 특징을 보인다. '논항 삭제' 변형은 다음 10가지 유형으로 분류하여 고찰할 수 있다.

1. '소유주-가족' 관계의 단일 명사구가 주격 중출문으로 변환된 유형

한 '주체'와 그 '가족'의 의미 관계를 나타내는 단일 명사구가 주격

중출문으로 변환된 경우로서, 예를 들면 다음과 같다.

- [1] P | **5반 학생들은** 부모님들이 총회에 참석하였다.
  - H | 부모님들이 **총회에 참석하였다.**　　　　　　　　　　[함의]

위에서 P문은 '5반 학생들의 부모님들이'와 같은 단일 명사구에서 변환되어 2개의 주격 논항이 실현된 경우이다. 이때 이러한 한정성을 갖는 명사구로부터 '5반 학생들'이 삭제된 H문은 더 일반적 사실을 담고 있어 함의 관계를 구성한다.
　반면 다음과 같이 '하향 단조성(downward monotone)'[11]을 보이는 '보편 양화사(universal quantifier)' '모두'가 실현되면, 두 문장은 중립 관계를 구성하게 된다.

- [2] P | **5반 학생들은** 부모님들이 **모두** 총회에 참석하였다.
  - H | 부모님들이 **모두 총회에 참석하였다.**　　　　　　　[중립]

즉 [2]에서는 '5반 학생들의 부모님들 ☞ 부모님들'의 '상향 단조(upward monotone)'가 일어났기 때문에 함의 관계를 구성하지 못하였지만, 아래와 같이 역방향으로 추론쌍이 구성되면, 하향 단조가 형성되어 두 문장은 함의 관계를 형성하게 된다.

- P | 부모님들이 **모두** 총회에 참석하였다.
- H | **5반 학생들이** 부모님들이 **모두 총회에** 참석하였다.　　[함의]

---

11) 양화사에 의한 단조성(monotonicity) 문제는 뒤의 'III. 수식성분 변환 스키마' 부분에서 상세히 다루어진다.

2. '소유주-신체부위' 관계의 단일 명사구가 주격 중출문으로 변환된 유형

한 '주체'와 일정 '신체 부위'의 의미 관계를 나타내는 단일 명사구가 주격 중출문으로 변환된 경우로서, 예를 들면 다음과 같다.

- P | 과학 시간에 실험에 참여했던 학생들이 **몸이 축 늘어졌다.**
- H | 과학 시간에 실험에 참여했던 학생들이 **축 늘어졌다.**   [함의]

위 P문의 주격 중출문에서 두 번째 명사구 '몸이'는 포괄적인 신체부위를 표현하므로, 이 성분이 삭제된 H문은 P문과 함의 관계를 구성할 수 있다. 이 경우는 역방향으로 추론쌍이 구성되어도 여전히 함의 관계를 형성한다.

- P | 과학 시간에 실험에 참여했던 학생들이 **축 늘어졌다.**
- H | 과학 시간에 실험에 참여했던 학생들이 **몸이 축 늘어졌다.**   [함의]

그러나 신체부위 명사가 '일반적인(general)' 의미를 갖지 않고 다음과 같은 어떤 '특수 부위'를 나타내는 경우에는, 두 문장은 함의 관계를 구성하기 어렵다.

- [1] P | 과학 시간에 실험에 참여했던 학생들이 **왼손이 축 늘어졌다.**
     H | 과학 시간에 실험에 참여했던 학생들이 **축 늘어졌다.**   [중립]

- [2] P | 과학 시간에 실험에 참여했던 학생들이 **축 늘어졌다.**
     H | 과학 시간에 실험에 참여했던 학생들이 **왼손이 축 늘어졌다.**   [중립]

3. '개체-수량수식어' 관계의 단일 명사구가 주격 중출문으로 변환된 유형

한 '개체'와 이를 수식하는 '수량 수식어'의 의미 관계를 나타내는 단일 명사구가 주격 중출문으로 변환된 경우로서, 예를 들면 다음과 같다.

- P ┃ 어제 손님들이 **다섯분이** 오셨어요.
- H ┃ 어제 손님들이 오셨어요.   [함의]

위의 P문에서는 '다섯분의 손님들'이 변환되어 두 개의 주격 논항으로 실현되었다. 이 경우 H문에서 수량 수식어가 삭제되어 함의 관계를 구성하였다.

4. 'N-를 V-하기' 유형의 명사절이 주격 중출문으로 변환된 유형

'N-를 V-하기' 유형의 명사절(앞서 '논항 교차(crossing)'에서 'S(절)-기' 유형으로 다루어진 바 있음)을 내포한 문장에서 그 내포절의 목적어 성분과 'V-하기' 성분이 각각 주격 형태로 변환된 경우이다.

- P ┃ 이 수열 문제는 **2학년 학생이 풀기가** 어렵습니다.
- H ┃ [1] 이 수열 문제는 어렵습니다.   [중립]
       [2] **2학년 학생이 풀기가** 어렵습니다.   [중립]

P문의 '이 수열 문제는'과 '2학년 학생이 풀기가'는, 본래 '이 수열 문제를 2학년 학생이 풀기가'와 같은 내포절에서 그 목적어 성분이 주제화되어 주격 중출문 형태로 변환된 경우이다. 이 경우 어느 하나가 삭제되어 H문을 구성하면, P문에 제시된 '구체적인 조건'이 배제되므로 두 문장은 함의 관계를 구성하지 못한다.

반면 '이 수열 문제는 풀기가 쉽지 않습니다'와 같이 내포절이 일반적(general) 의미 정보를 표현하는 경우에는, '이 수열 문제는 쉽지 않습니다'와 같이 내포절 삭제 구문으로 실현될 때 두 문장은 함의 관계를 구성할 수 있다.

5. '소유주-소유술어' 관계의 서술절 일부가 주격 중출문으로 변환된 유형

한 '소유주'와 '소유술어'의 의미 관계를 나타내는 서술절의 일부가 주격 중출문으로 변환된 경우로서, 다음을 보자.

- P | 아버지 형제들은 엄청나게 **재산이** 많습니다.
- H | [1] 아버지 형제들은 엄청나게 많습니다.　　　[의미가 달라짐 ☞중립]
　　　[2] 엄청나게 **재산이** 많습니다.　　　[의미가 불완전 ☞중립]

위의 P문에서는 '아버지 형제들'이 문장의 주어이고, '재산이 많다'가 '부유하다'와 같은 의미의 서술절을 구성한다. 이때 H문 [1]에서처럼 서술절의 핵이 되는 'N2-가'가 삭제되면 문장의 의미가 달라지므로 중립의 관계가 된다. H문 [2]에서처럼 주어인 'N1-가'가 삭제되면, 소유관계의 주체가 불명확하므로 '재산이 많은 사람이 누구인지'의 판단이 모호해진다. 이 경우 디폴트는 화자 자신이 될 수도 있고, 또는 주어진 문맥에 따라 앞에 언급된 명사구가 생략된 경우일 수도 있으므로, P문과 함의 관계를 구성하기 어렵게 된다.

6. '주체-속성술어' 관계의 서술절 일부가 주격 중출문으로 변환된 유형

한 '주체'와 이 대상의 특정 '속성'을 표현하는 술어구의 핵이 주격 중출문으로 변환된 경우로서, 예를 들면 다음과 같다.

- P | 내 친구들이 **자신감이** 너무 **많아요**
- H | [1] 내 친구들이 너무 **많아요**   [의미가 달라짐 ☞중립]
     [2] **자신감이** 너무 **많아요**   [의미가 불완전 ☞중립]

위의 P문에서는 '내 친구들'이 문장의 주어이고, '자신감이 많다'는 '당당
하다, 거만하다' 등과 유사한 의미의 서술절을 구성한다. 이때 H문 [1]에
서처럼 서술절의 핵이 되는 'N2-가'가 삭제되면, 문장의 의미가 달라져
서 두 문장은 중립의 관계가 된다. H문 [2]에서처럼 주어인 'N1-가'가
삭제되면, 누구에 대한 묘사인지가 불명확하므로, 이 경우도 P문과 함의
관계를 구성하기는 어렵게 된다.

7. '주체–상태술어' 관계의 서술절 일부가 주격 중출문으로 변환된 유형

한 '주체'와 이 대상의 일정 '상태'을 표현하는 술어구의 핵이 주격
중출문으로 변환된 경우로서, 예를 들면 다음과 같다.

- P | 제 친구는 밥만 먹으면 **잠이** 옵니다.
- H | [1] 제 친구는 밥만 먹으면 옵니다.   [의미가 달라짐 ☞중립]
     [2] 밥만 먹으면 **잠이** 옵니다.   [의미가 불완전 ☞중립]

P문에서는 '제 친구'가 문장의 주어이고, '잠이 오다'는 '졸리다' 등과 유
사한 의미의 서술절을 구성한다. 이때 H문 [1]에서처럼 서술절의 핵이
되는 'N2-가'가 삭제되면, 문장의 의미가 달라져서 두 문장은 중립의 관
계가 된다. H문 [2]에서처럼 주어인 'N1-가'가 삭제되면, 디폴트로 화자
의 상태로 해석되거나 또는 누구에 대한 묘사인지가 불명확하게 해석되
므로, 이 경우도 P문과 함의 관계를 구성하기는 어렵게 된다.

8. '경험주–심리원인' 관계의 배타적 논항이 주격 중출문으로 변환된 유형

'심리 경험주'와 그 '심리적 원인'을 표현하는 두 개의 배타적 논항이 주격 중출문으로 변환된 경우로서, 예를 들면 다음과 같다.

- P ㅣ 항상 바쁜 업무에 시달리던 그 친구는 **상사의 무리한 요구가** 너무 피곤했다
- H ㅣ [1] 항상 바쁜 업무에 시달리던 그 친구는 너무 피곤했다　　　　[함의]
  　　 [2] **상사의 무리한 요구가** 너무 피곤했다　　　　　　　　　　[중립]

P문은 앞서 '논항 교차(crossing)' 현상에서 논의한 심리술어 구문이 주격 중출문으로 실현된 경우로서, 즉 '피곤하다'와 같은 심리형용사는 '경험주'와 그 '심리적 원인'의 두 논항을 각각 주어로 하는 교차 문장을 형성할 수 있다. 이러한 이중적 술어 속성으로 인해, 주격 중출문의 하나가 삭제된 위의 2가지 H문은 모두 가능한 문장이 되는데, 이때 그 '원인'에 해당하는 논항이 생략된 처음 쌍은 여전히 함의 관계를 구성하는 반면, '경험주'가 생략된 두 번째 쌍은 중립 관계가 되는 것을 볼 수 있다. 즉 후자에서는 경험주 논항이 생략되면, 디폴트로 화자가 그 경험주로 해석되므로, 전제문에 주어진 한정된 정보가 사라지면서 함의 관계를 구성하기 어렵게 된다.

9. '공간–점유물' 관계의 배타적 논항이 주격 중출문으로 변환된 유형

어떤 '공간'과 그 공간을 채우는 일정 '점유물'을 표현하는 두 개의 배타적 논항이 주격 중출문으로 변환된 경우로서, 다음을 보자.

- P | 이 넓은 주차장이 **마을 행사로 몰려든 차량들이** 꽉차서 난리가 났다.
- H | [1] 이 넓은 주차장이 꽉차서 난리가 났다.   [함의]
  [2] **마을 행사로 몰려든 차량들이** 꽉차서 난리가 났다.   [중립]

이 경우도 P문은 앞서 '논항 교차(crossing)' 현상에서 논의한 장면술어 구문이 주격 중출문으로 실현된 경우로서, 즉 '꽉차다'와 같은 술어는 '공간'과 그 '점유물'의 두 논항을 각각 주어로 하는 교차 문장을 형성할 수 있다. 이러한 이중적 술어 속성으로 인해, 주격 중출문의 하나가 삭제된 위의 2가지 H문은 모두 가능한 문장이 된다. 이때 [1]과 같이 '점유물'을 표현하는 논항이 삭제된 경우는 함의 관계가 성립하는데, [2]처럼 그 '공간'이 명시되지 않은 문장은 P문의 한정적 의미의 정보성이 소멸되어(즉 불특정된 모든 공간이 꽉 차게 되었음을 의미할 수 있음), 함의 관계를 형성하기 어렵게 된다.

10. '토픽-주어' 관계의 배타적 논항이 주격 중출문으로 변환된 유형

'토픽'과 '문장 주어'의 두 개의 배타적 논항이 주격 중출문으로 실현된 경우로서, 예를 들면 다음과 같다.

- P | 계절은 역시 가을이 멋있습니다.
- H | [1] *계절은 역시 멋있습니다.   [의미 어색함 ☞ 문장 성립 안됨]
  [2] 역시 가을이 멋있습니다.   [함의]

P문에서 '계절은'은 '계절에 대해서 말하자면'과 같이 문장의 토픽에 대한 설명으로서, 하나의 문장 성분을 구성하지 않는다. 이 경우 H문 [1]과 같이 이 성분이 주어로 실현되면 문장이 부자연스러우므로 성립 자체가 어렵지만, [2]와 같은 경우에는 P문과 자연스럽게 함의 관계를 구성한다.

이상에서 논의한 10가지 주격중출문의 변환 유형을 표로 정리하면 다음과 같다.

번호	기저문의 논항 구조	세부 유형 특징
1	하나의 논항이 분리되어 2개의 주격으로 변환	'소유주-가족' 관계의 단일 명사구가 주격 중출문으로 변환된 유형
2		'소유주-신체부위' 관계의 단일 명사구가 주격 중출문으로 변환된 유형
3		'개체-수량수식어' 관계의 단일 명사구가 주격 중출문으로 변환된 유형
4		'N-를 V-하기' 유형의 명사절이 주격 중출문으로 변환된 유형
5	서술절의 핵이 주격으로 변환되어 2개의 주격이 구성	'소유주-소유술어' 관계의 서술절 일부가 주격 중출문으로 변환된 유형
6		'주체-속성술어' 관계의 서술절 일부가 주격 중출문으로 변환된 유형
7		'주체-상태술어' 관계의 서술절 일부가 주격 중출문으로 변환된 유형
8	두 개의 배타적 논항으로부터 2개의 주격이 생성	'경험주-심리원인' 관계의 배타적 논항이 주격 중출문으로 변환된 유형
9		'공간-점유물' 관계의 배타적 논항이 주격 중출문으로 변환된 유형
10		'토픽-주어' 관계의 배타적 논항이 주격 중출문으로 변환된 유형

위에서 보는 것처럼, [1]~[4]은 본래 1개의 논항이 두 개로 분리되어 주격중출문이 구성된 유형이고, [5]~[7]은 서술절의 핵이 주격으로 변환되어 주격중출문이 구성된 유형이다. 반면 [8]~[10]은 본래 배타적인 2개의 논항이 주격으로 변형되어 주격중출문을 구성한 유형이다.

14 A14 목적격 논항의 삭제

전제문에 실현된 목적어 논항이 가설문에서 삭제되어 추론쌍을 구성하는 경우로, 다음과 같은 통사적 관계를 보인다.

- 전제문(P) | Nn1-가 Nm2-를 PRED
- 가설문(H) | Nn1-가 PRED

이러한 추론쌍의 예를 들면 다음과 같다.

P		아이들이 어제 운동을 늦게 끝내고 그 비싼 랍스터를 너무 많이 먹었어!
	E	아이들이 어제 운동을 늦게 끝내고 너무 많이 먹었어!
H	C	아이들이 어제 운동을 늦게 끝내고 그 비싼 랍스터를 하나도 못 먹었어!
	N	아이들이 어제 운동을 늦게 끝내고 그 비싼 연어회를 너무 많이 먹었어!

P문에 나타난 목적어 '비싼 랍스터를'이 H문에서 삭제된 경우 두 문장은 함의 관계를 구성하는데, 반면 다음과 같이 두 문장이 역방향으로 구성되면 이 경우는 함의 관계를 구성하지 못하게 된다.

- P | 아이들이 어제 운동을 늦게 끝내고 너무 많이 먹었어!
- H | 아이들이 어제 운동을 늦게 끝내고 그 비싼 랍스터를 너무 많이 먹었어! [중립]

또 다른 예를 들어보면 다음과 같다. 아래와 같이 H문에 목적어 논항이 삭제되는 경우 두 문장은 함의 관계를 구성할 수 있다.

- P | 학생들이 공부를 다 마치고 학교를 떠났다.
- H | 학생들이 공부를 다 마치고 떠났다.   [함의]

15 A15 목적격 중출문의 논항 삭제

전제문에서 목적격 중출문으로 실현된 논항이 가설문에서 삭제되어 구성되는 추론쌍으로, 다음과 같은 통사적 관계로 기술될 수 있다.

- 전제문(P) | N1-가 Nn2-를 Nm3-를 PRED
- 가설문(H) | N1-가 Nn2-를 PRED | N1-가 Nm2-를 PRED

이 유형의 추론쌍의 예를 들면 다음과 같다.

P		사람들은 그 학생을 특히 거만하고 건방진 태도를 마음에 들어하지 않았어요.
	E	사람들은 그 학생을 마음에 들어하지 않았어요.
H	C	사람들은 그 학생을 특히 거만하고 건방진 태도를 싫어하지 않았어요.
	N	사람들은 그 남자를 특히 거만하고 건방진 태도를 마음에 들어하지 않았어요.

P문의 목적격 중출문은 '그 학생의 특히 거만하고 건방진 태도를'이라는 'N-의 N' 유형의 명사구로부터 분리되어 2개의 목적격으로 변환된 형태로서, 여기서 두 번째 명사구가 삭제된 H문은 함의 관계를 구성한다.

그러나 앞서 주격 중출문에서와 같이, 목적격 중출문도 다양한 문형 구조로부터 획득되기 때문에, 함께 출현하는 서술어 및 목적격 중출문 논항들 사이의 의미 제약 관계 등에 의해 그 추론 관계가 달라진다. 다음과 같이 6가지 유형으로 살펴볼 수 있다.

1. '[N-의 N]-를'에서 변환된 목적격 중출문의 논항 삭제 유형

위에서 살핀 바와 같이 '[N-의 N]-를' 유형의 속격 구문이 목적격 중

출문으로 변환된 전제문에서 하나의 목적격이 삭제되어 가설문을 구성하는 경우로, 이 유형의 예를 들면 다음과 같다.

- P | 학생들은 **체육선생님을** 특히 공정한 리더십을 좋아했다.
- H | 학생들은 **체육선생님을** 좋아했다. [함의]

2. '[N-에게 Npred-를]'에서 변환된 목적격 중출문의 논항 삭제 유형

아래 P문은 'N-에게' 여격 논항과 'Npred(서술명사: predicative noun)-를' 형태가 실현된 동사 구문에서 'N-에게'가 'N-를'로 변형되어 목적격 중출문이 되었다. 이때 여격 논항이 삭제되어 H문을 구성한 다음 두 문장쌍은 함의 관계를 구성한다.

- [1] P | 내 친구는 **실의에 빠진 나를** 많은 용기를 주었다.
       H | 내 친구는 많은 용기를 주었다. [함의]
- [2] P | 어제 오후 내 친구는 **병으로 쓰러지신 선생님을** 병문안을 했다.
       H | 어제 오후 내 친구는 병문안을 했다. [함의]

[1]에서 '실의에 빠진 나를'은 '실의에 빠진 나에게'의 여격 논항이 목적격으로 변형된 형태이고, [2]에서 '병으로 쓰러지신 선생님을'은 '병으로 쓰러지신 선생님께'의 여격 논항이 변형된 형태이다. 이때 '용기를 주다'나 '병문안을 하다'와 같은 술어부는 '주다'나 '하다'와 같은 기능동사(support verb: Vsup) 또는 경동사(light verb)가, 이 술어부의 의미적 핵(core)이 되는 '용기'와 '병문안'과 같은 '서술 명사(Npred)'를 목적어 형태로 취하여 구성된 구문이다. 이와 같이 'Npred-를 Vsup'의 형태로 실현된 술어구에 대한 실제 목적어 성분이 삭제되는 경우, P문과 H문은 함의 관계를 구성할 수 있다.

3. '[N-에 Npred-를]'에서 변환된 목적격 중출문의 논항 생략 유형

'N-에' 논항이 목적격으로 변환되어 목적격 중출문을 구성하는 형태로, 여기서도 두 번째 'N-를' 위치에 서술명사(Npred)가 실현된 경우이다. 다음을 보자.

- P | 내 친구는 **국어 수업을** 출석을 하지 않았다.
- H | 내 친구는 출석을 하지 않았다.   [중립]

위에서 목적어 '국어 수업을'이 삭제된 H문은 P문과 '중립'의 관계를 보이는데, 이는 전제문에 '하향 단조(downward monotone)'를 요구하는 부정소 '않다'가 내포되어 있기 때문에 나타나는 결과이다. 즉 이러한 연산자로 인해, '상향 단조'의 해석을 함축하는 H문(즉 '국어 수업'뿐 아니라, 더 넓은 의미의 '일반 학교수업'에 출석하지 않았다는 의미로 읽힘)은 P문과 함의 관계를 구성하지 못하게 된다. 가령 다음과 같이 부정소가 삭제되면 위와 달리 '함의' 관계를 나타내게 된다.

- P | 그 사람은 **중역 회의를** 조금 늦게 참석을 했다.
- H | 그 사람은 조금 늦게 참석을 했다.   [함의]

4. '[N-를 Npred-를]' 구문에서 목적격 중출문의 논항 생략 유형

'N-를' 논항과 'Npred-를'로 된 목적격 중출문을 구성하는 유형으로, 아래 문장쌍은 두 번째 'N-를' 위치에 서술명사(Npred) '공부'가 실현되었다. 이때 H문에서 다음과 같이 'N-를' 목적어를 삭제하는 경우, 두 문장은 함의 관계를 구성한다.

- P ｜ 내 친구는 오늘도 열심히 **프랑스어를** 공부를 했다.
- H ｜ 내 친구는 오늘도 열심히 공부를 했다. [함의]

5. '[Npred-를 Npred-를]' 구문에서 목적격 중출문의 논항 생략 유형

두 개의 서술명사(Npred)가 'N-를' 형태로 연달아 실현될 때, H문에서 하나를 삭제하여 추론쌍을 구성하는 경우이다.

- P ｜ 요즘 대학생들은 4학년 1학기가 되면 **취업을** 고민을 많이 합니다.
- H ｜ 요즘 대학생들은 4학년 1학기가 되면 고민을 많이 합니다. [함의]

그런데 첫 명사구를 삭제한 위의 문장쌍이 함의 관계를 구성하고 있는 반면, 다음과 같이 두 번째 명사구를 삭제하는 경우에는, H문은 P문과 의미가 달라지기 때문에 더 이상 함의 관계를 구성하지 못한다. 즉 서술명사가 연이어 출현하더라도 문장의 술어부는 두 번째 서술명사를 핵으로 하여 구성되기 때문이다.

- P ｜ 요즘 대학생들은 4학년 1학기가 되면 **취업을** 고민을 많이 합니다.
- H ｜ 요즘 대학생들은 4학년 1학기가 되면 **취업을** 많이 합니다. [중립]

6. '[Npred-를 Nneg-를]' 구문에서 목적격 중출문의 논항 생략 유형

앞서의 예들에서 본 것처럼, 목적격 중출문에 서술명사(Npred)가 실현될 때, 삭제가 가능한 성분은 일반적으로 서술명사가 아닌 실제 목적어 논항('N-를')이 되었다. 그런데 서술명사가 실현되고, 그 뒤에 일련의

'어휘적 부정어(lexical negator: Nneg)'가 수반되는 경우가 있다. 이 경우는 뒷 성분이 삭제되는 경우, 부정소가 삭제된 긍정문과 같은 효과를 갖게 되므로, 두 문장은 '모순' 관계를 구성하게 된다. 다음을 보자.

- P ㅣ 요즘 대학생들은 4학년 1학기가 되면 **휴학을** 거부를 합니다.
- H ㅣ 요즘 대학생들은 4학년 1학기가 되면 **휴학을** 합니다. [모순]

H문에서 삭제된 성분은 두 번째 명사구 'Nneg-를'인 '거부를'이다. 이 성분이 삭제되면 '휴학을 하다'(즉 ='휴학하다')와 같은 긍정 서술어 유형이 되므로, '휴학을 거부를 하다 ↔ 휴학을 하다'와 같이 두 문장은 '모순' 관계의 구조가 된다.

16 A16 동족논항 구문의 논항 삭제

　　전제문의 특정 논항이 서술어에 대한 '동족 논항(cognate object)' 관계를 구성하는 문장 유형(손혜옥 2009)으로, 이때 가설문에 이러한 동족 논항 성분이 삭제되어 추론쌍을 구성하는 경우이다. 다음과 같이 기술될 수 있다.

- 전제문(P) | 　Nn1-가　 [Nm_CognateObj]2-를/로　 PRED
- 가설문(H) | 　Nn1-가　 PRED

'동족 논항' 구문은 동사의 형태와 동일한 어근을 가진 명사구가 목적격 또는 부사격 논항으로 실현된 구문으로서, '꿈을 꾸다, 먹이를 먹다, 잠을 자다, 다리미로 다리다' 등과 같은 유형들이 여기 해당한다. 이 유형의 추론쌍의 예를 들면 다음과 같다.

P		엄마는 아이의 헝클어진 머리를 한참동안을 빗을 빗었다.
	E	엄마는 아이의 헝클어진 머리를 한참동안을 빗었다.
H	C	엄마는 아이의 헝클어진 머리를 한참동안을 빗기지 않았다.
	N	아빠는 아이의 헝클어진 머리를 한참동안을 빗을 빗었다.

P문에서 목적어 '빗을'은 술어 '빗다'에 대해 '동족 논항'의 관계를 갖는다. 즉 술어와 특정 논항이 형태적으로 동일한 어근을 내포하는 어휘 형태로서, 대부분은 목적어 형태로 실현되지만 그 외의 다른 부사격 논항형태로 실현되기도 한다. 동족 논항은 일반적으로 술어와 잉여적 정보를 나타내기 때문에 삭제되어도 문장의 의미를 변화시키지 않으나, 그 유형

에 따라서는 통사적으로 삭제가 어려운 경우가 존재한다. 동족 논항의 삭제 유형은 다음과 같은 2가지 경우로 고려될 수 있다.

1. 'N-를' 동족 논항의 삭제 유형

앞서 살핀 것처럼, '술어'와 동일한 형태적 어근을 공유하는 '목적어' 성분이 실현되는 문장으로서, 예를 들면 다음과 같다.

- ▪ P | 이 돼지고기 요리는 깻잎으로 쌈을 싸서 먹으면 좋습니다.
- ▪ H | 이 돼지고기 요리는 깻잎으로 싸서 먹으면 좋습니다.　　　　[함의]

2. 'N-로' 등 부사격 동족 논항의 삭제 유형

'술어'와 동일한 형태적 어근을 공유하는 동족 논항이 비목적어 형태로 실현되는 문장으로서, 다음을 보자.

- ▪ P | 할머니는 아이들의 겨울 교복을 **다리미로** 저녁 내내 다림질했다.
- ▪ H | 할머니는 아이들의 겨울 교복을 저녁 내내 다림질했다.　　　　[함의]

일반적으로 동족 논항에 추가적 수식어 성분이 실현되지 않는 경우에는 술어에 대한 잉여적 정보만을 내포하게 되므로, 위의 문장쌍이 역방향으로 구성되어도(즉 P문에 동족논항이 삭제되고, H문에 삽입되는 경우), 문장의 함의 관계는 그대로 유지될 수 있다.

17 A17 부사격 논항의 삭제

전제문에 실현된 비목적격, 즉 부사격 논항이 가설문에서 삭제되어 추론쌍이 구성되는 경우로, 다음과 같은 통사적 관계를 구성한다.

- 전제문(P) | Nn1-가 Nm2-에서/에/로 PRED
- 가설문(H) | Nn1-가 PRED

이 추론쌍의 예를 들면 다음과 같다.

P		아이들이 **학교 방과후에 공원에서** 샌드위치를 나누어 먹었다.
	E	아이들이 샌드위치를 나누어 먹었다.
H	C	아이들이 학교 방과후에 공원에서 아무것도 먹지 않고 놀기만 했다.
	N	아이들이 학교 방과후에 공원에서 과일을 나누어 먹었다.

P문의 '학교 방과후에'와 같은 시간성 명사구와 '공원에서'와 같은 장소성 명사구는 H문에서 삭제되어 함의 관계를 구성하였다. 일반적으로 위와 역방향으로 H문에 이러한 성분들이 '삽입'되는 경우에는 H문에 새로운 정보가 삽입되므로, 다음과 같이 중립 관계를 구성하게 된다.

- P | 아이들이 샌드위치를 나누어 먹었다.
- H | 아이들이 **학교 방과후에 공원에서** 샌드위치를 나누어 먹었다.　　[중립]

부사격 논항의 삭제 변형은 다음 2가지 유형으로 살펴볼 수 있다.

1. '시간/장소' 부사격 논항 'N-에/에서'의 삭제 유형

'시간' 및 '장소'를 나타내는 부사격 논항이 삭제되어 추론쌍을 구성하는 경우로서, 예를 들면 다음과 같다.

- P | 정부측 인사가 **오후 3시에** 회의실에 도착했습니다.
- H | 정부측 인사가 회의실에 도착했습니다. [함의]

- P | 사람들이 **광장에서** 웅성거리고 있습니다.
- H | 사람들이 웅성거리고 있습니다. [함의]

2. '원인/도구' 등의 부사격 논항 'N-에/로'의 삭제 유형

'원인' 또는 '도구', '속성' 등의 부사격 논항이 삭제되어 추론쌍을 구성하는 경우로서, 다음을 보자.

- P | **오랜 가뭄에** 논밭의 농작물이 모두 말랐습니다.
- H | 논밭의 농작물이 모두 말랐습니다. [함의]

- P | 손님들이 감자 요리를 **포크로** 먹었습니다.
- H | 손님들이 감자 요리를 먹었습니다. [함의]

다만 동일 술어에 대해 동일 부사격 논항이 삭제된 경우라도 다음과 같이 양태적 성분이 내포된 경우, 두 문장의 추론 관계는 동일하지 않을 수 있다.

- P | 이 요리는 꼭 **포크로** 먹어야 합니다.
- H | 이 요리는 꼭 먹어야 합니다. [중립]

18 A18 공지칭 대명사 논항의 삭제

전제문에 실현된 대명사가 가설문에서 삭제되어 추론쌍을 구성하는 유형으로, 이 경우 전제문은 다양한 복합 구문을 구성할 수 있다. 선행사가 주어가 실현된 경우의 예를 들어 두 문장의 통사적 관계를 기술하면 다음과 같다.

- 전제문(P) | [Nn_Antecedent]1-가 PROn-가/를 W PRED
- 가설문(H) | [Nn_Antecedent]1-가 W PRED

이 추론쌍의 예를 들면 다음과 같다.

P		팀장들은 회의에 도착하자마자 자신들이 지각한 이유에 대해 설명했다.
	E	팀장들은 회의에 도착하자마자 지각한 이유에 대해 설명했다.
H	C	팀장들은 자신들이 지각한 이유에 대해 밝히지 않았다.
	N	팀장들은 회의에 도착하자마자 자신들이 참석한 이유에 대해 설명했다.

P문에 나타난 대명사(PRO) '자신들'이 H문에서 삭제되어 함의 관계를 구성하였다. 삭제된 대명사는 이 문장의 주어와 동일한 '공지칭(coreference)' 관계의 대상을 나타내므로, 이와 같이 문맥상 명확히 유추가 가능한 경우 대명사의 삭제가 가능하며, 역방향의 추론쌍이 구성되어도 함의 관계는 유지될 수 있다.

- P | 팀장들은 회의에 도착하자마자 지각한 이유에 대해 설명했다.
- H | 팀장들은 회의에 도착하자마자 자신들이 지각한 이유에 대해 설명했다.　　[함의]

대명사의 삭제 변형은 다음과 같이 3가지 유형으로 고찰할 수 있다.

1. 3인칭 논항과 공지칭 관계의 대명사 '자기'가 삭제된 유형

3인칭 명사구와 공지칭 관계의 대명사가 '자기/자신'으로 실현되는 유형의 문장 구조로서, 예를 들면 다음과 같이 행위자로서의 주어('내 친구')와 공지칭 관계의 대명사가 내포문에 실현된 경우이다.

- P | 내 친구는 **자신은 모르고** 한 일이라고 항변했다.
- H | 내 친구는 **모르고** 한 일이라고 항변했다.　　　　　　[함의]

2. 3인칭 논항과 공지칭 관계의 대명사 '그/그녀'가 삭제된 유형

3인칭 명사구와 공지칭 관계의 명사 또는 대명사 '그/그녀' 등이 실현되는 유형의 문장 구조로서, 다음과 같이 후행하는 문장에서 공지칭 관계의 성분이 삭제되는 경우이다.

- P | 내 친구가 나타나자, 사람들은 **그는** 사기꾼이라고 소리질렀다.
- H | 내 친구가 나타나자, 사람들은 사기꾼이라고 소리질렀다.　　[함의]

- P | 미국의 도움이 막강해서, 우크라이나는 **미국보다** 더 나은 우방을 상상하지 못한다.
- H | 미국의 도움이 막강해서, 우크라이나는 더 나은 우방을 상상하지 못한다.[함의]

3. '1, 2인칭' 논항과 공지칭 관계의 대명사가 삭제된 유형

'1, 2인칭' 유형의 논항과 공지칭 관계를 보이는 명사 또는 대명사가

H문에 삭제되어 문장쌍을 구성하는 경우로, 예를 들면 다음과 같다.

- P | 나는 **내가** 우리 팀에서 제일 뛰어나다고 생각한다.
- H | 나는 우리 팀에서 제일 뛰어나다고 생각한다.   [함의]

- P | 친구들이 너를 소개할 때 **니가** 이 모임의 구심점이라고 말하더라.
- H | 친구들이 너를 소개할 때 이 모임의 구심점이라고 말하더라   [함의]

논항 변환 스키마
논항 등위접속 | A19-A23

여기서는 명사구 논항들이 '등위 접속(coordination)'되는 관계에 대해 논의한다. 명사구 논항이 연언(conjunction) 또는 선언(disjunction) 관계로 등위 접속된 유형뿐 아니라, 등위 접속된 주어, 목적어, 또는 부사격 논항의 한 성분이 '외치(extraposition)'되어 새로운 부사격 논항으로 실현된 유형을 포함한다. 다음 5가지 하위 범주로 나뉘어 논의될 수 있다.

- A19 | 명사구의 AND 등위접속
- A20 | 명사구의 OR 등위접속
- A21 | 주격 논항의 외치 등위접속
- A22 | 목적격 논항의 외치 등위접속
- A23 | 부사격 논항의 외치 등위접속

19 A19 명사구의 AND 등위접속

전제문에서 2개의 명사구가 'N-AND-N' 유형의 '연언(conjunction)' 관계로 등위접속되어 문장 내에서 주격이나 목적격, 그 외의 부사격 위치에 실현될 때, 가설문에서 한 성분을 삭제하거나 이에 대한 변형을 통해 추론쌍을 구성하는 경우이다. 두 명사구가 주어 위치에 실현된 예를 통해 이 유형의 관계를 기술하면 다음과 같다.

- 전제문(P) | [Nn-와/하고/랑 Nm]1-가 PRED
- 가설문(H) | Nn1-가 PRED | Nm1-가 PRED

이러한 추론쌍의 예를 들면 다음과 같다.

P		행사 관계자들과 행사 발표자들이 파이널 시상식에 참석했다.
	E	행사 관계자들이 파이널 시상식에 참석했다.
H	C	행사 관계자들과 행사 발표자들이 파이널 시상식에는 불참했다.
	N	행사 관계자들과 그 회사 임원들이 파이널 시상식에 참석했다.

P문 주어인 '행사 관계자들과 행사 발표자들'은 H문에서 '행사 관계자들'로 변환되었다. 즉 'N-AND-N'의 구조에서 한 성분이 삭제된 구조가 주어로 실현된 것인데, 이 경우 두 문장은 함의 관계를 구성하였다.

명사구의 등위접속은 다양한 통사적 위치에서 실현되는데, 이에 따라 다음과 같이 3가지 유형으로 고찰할 수 있다.

1. 'N-AND N'가 주어 위치에 실현된 유형

두 명사구가 AND로 연결된 구성이 주어 위치에 실현되는 경우로, 다음과 같이 H문에서 한 성분이 삭제되었을 때 함의 관계가 구성되었다.

- P | **1학년 학생들과 2학년 학생들은** 내일 기말고사가 있다.
- H | 1학년 학생들은 내일 기말고사가 있다.   [함의]

2. 'N-AND N'가 목적어 위치에 실현된 유형

두 명사구가 AND로 연결된 구성이 목적어 위치에 실현되는 경우로, 여기서도 H문에서 한 성분이 삭제되었을 때 함의 관계가 구성되었다.

- P | 작업자들은 **안전모와 작업복을** 충분히 요구하였다.
- H | 작업자들은 안전모를 충분히 요구하였다.   [함의]

3. 'N-AND N'가 'N-에/에서/에게/로' 등의 부사격 위치에 실현된 유형

AND로 연결된 두 명사구가 'N-에/에서/에게/로' 등과 같은 다양한 부사격 논항 위치에 실현된 경우로서, H문에서 한 성분이 삭제되어 추론 쌍을 구성하는 경우이다. 예를 들면 다음과 같다.

- P | 행사 참석자들이 **운동장과 교실에** 여기저기 모여 있었다.
- H | 행사 참석자들이 운동장에 여기저기 모여 있었다.   [함의]

- P | 이번 체전은 **광주하고 부산에서** 일부 예선전을 진행했습니다.
- H | 이번 체전은 광주에서 일부 예선전을 진행했습니다.   [함의]

- P | 학생들은 진로 문제에 대해 가끔 **선생님이랑 선배들에게** 의논하였다.
- H | 학생들은 진로 문제에 대해 가끔 선생님에게 의논하였다. [함의]

- P | 이번 우리학교 졸업생들은 **공공기관과 더불어 사기업으로도** 활발히 진출하였다.
- H | 이번 우리학교 졸업생들은 공공기관으로 활발히 진출하였다. [함의]

- P | 내 친구는 **동네 그 유명한 싸움꾼이랑 그 추종자들과 심하게 싸웠다.**
- H | 내 **친구는** 동네 그 유명한 싸움꾼과 심하게 **싸웠다.** [함의]

- P | 어떤 친구들은 **기업체의 대표와 로펌 변호사들이** 되었다.
- H | 어떤 친구들은 기업체의 대표가 되었다. [함의]

위에서 보는 바와 같이, 두 명사구를 AND로 연결하는 어휘 성분은 'N-와/하고/랑' 등과 같이 다양한 형태로 실현된다.

20 A20 명사구의 OR 등위접속

앞서 살핀 'N-AND-N' 유형의 '연언(conjunction)' 구성과 달리, 'N-OR-N' 유형의 '선언(disjunction)' 구성으로 전제문이 구성된 경우, 가설문에 등위접속된 두 성분의 일부가 실현되어 추론쌍을 구성하는 문장 관계이다. 두 명사구가 주어 위치에 실현된 경우의 예를 통해 이 문장 쌍의 통사적 관계를 기술하면 다음과 같다.

- 전제문(P) ┃ [Nn-나/거나/또는 Nm]1-가 PRED
- 가설문(H) ┃ Nn1-가 PRED ┃ Nm1-가 PRED

이 추론쌍의 예를 들면 다음과 같다.

P		1학년이나 2학년 학생들은 행사에 참석할 수 있습니다.
	E	1학년 학생들은 행사에 참석할 수 있습니다.
H	C	1학년이나 2학년 학생들은 행사 참석이 허용되지 않습니다.
	N	1학년이나 2학년 학생들은 세미나에 참석할 수 있습니다.

P문에서 '1학년이나 2학년 학생들'은 'N-이나 N' 형태의 OR 구성을 이루고 있으며, H문에서 한 성분이 삭제되어 두 문장이 함의 관계를 구성하였다.

그런데 실제 자연어에서 나타나는 OR 접속문은 수학적 개념과 그대로 일치하는 것이 아니어서, 각 개별언어별 구체적 언어 표현 유형에 따라 그 추론 관계의 양상이 복잡하게 나타난다. Saha et al(2020)에서는 영어의 'OR' 표현에 대해 다음과 같이 3가지 유형을 소개하고 있다.

- [1] Exclusive-OR | He was born in **1970 or 1971**.
- [2] Equivalent-OR| Upon completion, it will rise **64 stories or 177 ft**.
- [3] Boolean-OR | He can play as a **striker or a midfielder**.

여기서 첫째는 'Exclusive-OR'로서, "he was born in 1970 or 1971."과 같이 OR로 연결된 두 성분이 서로 배타적이어서 동시에 참이 될 수 없는 유형을 연결하는 경우이다. 둘째는 'Equivalent-OR' 유형으로, "Upon completion, it will rise 64 stories or 177 ft."와 같이 OR로 연결된 두 성분이 서로 동격의 의미를 나타내는 유형이다. 마지막은 'Boolean-OR'로서 "He can play as a striker or a midfielder."에서처럼 전형적인 논리합 개념으로서 OR이 사용된 유형을 나타낸다.

여기서 첫 번째 유형의 경우, OR 등위접속 구문을 삭제하면 P문과 H문은 '중립' 관계가 되지만, 두 번째와 세 번째의 경우는 '함의' 관계가 구성된다. Saha et al.(2020)에서는 영어 코퍼스에서 두 번째와 세 번째 유형이 훨씬 빈번하게 나타난다고 하였으며, 따라서 일반적으로 영어에서 OR 접속 구문을 '삭제'하면 '함의' 관계의 확률이 높아지고 이를 '삽입'하면 '중립'의 확률이 높아진다는 휴리스틱을 제안하였다.

한국어의 경우, 영어의 'Equivalent-OR' 유형은 "그 건물은 64층-(이고+이라서+이므로) 216m 높이에 이른다"와 같은 문장 구조로 실현되므로 OR 등위접속문의 성격을 보이지 않지만, 'Exclusive-OR'이나 'Boolean-OR' 유형의 경우는 한국어에도 적용될 수 있는 속성으로서, 이를 기반으로 다음과 같은 OR 등위접속문 기반 추론쌍 분류가 가능하다.

1. 'N-OR-N' 명사구가 '불리언(Boolean) OR'에 의해 구성된 유형

앞서 예에서 본 바와 같이 'N-나/거나/또는 N' 구문이 논리적 집합 개념에서처럼 두 명사구의 '논리합'의 형태로 실현되는 경우이다. 이 유

형은 P문에서 두 가지 집합의 합을 의미한다면, H문에서 그 일부를 표현하는 것으로 해석되므로, 일반적으로 두 문장은 함의 관계를 구성하게 된다. 다음을 보자.

- **P |** 학생들이 **강당 앞쪽이나 복도 옆**에 여기저기 앉아 있었습니다.
- **H |** 학생들이 강당 앞쪽에 여기저기 앉아 있었습니다.   [함의]

위 문장쌍에서 P문에서는 '학생들이 강당 앞이나 복도 옆 여기저기에 앉아 있음'을 표현하고 H문에서는 '강당 앞에 있음'을 표현하여, 두 문장은 함의 관계를 구성하였다.

2. 'N-OR-N' 명사구가 '배타적(exclusive) OR'에 의해 구성된 유형

반면, P문에 나타난 'N-나/거나/또는 N' 구문이 두 집합의 합을 나타내는 것이 아니라, 두 명사구 중의 하나를 양자택일해야 하는 경우를 의미하는 형태가 있다. 다음을 보자.

- **P |** 그 학생은 **2000년생이거나 2001년생**일 겁니다.
- **H |** 그 학생은 2000년생일 겁니다.   [중립]

위의 P문은 '그 학생은 2000년생이거나 또는 2001년생'으로 반드시 둘 중의 하나만이 선택되어야 함을 의미하고 있으며, 두 가능성을 모두 시사하고 있다. 반면 H문에서는 그 중 하나의 가능성('2000년생')을 선택하여 다른 가능성을 배제하고 있으므로, 두 문장은 함의 관계를 구성할 수 없다. OR 등위접속의 문제는 뒤에서 '술어의 OR 등위접속(P15)'과 '관형어의 OR 등위접속(M09)'에서도 상세히 다루어진다.

21 A21 주격 논항의 외치 등위접속

'등위 접속' 관계의 주격 명사구에서 한 성분이 외치(extraposition)되어 '부사격'으로 나타난 문장이 전제문으로 실현되고, 이에 대한 일련의 변형이 이루어진 문장이 가설문으로 구성되는 추론쌍의 유형이다. 다음과 같은 방식으로 기술될 수 있다.

- 전제문(P) | Nn1-가　Nm2-랑/와/하고　PRED
- 가설문(H) | [Nn-AND Nm]1-가 PRED　|　Nm1-가　PRED

이 유형의 추론쌍의 예를 들면 다음과 같다.

P		농부들은 **마을이웃들이랑** 닭장속의 암탉들을 모두 울타리밖으로 몰았다.
	E	**마을이웃들은** 닭장속의 암탉들을 모두 울타리밖으로 몰았다.
H	C	농부들은 닭장속의 암탉들을 모두 울타리안으로 몰았다.
	N	농부들은 닭장속의 암탉들이랑 병아리들을 모두 울타리밖으로 몰았다.

P문에 나타난 '마을이웃들'은 주어 '농부들'과 의미적으로 등위접속 관계인 동반격 논항을 구성한다. 즉 H문에서는 P문의 주어가 삭제되고 부사격 논항이 주어로 실현되어, 두 문장은 함의 관계를 구성하였다.

실제로 P문의 두 명사구는 다음 H문과 같이 'N-AND-N' 유형의 등위 접속 형태로부터 '외치' 변형이 일어난 경우로, 이 두 문장은 함의 관계를 구성한다.

- P | 농부들은 **마을이웃들이랑** 닭장속의 암탉들을 모두 울타리밖으로 보냈다.
- H | 농부들과 **마을이웃들은** 닭장속의 암탉들을 모두 울타리밖으로 보냈다.[함의]

그런데 동일한 표면 구조를 보이지만 다음 문장은 'N-이랑'이 주어가 아니라 목적어와 등위 접속 관계를 구성하기 때문에, 이 성분이 주어로 변환되면 의미적으로 부자연스러운 문장이 된다.

- P | 농부들은 **헛간의 병아리들과** 닭장속의 암탉들을 모두 울타리밖으로 몰았다.
- H | ***헛간의 병아리들이** 닭장속의 암탉들을 모두 울타리밖으로 몰았다. [문장 불가]

주어와 '의미적으로' 등위접속 관계를 보이는 이러한 부사격 논항들은 사실상 일종의 '동반격 논항'으로 분리되어 실현된 형태로서, 'N-이랑' 외에도 'N-하고, N-와 함께, N-와 더불어, N-를 동반하여' 등과 같이 다양한 형태로 실현될 수 있다. 실제로 한국어에서 다음과 같은 문장 유형은 구조적으로 중의성이 존재하기 때문에, 여기 실현된 각 논항들의 의미적 분포를 통해 올바른 문장 구조를 결정하는 것이 필요하다.

- N1-가 **N2-와(이랑/하고/와 함께/와 더불어 등)** N3-를 V
  ☞ **N2**는 주어(N1)와 등위 접속 또는 목적어(N3)와 등위 접속 관계

모델 학습을 위한 추론쌍 구성시에는 이와 같은 중의적 해석의 가능성이 있는 문장 유형은 별도의 논의를 통해 고찰하는 것이 필요하다.

22 A22 목적격 논항의 외치 등위접속

'등위 접속' 관계의 목적격 명사구에서 한 성분이 외치(extraposition) 되어 '부사격'으로 나타난 문장이 전제문으로 실현되고, 이에 대한 일련 의 변형이 이루어진 문장이 가설문으로 구성되는 추론쌍의 유형이다. 다음과 같은 방식으로 기술될 수 있다.

- 전제문(P) | N1-가 Nn2-를 Nm3-랑/와/하고 PRED
- 가설문(H) | N1-가 [Nn-AND Nm]2-를 PRED | N1-가 Nm2-를 PRED

이 추론쌍의 예를 들면 다음과 같다.

P		학생들은 노란 구슬들을 **파란 구슬들과 함께** 모두 주머니속에 넣었다.
	E	학생들은 **파란 구슬들을** 모두 주머니속에 넣었다.
H	C	학생들은 노란 구슬들을 파란 구슬들과 함께 모두 주머니밖으로 꺼냈다.
	N	학생들은 노란 구슬들을 빨간 구슬들과 함께 모두 주머니속에 넣었다.

P문에 실현된 '파란 구슬들과 함께'는 목적어 '노란 구슬들을'과 의미적 으로 '등위접속' 관계인 동반격 논항을 구성한다. H문에서는 P문의 목적 어가 삭제되고 부사격 논항이 목적어로 실현되어, 두 문장은 함의 관계 를 구성하였다.

P문의 두 명사구는 다음 H문처럼 'N-AND-N' 유형의 등위 접속 형 태로부터 '외치' 변형이 일어난 경우로, 다음 두 문장은 함의 관계를 구 성한다.

- P │ 학생들은 노란 구슬들을 **파란 구슬들과 함께** 모두 주머니속에 넣었다.
- H │ 학생들은 노란 구슬들과 **파란 구슬들을** 모두 주머니속에 넣었다.　　[함의]

앞서 살핀 '주격 논항의 외치 등위접속' 유형과 같이, 여기서도 P문에는 등위접속된 목적격 논항의 일부가 외치 이동하여 부사격으로 실현된 경우로서, H문에서 목적어 성분이 삭제되고 이러한 부사격 논항이 목적격으로 치환되거나, 또는 두 성분이 등위접속 관계로 변형되는 경우 함의 관계가 형성될 수 있다.

　　이 유형의 경우도, 외치된 부사격 논항은 'N-이랑, N-와, N-하고, N-와 함께, N-와 더불어' 등과 같은 다양한 형태의 후치사구로 실현될 수 있다.

23 A23 부사격 논항의 외치 등위접속

　'등위 접속' 관계의 부사격 명사구에서 한 성분이 외치(extraposition) 되어 실현된 문장이 전제문으로 실현되고, 이에 대한 일련의 변형이 이루어진 문장이 가설문으로 구성되는 추론쌍의 유형이다. 다음과 같은 방식으로 기술될 수 있다.

- 전제문(P) ｜ N1-가　Nn2-에/에서　Nm3-랑/와/하고　PRED
- 가설문(H) ｜ N1-가 [Nn-AND Nm]2-에/에서 PRED ｜ N1-가 Nm2-에/에서 PRED

이 추론쌍의 예를 들면 다음과 같다.

P		회사에서는 부산시에 인천시에 이어 최신식 물류창고를 지었다.
	E	회사에서는 인천시에 최신식 물류창고를 지었다.
H	C	회사에서는 부산시에 인천시와 달리 최신식 물류창고를 지었다.
	N	회사에서는 대전시에 최신식 물류창고를 지었다.

P문에 실현된 '인천시에 이어'는 장소 부사격 논항 '부산시에'와 의미적으로 등위접속 관계를 구성한다. 즉 '인천시와 부산시에 창고를 지었다'는 해석을 함축한다. 이때 H문에서 P문의 장소 논항 'N-에'가 삭제되고 'N-에 이어' 형태의 부사격 논항으로 나타났던 성분이 장소 논항으로 실현되어, 두 문장은 함의 관계를 구성하였다.

　위의 P문의 두 명사구가 다음과 같이 'N-AND-N' 유형의 등위 접속 형태로 실현된 경우, 두 문장이 함의 관계를 구성하는 것을 볼 수 있다.

- P ｜ 회사에서는 부산시에 **인천시에 이어** 최신식 물류창고를 지었다.
- H ｜ 회사에서는 **인천시와 부산시에** 최신식 물류창고를 지었다.　　　[함의]

    부사격 논항은 다음과 같이 'N-로'의 형태로도 실현되어, 이때 한 성분이 'N-외에도'와 같은 방식으로 외치 변형되는 구문을 구성할 수 있다. 이러한 구성의 P문과 '[N-AND-N]-로'의 형태로 등위접속된 H문은 다음과 같이 함의 관계를 구성할 수 있다.

- P ｜ 졸업생들은 여러 사기업으로 **공공기관 외에도** 활발히 진출하고 있다.
- H ｜ 졸업생들은 **공공기관과 여러 사기업으로** 활발히 진출하고 있다.　　[함의]

    이와 같이 부사격 논항이 외치되는 경우에는, 'N-에 이어, N-외에도, N-에 따라, N-뿐만 아니라'와 같은 다양한 형태의 후치사구로 실현될 수 있다.

II 술어 변환 스키마

PREDICATE | P01-P15

♛ 술어(PREDICATE) 변환 스키마의 15가지 세부 유형

번호	중분류	코드	세부 유형
24	술어 부정(negation)	P01	동사구 술어의 부정
25		P02	형용사구 술어의 부정
26		P03	명사구 술어의 부정
27		P04	술어구 이중 부정문
28	술어 변형(change)	P05	술어의 수동문 변형
29		P06	술어의 시제 변형
30		P07	술어의 우언적 구성 변형
31		P08	술어의 보문절 변형
32		P09	내포문 술어의 명사화 변형
33		P10	형용사 술어의 부사화 변형
34	술어 삭제(deletion)	P11	함축동사의 삭제
35		P12	사실동사의 삭제
36		P13	사역동사의 삭제
37	술어 등위접속(coordination)	P14	술어의 AND 등위접속
38		P15	술어의 OR 등위접속

술어 변환 스키마
술어 부정 | P01-P04

술어(PREDICATE)와 관련된 일련의 통사적 구조 변경을 통해 추론 쌍을 구성하는 방법의 첫 번째 유형은 술어에 대한 '부정(negation)'에 의한 의한 것이다. 다음과 같이 4가지 세부 유형으로 분류될 수 있다.

- P01 | 동사구 술어의 부정
- P02 | 형용사구 술어의 부정
- P03 | 명사구 술어의 부정
- P04 | 술어구 이중 부정문

24 P01 동사구 술어의 부정

'동사구 술어의 부정'은 전제문의 동사구 술어에 대한 '부정(negation)' 변형을 통해 추론쌍을 구성하는 것으로, '부정소(NEGATOR)'가 장형 부정소일 때는 동사의 오른쪽에, 단형 부정소일 때에는 동사의 왼쪽에 실현된다. 이 문장쌍의 관계를 기술하면 다음과 같다.

- 전제문(P) | N1-가 VERB
- 가설문(H) | N1-가 VERB NEGATOR | N1-가 NEGATOR VERB

이 추론쌍의 예를 들면 다음과 같다.

P		내 친구는 내가 아는 어느 누구보다도 노래를 정말 잘 한다.
	E	내 친구는 내가 아는 학교 친구들보다 노래를 정말 잘 한다.
H	C	내 친구는 내가 아는 어느 누구보다도 노래를 정말 못 한다.
	N	내 친구는 내가 아는 어느 누구보다도 농담을 정말 잘 한다.

P문의 서술어에 부정소 '못'이 삽입되어 H문이 구성된 유형으로, 두 문장은 '모순(C)' 관계를 형성한다.

이 유형의 특징은 부정 접두사 등과 같은 어휘적 부정 기재를 사용하지 않고 통사적 부정 기재를 사용하여 부정문을 구성하는 것으로, 동사 술어에 대한 부정문 구성 방식에 따라 다음과 같이 나누어 볼 수 있다.

1. 동사의 '장형' 부정을 통한 변형

동사 술어구에 대해 'V-지 않다/못하다/말다' 등의 보조용언이 수반되어 부정문을 구성하는 경우로서, 예를 들면 다음과 같다.

- P | 실험에 참가한 과학자들은 모두 그 오류를 인정하였다.
- H | 실험에 참가한 과학자들은 모두 그 오류를 인정하지 않았다.　　[모순]

2. 동사의 '단형' 부정을 통한 변형

　　동사 서술어에 '안/못' 등의 부정 부사가 삽입되어 부정문을 구성하는 경우로서, 다음과 같은 유형이 여기 해당한다.

- P | 어제 결국 우리는 모네 전시회에 갔어.
- H | 어제 결국 우리는 모네 전시회에 안 갔어.　　[모순]

　　반면, 부정문 치환이 주절이 아닌 내포문의 술어에 대해 이루어지면, 두 문장이 의미적으로 모순 관계를 구성하지 못하는 경우가 많다. 다음과 같이 내포문에 부정소 '안'이 삽입된 경우, 중립 관계를 구성하게 된다.

- P | 학생들은 자신들이 만든 결과물이 왜 움직이는지 궁금해했다.
- H | 학생들은 자신들이 만든 결과물이 왜 안 움직이는지 궁금해했다. [중립]

　　여기서는 '부정 부사(단형 부정)' 또는 '부정 보조용언(장형 부정)' 등으로 명명되는 '통사적 부정소'에 기반한 부정문 구성에 대해 한정하였다. 이와 반대로 '미-등록'과 같은 예에서 보이는 '부정 접두사'에 의한 '어휘적 부정'은 '부정 접두사에 의한 파생어 변형(L05)'에서 다루어진다. 또한 '만족감을 주었다'에 대한 '만족감을 주는 데 실패했다'와 같이 소위 '어휘적 부정소(lexical negator)'에 의한 부정문 구성은 '목적격 중출문의 논항 삭제(A15)'와 '술어의 우언적 구성 변형(P07)'을 참고할 수 있다.

25 P02 형용사구 술어의 부정

전제문의 형용사 술어가 가설문에서 부정문으로 변형되어 추론쌍이 구성되는 경우로, 그 통사적 관계를 기술하면 다음과 같다.

- 전제문(P) ｜ N1-가 ADJ
- 가설문(H) ｜ N1-가 ADJ NEGATOR ｜ N1-가 NEGATOR ADJ

이 추론쌍의 예를 들면 다음과 같다.

P		그 선생님은 유치원 아이들에게 **상냥하시다.**
	E	그 선생님은 유치원 남자아이들에게 상냥하시다.
H	C	그 선생님은 유치원 아이들에게 **상냥하지 않으시다.**
	N	그 선생님은 고아원 아이들에게 상냥하시다.

P문의 형용사 술어 '상냥하다'는 H문에서 보조 용언 '않다'의 삽입에 의해 부정문으로 변환되어 '모순(C)' 관계의 추론쌍을 구성하였다.

형용사 술어의 경우에는 동사와 달리, 좀더 다양한 방식으로 '부정문' 구성이 가능하므로, 다음과 같이 4가지 유형으로 살펴볼 수 있다.

1. 'ADJ-지 않다/못하다' 유형의 형용사 술어 부정

형용사 술어구에 대해 'ADJ-지 않다/못하다' 등의 보조용언이 수반되어 소위 '장형' 부정문을 구성하는 경우로서, 예를 들면 다음과 같다.

- P | 언어학개론을 수강한 노랑머리 학생은 또래보다 **똑똑하다.**
- H | 언어학개론을 수강한 노랑머리 학생은 또래보다 **똑똑하지 못하다.** [모순]

2. 'X-가 아니다' 유형의 형용사 술어 부정

형용사가 'X-적-이다' 또는 'N-이다'와 같은 형태를 취하는 경우, 이에 대한 부정문은 'ADJ-지 않다/못하다'의 형태 외에도, 'X-적이 아니다' 또는 'N-이 아니다'와 같은 형태로도 실현될 수 있다. 이러한 형용사 술어의 예를 들면 다음과 같다.

- [1] P | 시위에 참가하는 사람들의 행동은 **합리적이었다.**
  H | 시위에 참가하는 사람들의 행동은 **합리적이 아니었다.** [모순]

- [2] P | 3학년 학생들은 그 행사에 아주 **열성이었다.**
  H | 3학년 학생들은 그 행사에 아주 **열성이 아니었다.** [모순]

[1]의 문장쌍에서 '합리적이다'는 'X-적-이다'의 표면 구조를 가지고 있는 형태로, '합당하다'와 같은 하나의 형용사 술어로 해석될 수 있다. 즉 '합리적이다, 이기적이다, 감정적이다' 등과 같은 형용사는 접미사 '이다'를 수반한 형태로서, 이를 명사에 지정사(또는 서술격 조사) '이다'가 결합한 형태로 분석하는 것은 통사적으로나 의미적으로나 적절하지 않다. 'X-적-이다' 구성에서, 'X-적'은 명사로서의 자질을 지니고 있지 않기 때문에 관형형의 수식을 받는 것도 불가능하며, 반대로 형용사를 수식하는 '아주, 매우' 등의 정도부사의 수식을 받거나, '무엇(WHAT)' 대신 '어떠하다(HOW)' 유형의 형용사 술어 의문문에 대응되는 특징을 보인다(남지순 2007).

여기서 형용사 술어로 사용된 '합리적이다'는, '합리적이 아니다' 외에도 '합리적이지 않다'와 같은 부정문을 동시에 허용하는 특징을 보인다.

[2]의 쌍에서 '열성이다'도 '열성스럽다'와 같은 유형의 형용사 술어로 해석될 수 있다. 이 경우는 '극성이다, 억척이다, 고집이다' 등과 같이 일련의 '인물 속성'을 나타내는 명사들이 '이다'와 결합하는 형태로, 여기서도 '극성스럽다, 억척스럽다, 고집스럽다' 등과 같은 형용사 술어와 대응되는 특징을 보인다. 이들도 정도부사의 수식을 받으며, '무엇(WHAT)' 또는 '누구(WHO)' 유형의 의문문이 아닌 '어떠하다(HOW)' 유형의 의문문에 대응되는 특징을 보인다.

형용사의 부정문은 구어체에서 'ADJ-한 게 아니다'와 같은 형태로도 실현될 수 있는데, 다음을 보면,

- P | 어제 행사 진행자가 **친절했어요.**
- H | [1] 어제 행사 진행자가 **친절하지 않았어요.**   [모순]
  [2] 어제 행사 진행자가 **친절한 게 아니었어요.**   [모순]
  [3] 어제 행사 진행자가 보통 **친절한 게 아니었어요.**   [함의]

모순 관계의 부정문을 구성하는 H문 [2]와 달리, [3]에서 '보통 ADJ-한 게 아니다'는 실제로 기저 형용사 술어에 대한 부정문이 아니라 그 술어문에 대한 강조의 의미를 갖는 구문이므로, P문과 함의 관계를 이루게 된다. 여기서 부사어 '보통'은 '웬만큼'이나 '대충', '조금' 등과 같은 '낮은 정도성 부사어'로도 치환될 수 있으며, 부정의 보조용언은 술어에 대한 부정이 아니라 이러한 '낮은 정도성 부사'에 대한 부정을 의미하는 것으로 사용되었다.

3. 'X-없다' 유형의 형용사 술어 부정

형용사 중에는 'N-있다'와 같은 유형으로 구성되는 형태들이 있다. 예를 들어 '용기있다'나 '강단있다', '매력있다'와 같은 형태들로서, 이들은 '용감하다, 강하다, 사랑스럽다' 등과 같은 형용사 유형과 유의어를 구성할 수 있다. 이들에 대한 부정문은 'ADJ-지 않다/못하다' 유형 외에도, 다음과 같이 'N-없다' 형태로도 구성될 수 있다.

- P | 그런 행동을 하다니 그 사람은 정말 **용기있**네요!
- H | 그런 행동을 하다니 그 사람은 정말 **용기없**네요!　　　　[모순]

4. '안 ADJ' 유형의 형용사 술어 부정

형용사 서술어에 '안'과 같은 부정 부사가 삽입되어 소위 '단형' 부정문을 구성하는 경우로서, 앞서 동사와 달리 형용사의 경우에는 '못'과 같은 부정 부사의 삽입은 자연스럽지 않다. 이 형태의 예를 들면 다음과 같다.

- P | 어제 산 노트북 거치대는 접히는 부분이 생각보다 **뻑뻑해요**.
- H | 어제 산 노트북 거치대는 접히는 부분이 생각보다 **안 뻑뻑해요**.　　[모순]

부정문 변형은 NLI 추론쌍 구성에 있어서, 모순(C) 관계를 구성할 때 가장 빈번하게 사용되는 문법적 기재이다. 이와 관련하여, 기존의 NLI 학습 데이터셋에서 크라우드워커들이 '모순'의 추론쌍을 생성할 때, 지나치게 편중되는 방식으로 '부정문'을 사용하여 실제로 학습 데이터의 신뢰도가 저하된다고 지적한 연구 결과들을 논의한 바 있다.

26 P03 명사구 술어의 부정

전제문의 술어 위치에 명사구가 실현된 경우, 여기에 일련의 부정소를 삽입하여 추론쌍을 구성하는 경우로, 다음과 같이 기술될 수 있다.

- 전제문(P) | Nn1-가 [Nm_Predicative]2-POST Vsup
- 가설문(H) | Nn1-가 [Nm_Predicative]2-POST Vsup NEGATOR

이 추론쌍의 예를 들면 다음과 같다.

P		세종대왕은 배우지못한 백성들을 사랑하는 **진정한 지도자였다고 생각해.**
	E	세종대왕은 배우지못한 백성들을 아끼는 진정한 지도자였다고 생각해.
H	C	세종대왕은 백성들을 사랑하는 **진정한 지도자는 아니었다고 생각해.**
	N	세종대왕은 배운 백성들을 사랑하는 진정한 지도자였다고 생각해.

P문에서는 내포문 속에 '지도자였다'는 'N-이다' 유형의 서술어가 실현되었다. 이에 대해 'N-이 아니다'와 같은 부정문 구성이 서술어로 실현된 H문은 모순 관계를 형성하게 된다.

명사구 술어에 대한 부정문 변형은 다음과 같이 2가지 유형으로 살펴볼 수 있다.

1. 'N-이다'에 대한 'N-이 아니다' 유형의 부정문 변형

술어 위치의 명사구에 대한 부정문으로 'N-이 아니다'가 실현되는 유형으로, 이 경우 두 문장은 다음과 같은 '모순' 관계를 구성한다.

- P | 그 사람은 디자인 전공 **학생이다.**
- H | 그 사람은 디자인 전공 **학생이 아니다.**   [모순]

2. 'N-이 있다'에 대한 'N-이 없다' 유형의 부정문 변형

전제문의 술어 위치에 나타난 'N-이 있다' 명사구에 대해 가설문에서 'N-이 없다'로 실현되어 추론쌍이 구성되는 경우로, 다음과 같은 두 문장은 서로 '모순'의 관계를 형성한다.

- P | 그 변호사는 요즘 맡고 있는 **사건이 있다.**
- H | 그 변호사는 요즘 맡고 있는 **사건이 없다.**   [모순]

27 P04 술어구 이중 부정문

전제문의 술어에 대해 가설문에서 '이중부정(double negation)'의 기재를 사용하여 추론쌍을 구성하는 유형으로, 이 관계를 기술하면 다음과 같다.

- 전제문(P) | N1-가   PRED
- 가설문(H) | N1-가   PRED   NEGATOR1   NEGATOR2

이 추론쌍의 예를 들면 다음과 같다.

P		학생들은 그 수업이 유익하다고 생각합니다.
	E	학생들은 그 수업이 유익하지 않다고 생각하지 않습니다.
H	C	학생들은 그 수업이 도움이 되지 않는다고 생각합니다.
	N	학생들은 컴퓨터 수업이 유익하다고 생각합니다.

P문에서 술어구 '유익하다고 생각하다'는, H문에서 '유익하지 않다고 생각하지 않다'와 같이 이중부정이 된 술어구로 실현되어 함의 관계를 형성한다. 두 문장은 의미적으로 동등문(paraphrase)을 구성하지는 않지만, H문은 P문과 같이 '유익하다고 생각하는 사실'을 배제하지 않기 때문이다.

술어구 이중 부정문은 다양한 어휘 성분들에 의해 다양한 관계로 구성될 수 있다. 여기서는 다음 5가지 유형으로 고찰한다.

1. 동사구 술어에 대한 '통사적' 이중 부정

동사구 술어가 실현된 전제문에 대한 이중부정이 삽입된 유형으로, 예를 들면 다음과 같다.

- P | 내 친구는 원래 돼지고기를 먹는다.
- H | 내 친구는 원래 돼지고기를 **먹지 않지는 않는다.**　　　　[함의]

이 경우, H문의 이중부정문에는 화자의 의견 표현 차원에서 '다른 사실과의 비교'를 통한 약간의 '주저함'이 표현되어 있으나, 진리가 관점에서 P문의 내용과는 함의 관계를 구성할 수 있다.

2. 형용사구 술어에 대한 '통사적' 이중 부정

형용사구 술어에 대해 이중부정이 삽입된 구성으로, 다음을 보자.

- P | 그 레스토랑의 대표 메뉴가 **맛있습니다.**
- H | 그 레스토랑의 대표 메뉴가 **맛있지 않은건 아닙니다.**　　　[함의]

위의 H문에서 '맛있지 않은건 아니다'라는 진술은 '맛은 있지만 약간 느끼하다던지, 가성비가 좋지 않다던지' 등의 부정적 비교의 뉘앙스를 담고 있다. 즉 P문과 H문은 동일한 의미를 나타내는 동등문은 아니지만, P문의 '맛있다'는 의미는 H문에서 함축하는 여러 평가 중의 한 가지로 내포되어 있으므로, 두 문장은 함의 관계를 구성한다.

이 문제는 실제로 형용사의 의미적 특징에 따라 그 반의어 및 이중부정 표현의 동의 관계가 달라지는 문제를 다루는 전통적인 논리·의미론 연구와 연관되어 있다.

3. 명사구 술어에 대한 '통사적' 이중 부정

　명사구 술어에 대한 이중부정이 삽입되어 추론쌍이 구성되는 경우이다. 다음을 보자.

- P ｜ 그 선수가 우리팀의 **정신적 리더**예요.
- H ｜ [1] 그 선수가 우리팀의 **정신적 리더가 아니라고는 할 수 없**지요. [함의]
　　　 [2] 그 선수가 우리팀의 **정신적 리더가 아닌건 아니**에요. 　　　　[함의]

P문의 '정신적 리더이다'가 H문에서 '정신적 리더가 아니라고 할 수 없다'나 '정신적 리더가 아닌건 아니다'와 같이 변환될 때, 이 문장들은 진리가 관점에서는 모두 함의 관계를 구성한다. 다만 H문에는 '정신적 리더'라는 사실은 인정하면서도 이에 대한 화자의 불만이나 아쉬움, 주저함의 뉘앙스가 내포되어 있다.

4. 술어에 대한 '어휘적 부정어'와 '통사적 부정'으로 구성되는 이중 부정

　동사 술어에 대해 '실패하다, 거부하다, 부인하다' 등과 같은 일련의 '어휘적 부정어(lexical negator)'가 삽입되고, 여기에 통사적 부정 기재가 추가되어 이중 부정문이 구성되는 경우이다. 다음을 보자.

- P ｜ 그 사람의 연설은 사람들에게 **감동을 주**었어요.
- H ｜ [1] 그 사람의 연설은 사람들에게 **감동을 주지 않은건 아니**에요. 　[함의]
　　　 [2] 그 사람의 연설은 사람들에게 **감동을 주는데 실패하지는 않**았어요 [함의]

위에서 H문 [1]은 2개의 통사적 부정소에 의한 이중 부정문이라면, H문 [2]는 '실패하다'라는 어휘적 부정소가 실현되고, 뒤에 '않다'라는 통사적 부정소가 연결된 경우이다. 여기서도 H문에서 화자의 '아쉬움' 또는 '주저함'의 뉘앙스를 추가하지만, '진리가'의 관점에서 P문과 함의 관계를 구성한다.

5. 술어에 대한 '반의어'와 '통사적 부정'으로 구성되는 이중 부정

동사나 형용사 술어에 대한 '반의어'가 수반되고 여기에 통사적 부정소가 결합하는 형태의 이중부정문이 구성되는 경우이다. 다음 예를 보자.

- [1] P │ 학생들이 그 안건에 대해 **반대했습니다.**
  H │ 학생들이 그 안건에 대해 **찬성하지 않았습니다.**   [함의]
- [2] P │ 주전자의 물이 **따뜻합니다.**
  H │ 주전자의 물이 **차갑지 않습니다.**   [함의]

위의 각 H문은 P문의 기저 술어에 대한 반의어를 사용하고, 여기에 다시 부정소를 추가한 형태이다. 실제로 '반대한다'는 것은 '찬성하지 않는다'와 같지 않고, '따뜻하다'는 것은 '차갑지 않다'와 동의 관계를 이루지 않는다. 그러나 [1]의 H문에서는 '찬성하지 않았다면, 반대하거나 기권하거나 무효 표시를 하였을' 더 포괄적인 상황을 함축하므로, H문은 P문과 함의 관계를 구성한다. [2]의 H문에서도 '차갑지 않다면, 따뜻하거나 미지근하거나 또는 아주 뜨겁거나' 등의 더 다양한 상황을 함축하므로, H문은 P문과 함의 관계를 구성하게 된다.

여기서 반대로 두 문장들이 역방향으로 추론쌍을 구성하면,

- P | 학생들이 그 안건에 대해 **찬성하지 않았습니다.**
- H | 학생들이 그 안건에 대해 **반대했습니다.** [중립]

- P | 주전자의 물이 **차갑지 않습니다.**
- H | 주전자의 물이 **따뜻합니다.** [중립]

'찬성하지 않는다는 것'이 꼭 '반대하는 것'을 의미하지는 않으며, '차갑지 않다는 것'이 꼭 '따뜻하다는 것'을 의미하지는 않기 때문에, 각 추론 쌍은 '중립' 관계를 구성하게 된다.

술어 변환 스키마
술어 변형 | P05-P10

여기서 논의하는 '술어의 변형'은 전제문 술어에 대한 다음 6가지 유형의 변형을 의미한다.

- P05 | 술어의 수동문 변형
- P06 | 술어의 시제 변형
- P07 | 술어의 우언적 구성 변형
- P08 | 술어의 보문절 변형
- P09 | 내포문 술어의 명사화 변형
- P10 | 형용사 술어의 부사화 변형

전제문의 능동문이 가설문에서 수동문으로 변형되는 경우로, 이러한 통사적 관계는 다음과 같이 기술될 수 있다.

- 전제문(P) | Nn1-가 Nm2-를 PRED_Active
- 가설문(H) | Nm1-가 Nn2-에게 PRED_Passive

이 추론쌍의 예를 들면 다음과 같다.

P		하늘을 날던 독수리가 나뭇가지에 앉아있던 참새를 순식간에 **공격했다**.
	E	하늘을 날던 독수리에게 나뭇가지에 앉아있던 참새가 순식간에 **공격당했다**.
H	C	하늘을 날던 참새를 나뭇가지에 앉아있던 독수리가 순식간에 공격했다.
	N	밤하늘을 날던 독수리가 나뭇가지에 앉아있던 참새를 순식간에 공격했다.

P문은 'Nn-가 Nm-를 공격하다'라는 타동사 구문으로 이루어져 있다. 이때 'Nm-가 Nn-에게 공격당하다'와 같은 수동문 변형이 이루어지면 두 문장은 함의 관계를 구성하게 된다. 이와 같은 능동문·수동문 변형은 역방향으로 설정되어도 함의 관계가 유지된다.

한국어 문법에서 능동문과 수동문의 변형은 다양한 방식으로 구성되는데, 다음과 같이 4가지 유형으로 고찰할 수 있다.

1. '하다/되다' 접미사 치환에 의한 능동/수동문 변형

한국어 문법에서 가장 대표적인 '능동/수동' 변형 기재로서 '하다'와

'되다' 접미사의 치환에 의해 추론쌍이 구성되는 경우이다. 예를 들면 다음과 같다.

- P | 스포츠협회 임원들이 이번 대회에 참가하는 선수들을 **소개했다**.
- H | 이번 대회에 참가하는 선수들이 스포츠협회 임원들에 의해 **소개되었다** [함의]

2. '시키다/당하다' 등 그 외 접미사 치환에 의한 능동/수동문 변형

위의 '하다/되다' 유형의 동사쌍 외에 '시키다'나 '당하다' 등의 접미사에 의해 능동문과 수동문의 관계를 나타내는 경우이다. 이 경우에는 [2]와 같이 어휘적으로 명확한 대응쌍이 존재하지 않아, 적절한 술어구 변환이 요구되는 경우들이 있다.

- [1] P | 40대 손님이 매장에서 갑자기 신입 직원을 **폭행했다**.
  H | 신입 직원은 매장에서 갑자기 40대 손님에게 **폭행당했다**.   [함의]
- [2] P | 엄마는 어린 동생을 깨끗하게 **목욕시켰다**.
  H | 어린 동생은 엄마에 의해 깨끗하게 **몸이 씻겨졌다**.   [함의]

즉 [2]에서 '목욕시키다'에 대해 '목욕되다'나 '목욕당하다'와 같은 대응쌍은 자연스럽지 않기 때문에, '몸이 씻겨지다'와 같은 형태로 대응되었다.

3. '이/히/리/기/우/구/추' 등 사동/피동 접미사에 의한 능동/수동문 변형

추론쌍을 구성할 때 위에서처럼 특정 유형의 접미사를 서로 치환하는 것이 아니라 P문의 동사에 '이/히/리/기/우/구/추' 유형의 사동접미사나 '이/히/리/기' 유형의 피동 접미사를 삽입하여 H문을 구성하는 경우이다. 예를 들면 다음과 같다.

- P | 밀림에서 아프리카 사자가 작은 동물들을 **잡아먹었다.**
- H | 밀림에서 작은 동물들은 아프리카 사자에게 **잡아먹혔다.**　　　[함의]

4. 'N-를 주다/받다' 등 기능동사 치환에 의한 능동/수동문 변형

　　기능동사(support verb) '주다/받다' 등이 서술성 명사(predicative noun)와 함께 실현되어 능동/수동의 관계를 구성하는 경우로서, 이러한 기능동사들이 서로 치환되어서 추론쌍을 형성하는 유형이다.

- P | 이번 실험에서는 임상 의사들이 뇌과학자들에게 **도움을 주었다.**
- H | 이번 실험에서는 뇌과학자들이 임상 의사들에게 **도움을 받았다.**　　[함의]

　　그런데 다음을 보자.

- P | 이번 실험에서는 임상 의사들이 뇌과학자들에게 **도움을 주었다.**
- H | 이번 실험에서는 뇌과학자들에게 임상 의사들이 **도움을 받았다.**　　[중립]

　　위의 문장쌍은 수동문으로 변형될 때 P문의 주어 'N1-가'와 'N2-에게'의 두 논항의 역할이 바뀌지 않고, H문에서 두 논항이 위치만 서로 바뀌어 실현된 형태이다. 즉 이 경우는 '능동/수동문' 구성을 위해 N1과 N2가 서로 교체되지 않았으므로, 서로 다른 의미를 나타내는 '중립' 관계의 문장쌍이 된다. 이러한 현상은 한국어의 자유어순 문장 구성의 속성에서 비롯된 것으로, 언어 모델이 한국어 능동문-수동문 사이의 추론 관계를 정확히 인식하는 데에 적지않은 장애물이 된다.

　　가령 앞서 살핀 '시키다, 당하다' 유형의 추론쌍에서도 실제로 두 논항의 역할을 서로 교체하지 않고 위치만 이동한 경우 이러한 '능동/수동문' 변형을 수행하면 두 문장은 의미가 달라지므로, 다음과 같이 '중립'의 문장쌍을 구성하게 된다.

- P ㅣ 어린 사자가 **굶주린 하이애나를 공격했다.**
- H ㅣ 굶주린 하이애나에게 어린 사자가 **공격당했다.**   [중립]

- P ㅣ 매장에서 40대 손님이 갑자기 신입 직원을 **폭행했다.**
- H ㅣ 매장에서 갑자기 신입 직원에게 40대 손님이 **폭행당했다.**   [중립]

29 P06 술어의 시제 변형

전제문 술어의 시제를 가설문에서 다른 시제의 술어로 변화시켜서 추론쌍을 구성하는 경우로, 다음과 같이 기술될 수 있다.

- 전제문(P) | N1-가 PRED_TenseA
- 가설문(H) | N1-가 PRED_TenseB

이 추론쌍의 예를 들면 다음과 같다.

P		동물들은 기온이 낮아질때는 항상 체온을 보호하는 행동을 **한다**.
	E	동물들은 기온이 낮아질때는 항상 체온을 보호하는 행동을 **했다**.
H	C	동물들은 기온이 낮아질때 항상 체온을 보호하는 행동을 안 한다.
	N	동물들은 기온이 높아질때는 항상 체온을 보호하는 행동을 한다.

P문의 현재형 술어 '행동을 한다'는 H문에서 과거형 술어 '행동을 했다'로 변환되었다. 현재형 술어가 일반적인 사실을 기술하는 것으로 해석이 되는 경우, 과거형 술어는 그 중 과거 시점에 한정하여 이를 묘사하는 것으로 해석되므로, 두 문장은 함의 관계를 구성할 수 있다.

다만 '현재' 시제는 보편적 사실에 대한 서술뿐 아니라, 특정 사건에 대한 현재 또는 가까운 미래를 표현할 수 있기 때문에, 이런 경우에는 과거 시제 문장과의 함의 관계가 형성되기 어렵다. 다음을 보자.

- P | 학생들이 오늘 오후 3시에 **도착합니다**.
- H | 학생들이 오늘 오후 3시에 **도착했습니다**. [중립]

위에서 P문은 '도착합니다'의 현재 시제로 표현되었으나 문맥상 아직 실현되지 않은 미래를 의미하고, H문에서는 '도착했습니다'의 과거 시제 표현을 통해 이미 일어난 사건을 기술하는 것을 볼 수 있다. 이 경우에 두 문장은 별개의 무관한 사건을 묘사하는 것으로 해석되므로, 중립 관계의 추론쌍이 된다.

술어 시제 변형과 관련된 추론쌍 구성은 다음과 같은 2가지 유형으로 고찰할 수 있다.

1. '보편적 사실'을 표현하는 구문의 시제 변형

전제문에 현재 시제를 통해 '보편적 사실'이 표현되는 경우, 가설문에 과거 또는 미래 시제의 서술이 이루어지게 되어도 다음과 같은 함의 관계를 구성할 수 있다. 전제문에서 현재에 참인 '보편적 사실'이 과거와 미래에도 참일 것임을 유추할 수 있기 때문이다.

- P | 12월에 동지가 지나면 밤이 더 **길어집니다.**
- H | [1] 12월에 동지가 지나면 밤이 더 **길어졌습니다.**   [함의]
-     [2] 12월에 동지가 지나면 밤이 더 **길어질 겁니다.**   [함의]

2. '특정 시기의 사건'을 표현하는 구문의 시제 변형

일반적으로 서술어의 시제가 바뀌게 되면 동일한 진리가를 표현하기 어려운 경우가 빈번하다. 다음 쌍에서 보는 바와 같이 '현재/과거/미래'의 특정 사건들을 표현하는 시제 표현 문장쌍은 모두 '중립' 관계를 나타낸다.

- P | 기업에서는 투자를 하고 정부에서는 세제혜택을 **줍니다.**
- H | [1] 기업에서는 투자를 하고 정부에서는 세제혜택을 **주었습니다.**   [중립]
-     [2] 기업에서는 투자를 하고 정부에서는 세제혜택을 **줄 겁니다.**   [중립]

30 P07 술어의 우언적 구성 변형

전제문의 술어에 실현된 일련의 '양태(modality)' 또는 '상(aspect)'의 보조용언, 또는 이러한 유형의 '우언적 구성'(도재학 2014)을 삭제하거나 변형하여 추론쌍을 구성하는 경우로, 다음과 같이 기술할 수 있다.

- 전제문(P) | N1-가 PRED_PeriphrasticPhrase
- 가설문(H) | N1-가 PRED

이 유형의 예를 들면 다음과 같다.

P		전세계는 내란으로 고통받는 난민들을 **도와주어야 한다**.
	E	전세계는 내란으로 고통받는 난민들을 도움을 주어야 한다.
H	C	전세계는 내란으로 고통받는 난민들을 도와주어야 하는건 아니다.
	N	전세계는 내란으로 고통받는 난민들을 **도와주었다**.

P문의 술어 '도와주어야 한다'는 의무/당위성의 양태 보조용언('V-어야 하다')이 삽입되어 있는 구조이다. 이러한 보조 용언을 생략한 H문은 본래 문장의 뜻과 달라지므로 두 문장은 중립 관계가 된다. 실제로 '도와주었다'와 '도와주어야 한다'는 진리가((truth value)가 동일하지 않으므로, 두 문장이 역관계로 구성되어도(즉 H문에 양태 보조용언이 삽입되어도) 여전히 중립 관계를 보이게 된다.

이 유형의 변형 관계는 다음과 같이 4가지로 나누어볼 수 있다.

1. '추측/가능성/당위성' 등 '양태(modality)'의 우언적 구성 변형

P문의 술어에 삽입되는 '양태(modality)' 보조용언은 다양한 의미 특징을 갖고 실현된다. 예를 들어 '~할 것 같다, ~할 수 있다, ~하는게 좋겠다, ~해야만 하다' 등 다양한 표현들이 실현될 수 있다. H문에서 이러한 양태 보조용언이 삭제되는 경우, 일반적으로 '실제 사실이 단정적으로 서술되지 않은 양태'를 나타내는 P문과 추론쌍을 이루는 경우는 함의 관계를 구성하기 어렵다.

- P | 학생들이 아침 9시에 출발하는게 좋겠어.
- H | 학생들이 아침 9시에 출발했어.   [중립]

P문에서 양태 보조용언 내포 서술어 '출발하는게 좋겠어'는 H문의 '출발했어'와 달리 실제 출발했는지의 여부를 기술하지 않는 문장이므로, 두 문장은 함의 관계를 구성하지 못한다.

2. '사실과 반대되는 진리가'를 표현하는 양태의 우언적 구성

술어의 우언적 구성의 또다른 유형으로, 'V-할 뻔하다' 유형의 양태 표현이 있다.

- P | 호주 정부는 이번 사태로 국제적으로 정말 큰 위기를 맞을 뻔했다.
- H | [1] 호주 정부는 이번 사태로 국제적으로 정말 큰 위기를 맞았다. [모순]
      [2] 호주 정부는 이번 사태로 국제적으로 큰 위기를 맞지 않았다. [함의]

위의 P문에서 양태가 포함된 술어구 '맞을 뻔했다'는 '맞았다'라는 술어구와 반대의 진리가를 나타낸다. 즉 여기서 '위기를 맞을 뻔했다'는 것은 실제로는 '위기를 맞지 않았다'는 것을 의미하므로, H문 [1]은 P문과 '모순(C)'의 관계를 나타내게 된다. 반면 H문 [2]의 술어 '맞지 않았다'는,

부정 표지의 삽입에도 불구하고, P문과 함의 관계를 구성한다.

이와 같이 '사실과 반대되는 진리가'를 표현하는 양태의 우언적 구성에는 'V-할 뻔하다' 외에도 'V-하는 척하다/체하다' 등과 같은 거짓된 모양을 꾸미는 양태 표현도 포함된다.

3. '시작/완료/진행' 등 '상(aspect)'의 우언적 구성 변형

다음과 같이 P문의 서술어에 '시작'이나 '완료', 또는 '진행' 등의 '상(aspect)'을 표현하는 일련의 우언적 구성이 실현된 경우, H문에 이들이 삭제되는 경우, 두 문장은 함의 관계의 추론쌍을 구성할 수 있다.

- P | 마케팅 담당자가 현재 회의장으로 **이동하고 있는 중이에요.**
- H | 마케팅 담당자가 현재 회의장으로 **이동해요.**   [함의]

P문에서 '이동하고 있는 중이다'는 H문의 '이동하다'에 대한 '진행'상을 표현하는 술어구로서, 두 문장은 함의 관계를 구성한다.

4. 양태 보조사 및 양태/부정의 우언적 구성

P문에 일련의 양태 보조사 및 양태적 우언적 구성이 함께 실현된 경우, H문에 이에 대한 일련의 변형이 이루어져 추론쌍이 구성되는 경우이다. 다음을 보자.

- P | 외국으로 떠난 **사람들만** 고향을 그리워하며 **사는건 아닌거 같다.**
- H | [1] 외국으로 떠난 사람들만 고향을 그리워하며 **살지 않는다.**   [함의]
     [2] 외국으로 떠난 **사람들이** 고향을 그리워하며 **산다.**   [함의]

위의 P문에 '사는건 아닌거 같다'라는 '부정' 및 '추측'의 양태 포함 서술어가 실현되었다. 이 구문은 H문 [1]과 같이 '살지 않는다' 술어 구문으로 치환될 수 있으며, 이때 두 문장은 함의 관계가 된다.

　　H문 [2]의 경우 '산다'와 같이 정반대의 술어로 실현되었는데, 이 경우도 P문과 H문은 함의 관계를 구성한다. 실제로 P문과 H문 [1]에 나타난 부정소는 주어의 후치사 '만'에 대한 부정 표현으로서, '특정 사람들만 그렇게 사는 것은 아니다'라는 의미를 나타낸 것이다. 따라서 '만'이 삭제된 [2]에서는 긍정문 술어 형식으로 실현되었지만, 사실상 P문 및 H문 [1]과 함의 관계를 구성하게 되는 것이다. 즉 'N1-만 V-하는 것은 아니다'와 같은 양태 포함 문장이 전제문에 실현된 경우, 'N1-이 V-하다'와 같은 긍정 술어 구문은 함의 관계를 형성할 수 있다.

31 P08 술어의 보문절 변형

전제문에 실현된 보문절(complement clause)이 가설문에서 삭제되어 추론 관계를 구성하는 유형으로, 보문절이 주어 위치에 실현된 경우를 예로 들면 다음과 같은 통사적 관계로 기술될 수 있다.

- 전제문(P) | [Nn-가 PREDn Ncomp]1-가   PRED
- 가설문(H) | Ncomp1-가   PRED | Nn1-가 PREDn

이 추론쌍의 예를 들면 다음과 같다.

P		사람들이 타인을 배려하지 않는 개인주의적 현실을 모두가 인지하고 있다.
	E	개인주의적 현실을 모두가 인지하고 있다.
H	C	사람들이 타인을 배려하지 않는 개인주의적 현실을 모두가 잊고 있다.
	N	사람들이 타인을 배려하는 이상적인 현실을 모두가 꿈꾸고 있다.

P문에서 목적어의 수식 성분으로 실현된 '사람들이 타인을 배려하지 않는'은 '개인주의적 현실'과 동격 구문을 형성하는 보문절이다. P문의 목적어에 실현된 이러한 보문절을 삭제하여 H문을 구성하면 두 문장은 함의 관계를 구성한다.

보문절의 삭제 변형은 다음 2가지 유형으로 살펴볼 수 있다.

1. 동격의 보문절이 주어 위치에 실현된 유형

동격의 보문절이 주어 위치의 명사구를 수식하는 유형으로, 이러한 보문절이 생략되어 가설문을 구성하는 경우이다. 다음을 보자.

- P | 회사 대표가 처음부터 횡령을 했다는 믿기힘든 소문이 회사에 퍼졌다.
- H | 믿기힘든 소문이 회사에 퍼졌다. [함의]

여기서 '회사 대표가 처음부터 횡령을 했다'는 보문절과, 동격을 구성하는 보문소(Ncomp) '소문'의 의미적 속성을 통해 유추할 수 있는 것처럼, 이 보문절에 기술된 내용은 실제 '진리가'가 확인되지 않는 내용이다. 따라서 아래의 H문과 같이 '보문절'만으로 문장을 구성하는 경우, 두 문장은 '중립' 관계의 추론쌍이 된다.

- P | 회사 대표가 처음부터 횡령을 했다는 믿기힘든 소문이 회사에 퍼졌다.
- H | 회사 대표가 처음부터 횡령을 했다. [중립]

즉 보문절의 내용 '회사 대표가 처음부터 횡령을 했다'는 P문에서 하나의 '소문'으로서 진리가가 확인되지 않은 내용이라면, H문에서는 이를 단언적으로 표현하고 있으므로 두 문장은 함의 관계가 될 수 없다.

2. 동격의 보문절이 비주어 위치에 실현된 유형

동격의 보문절이 목적격 또는 여격 보어 등 비주어 위치의 명사구를 수식하는 유형으로, 이러한 보문절이 삭제되어 가설문을 구성하는 경우이다. 다음을 보자.

- P | 아이들은 강원도에 작년 봄에 폭설이 왔던 그 사실을 기억해 냈다.
- H | [1] 아이들은 그 사실을 기억해 냈다. [함의]
      [2] 강원도에 작년 봄에 폭설이 왔다. [함의]

여기서는 H문 [1]뿐 아니라, [2]의 경우도 P문과 함의 관계를 구성한다. 앞서 보문소 '소문'이 실현된 경우와 달리, P문은 보문소가 '사실'로 명시된 '사실동사(factive verb)' 구문으로서, 이 경우는 보문절만으로 생성된 H문 [2]도 P문과 함의 관계를 구성하였다.

32 P09 내포문 술어의 명사화 변형

전제문에 포함된 내포문의 술어가 가설문에서 명사화(normalization)되어 서술어를 구성하는 추론쌍 유형으로, 내포문이 주어로 실현된 경우의 예를 통해 두 문장의 통사적 관계를 기술하면 다음과 같다.

- 전제문(P) | [Nn-가 PREDn Ncomp]1-가   PRED
- 가설문(H) | [Nn-의 PREDn_Nominalization]1-가 PRED

이 유형의 추론쌍의 예를 들면 다음과 같다.

P		주변사람들은 **김 장관이 미국으로 출장가는 것을** 전혀 몰랐다.
	E	주변사람들은 **김 장관의 미국 출장을** 전혀 몰랐다.
H	C	주변사람들은 김 장관이 미국으로 출장가는 것을 이미 알았다.
	N	주변사람들은 김 장관이 영국으로 출장가는 것을 전혀 몰랐다.

P문의 술어 '출장가다'는 H문에서 '출장'이라는 서술성 명사형으로 변화되어 함의 관계를 구성하였다.

이때 역방향의 추론쌍도 함의 관계를 구성한다. 다만 명사구에는 동사구에 실현될 수 있는 시제 표현이 부재하기 때문에, 다음과 같이 H문에 일련의 시제 표현이 삽입되면 P문에서는 결정되지 않은 시간 표현(즉과거, 현재, 미래의 모든 해석 가능)이 H문에 새롭게 등장하므로 두 문장은 함의 관계를 구성하지 못하게 된다.

- P | 주변사람들은 김 장관의 미국 출장을 전혀 몰랐다.
- H | 주변사람들은 김 장관이 미국으로 출장갈 것임을 전혀 몰랐다.　[중립]

내포문 술어의 명사화 변형은 다음과 같이 3가지 유형으로 나누어 고찰할 수 있다.

1. 'N-하다' 술어의 'N'으로의 명사화 변형

P문의 내포문에서 'N-하다/시키다/되다' 등과 같은 동사 형태로 술어가 구성된 경우, 여기 실현된 명사 N으로 명사화 구문을 구성하는 추론쌍으로, 예를 들면 다음과 같다.

- P | 아이들이 도로에서 추돌사고로 트럭이 전복되는 것을 목격했다.
- H | 아이들이 도로에서 추돌사고로 인한 트럭 전복을 목격했다.　[함의]

2. '음/기' 등의 접미사를 통한 명사화 변형

P문의 동사나 형용사 술어에 대해 H문에서 '음' 또는 '기'와 같은 명사화 접미사를 결합하여 명사형 구문을 구성하는 유형으로, 다음과 같은 관계쌍을 들 수 있다.

- P | 데스크 안내 직원이 상냥하다고 모두 입을 모아 칭찬했다.
- H | 데스크 안내 직원의 상냥함에 대해 모두 입을 모아 칭찬했다.　[함의]

3. 유의어 계열의 새로운 명사로의 명사화 변형

P문 내포문의 술어와 형태론적으로 연관되어 있지 않지만 의미적으로 유의어 계열을 이루는 새로운 명사를 H문에 사용하여 명사화 구문을 구성하는 경우이다. 다음을 보자.

- P | 그 마을 쌍둥이가족이 낯선 지역으로 떠나는 것을 아무도 몰랐다.
- H | 그 마을 쌍둥이가족의 낯선 지역으로의 출발을 아무도 몰랐다.   [함의]

위에서 P문의 '떠나는 것'은 H문에서 '출발'이라는 유의어 명사로 치환되어, 두 문장은 함의 관계를 구성하였다.

33 P10 형용사 술어의 부사화 변형

전제문의 형용사 술어가 가설문에서 '문장부사(sentence adverb)'의 형태로 치환되어 추론쌍을 구성하는 유형으로, 다음과 같이 기술될 수 있다.

- 전제문(P) | [Nn-가 PREDn Ncomp]1-가 ADJm
- 가설문(H) | ADVm, Nn1-가 PREDn

이 유형의 추론쌍의 예를 들면 다음과 같다.

P		학생들이 미리 약속하고 세미나에 불참한 것이 **틀림없어요.**
	E	**틀림없이** 학생들이 미리 약속하고 세미나에 불참한 거예요.
H	C	학생들이 미리 약속하고 세미나에 불참한 것이 아니에요.
	N	학생들이 미리 약속하고 집회에 불참한 것이 틀림없어요.

P문의 형용사 술어 '틀림없다'는 H문에서 '틀림없이'라는 '향명제 문장부사(proposition-oriented sentence adverb)'로 치환되어 함의 관계를 구성하였다. 하나의 명제를 나타내는 절을 주어로 취하는 형용사 술어에 대응되는 문장부사로서, 이 부사는 문장(명제) 전체에 대한 화자의 논리적 판단 및 의견을 표현한다. 이 경우 역방향의 추론쌍도 함의 관계를 구성한다.

형용사 술어가 문장부사로 변환되는 구조는 다음과 같은 '향주어 문장부사(subject-oriented sentence adverb)'에 의한 대응쌍에서도 관찰된다(Nam 1996, 남지순 2007).

- P | 학생들이 그 위험한 상황에서도 남을 먼저 구했다니 **정말 용감하네요!**
- H | **정말 용감하게도,** 학생들이 그 위험한 상황에서도 남을 먼저 구했군요! [함의]

위의 P문에서는 어떠한 구체적인 행동 및 상황을 토대로, 그 행동의 주체가 된 '인물성 주어'에 대한 화자의 판단 및 평가가 형용사 술어 '정말 용감하다'를 통해 표현되었고, H문에서는 이러한 행위에 대한 화자의 판단이 '정말 용감하게도'와 같은 문장부사 수식어 형태로 실현되었다. '인물성 주어' 구문에서 그 인물의 행동이나 속성에 대한 관찰자적 시점에서의 평가를 표현하는 형용사 술어가 나타날 때 관찰될 수 있는 대응 관계이다. 이와 같이 형용사 술어가 문장 부사로 변형되는 추론쌍은 다음 2가지 유형으로 분류될 수 있다.

1. 형용사 술어가 '향명제 문장부사'로 변형되는 유형

위에서 살핀 것처럼, '틀림없다, 분명하다, 확실하다, 명백하다' 등과 같은 일련의 논리적 판단을 나타내는 형용사 술어가 하나의 명제를 주어로 취하는 P문에 대해, 이 서술어가 '틀림없이, 분명히, 확실히, 명백히' 등의 문장부사로 변환되어 문장(명제)을 수식하는 성분으로 실현되는 경우, 두 문장 사이에 다음과 같은 함의 관계가 구성된다.

- P | 미국과 러시아가 미리 협의를 한 것이 **분명합니다.**
- H | **분명히,** 미국과 러시아가 미리 협의를 했습니다. [함의]

2. 형용사 술어가 '향주어 문장부사'로 변형되는 유형

또다른 유형으로, '용감하다, 지혜롭다, 똑똑하다, 멋있다, 훌륭하다' 등과 같이, 인물의 행위를 관찰하며 그 인물의 속성을 평가하는 형용사 술어가 P문에 실현된 경우, 이와 상응하는 부사형이 문장을 수식하는 형태로 실현되는 경우이다. 이때 다음과 같은 함의 관계를 구성한다.

- P | 어린 학생들이 병든 아이들을 돕기로 했다니 **훌륭하네요.**
- H | **훌륭하게도,** 어린 학생들이 병든 아이들을 돕기로 했답니다. [함의]

위의 문장쌍은 다음과 같은 좀더 특수한 통사관계를 구성한다.

-     N_human-가 [V-한다니] ADJ.
- = Adv, N_human-가 V-한다.

즉 P문의 형용사 구문에서 'V-한다니'는 판단의 근거가 되는, '인물 주어(N_human)'의 특정 행위나 이벤트를 표현하는 요소로서, 이러한 변환 관계는 일반 형용사 술어에 쉽게 허용되는 속성이 아니다. 예를 들어 아래의 형용사 '날씬하다'는 '인물 주어(N_human)'를 주어로 취하는 술어 성분이지만, 'V-한다니'와 같은 판단 근거의 구문과 공기하여 문장을 구성하지 못한다.

- 어린 학생들이 **정말 날씬하네요.**
- *어린 학생들이 [음식을 적게 먹는다니] **정말 날씬하네요.** [문장 성립 불가]

    문장 부사 중에는 이상에서 살핀 유형 외에도, '향화자 문장부사(speaker-oriented sentence adverb)' 유형이 존재한다. 가령 "솔직히, 저는 그 사람이 거짓말을 하고 있다고 생각해요"에서 부사 '솔직히'는 화자의 상태를 표현하는 것으로, '솔직히 말해서'와 같은 형태로 치환될 수 있다. 다만 이러한 부사는 형용사 술어 구문과 대응되지 못한다.

술어 변환 스키마
술어 삭제 | P11-P13

  복문 구조로 실현된 동사 술어 구문에서 주절의 동사가 삭제되어 구성되는 추론쌍의 유형으로, 다음과 같은 3가지 유형의 문장 구조를 살펴볼 수 있다.

- P11 | 함축동사의 삭제
- P12 | 사실동사의 삭제
- P13 | 사역동사의 삭제

34 P11 함축동사의 삭제

전제문에 나타난 '함축동사(implicative verb)'가 가설문에서 삭제되어 추론쌍을 구성하는 경우로서, 두 문장의 통사적 관계를 기술하면 다음과 같다.

- 전제문(P) | Nn1-가 [Nm-가 PREDm]2-를 PREDn_implicative
- 가설문(H) | Nm1-가 PREDm

이 추론쌍의 예를 들면 다음과 같다.

P		과학자들은 자신들의 오류를 인정하는 것을 **반대했다**.
	E	과학자들은 자신들이 실수했다고 인정하지 않았다.
H	C	과학자들은 자신들의 오류를 **인정했다**.
	N	협회측은 과학자들의 오류를 인정하는 것을 반대했다.

P문에 실현된 술어 '반대하다'는 '자신들의 오류를 인정하는 것'과 대립되므로, 이러한 내포문이 H문에 실현되는 경우에 두 문장은 '모순(C)'의 관계를 구성한다. P문에 실현된 '반대하다'는 '함축동사(implicative verb)'의 하나로 분류된다.

함축동사는 일반적으로 내포문의 진리가를 '사실'로 전제하는 '사실동사(factive verb)'와 대비되는 동사 범주로 이해되는데, 실제로 Nairn et al.(2006), MacCartney(2009) 등의 관련 연구에서 정의하는 두 범주의 차이는 다음과 같다.

- 사실동사는 내포문의 진리가(truth 또는 falsity)를 '전제(presuppose)'하므로, 사실동사가 부정되어도 내포문의 진리가는 변하지 않는다. 반면 내포문의 진리가를 '함의(entail)'하는 함축동사 구문에서는 주절 동사가 부정되면 내포문의 진리가는 긍정문의 경우와는 다른 값(value)을 갖게 된다.

즉 여기서 '전제'한다는 것은 사실동사 술어가 긍정문으로 진술되거나 부정문으로 변환되거나에 관계없이 내포문의 진리가가 이미 결정(전제)되어 있다는 것으로, 예를 들어 사실동사 '기억하다'가 실현된 다음 두 문장에 대해서 내포문의 진리가는 변함없이 항상 '참(true)'인 것을 볼 수 있다.

- [1] P ｜ 사람들은 한국팀이 지난 경기에 패한 사실을 **기억했다.**
  H ｜ 한국팀이 지난 경기에 패했다.   [함의]
- [2] P ｜ 사람들은 한국팀이 지난 경기에 패한 사실을 **기억하지 못했다.**
  H ｜ 한국팀이 지난 경기에 패했다.   [함의]

반면 함축동사 구문이 내포문의 내용을 '전제'가 아니라 '함의'한다고 설명한 이유는, 함축동사 술어가 긍정문으로 진술될 때와 부정문으로 변환될 때, 내포문의 진리가도 변화하기 때문이다. 예를 들어 함축동사 '망설이다'가 실현된 다음 두 문장에 대해서 내포문의 진리가는 긍정문에서는 결정되지 않고, 부정문에서는 '긍정적 사실'이 함의되는 것을 볼 수 있다.

- [3] P | 사람들은 그 일에 참여하는 것을 **망설였다.**
  H | 사람들은 그 일에 참여했다.   [중립]

- [4] P | 사람들은 그 일에 참여하는 것을 **전혀 전혀 망설이지 않았다.**
  H | 사람들은 그 일에 참여했다.   [함의]

[3]에서 '그 일에 참여하는 것을 망설였다'면 '그 일에 참여했다'고 단정지을 수 없으므로, 두 문장은 '중립' 관계가 되지만, [4]에서처럼 '그 일에 참여하는 것을 전혀 망설이지 않았다'면, '그 일에 참여했다'는 참으로 해석되므로, 두 문장은 '함의' 관계가 된다.

함축동사 구문은, Nairn et al.(2006)에서 제시된 영어의 6가지 함축동사 유형12)을 토대로 하여, 다음과 같이 3가지 유형으로 고찰할 수 있다.

1. 제1유형 | 함축동사 구문이 내포문과 '함의' 관계를 구성하는 유형

긍정문 형태로 실현된 함축동사 구문이 내포문과 '함의' 관계를 구성하는 경우로(즉 내포문 문장의 진리가도 '참'이 되는 경우), 이때 함축동사가 부정문 형태로 변환되면 내포문의 진리가가 변화되어 '모순' 또는 '중립'의 관계로 바뀌게 되는 유형이다.

영어의 'manage to'(+/-)와 'force to'(+/o)13) 유형이 여기 속하는데, 이를 한국어에 대응해서 살펴보면 다음과 같다.

---

12) 여기서는 MacCartney(2009)에서 재구성된 6가지 분류표(앞서 제1장 1.2에서 소개됨)에 기반하여 논의를 진행한다.

13) 여기서 {+/-}는 이 동사가 긍정문으로 사용된 경우에는, '긍정(+)'의 내포문으로 함의 관계를 구성한다는 의미이고, 동사가 부정문으로 사용된 경우에는 '부정(-)'의 내포문으로 함의 관계를 구성한다는 의미이다. 마찬가지로 {+/o}의 의미는 함축동사 부정문에서 내포문은 중립(o)의 관계를 갖고 있음을 의미한다. 이에 대한 예시는 텍스트에 제시되는 한국어 예문들을 통해 확인할 수 있다.

- [1] P | 난민들은 자신들이 정치적 망명자임을 알리는데 **성공했다.**
    H | 난민들이 정치적 망명자임을 알렸다.   [함의]

- [2] P | 난민들은 자신들이 정치적 망명자임을 알리는데 **성공하지 못했다.**
    H | 난민들이 정치적 망명자임을 알렸다.   [모순]

- [3] P | 난민들은 수용소를 떠나는 것이 **강제되었다.** (=강제로 떠났다)
    H | 난민들은 수용소를 떠났다.   [함의]

- [4] P | 난민들은 수용소를 떠나는 것이 **강제되지 않았다.**
    H | 난민들은 수용소를 떠났다.   [중립]

위에서 [1]은 함축동사 '성공하다'가 실현된 P문에서 주절 동사를 삭제하고 '난민들이 정치적 망명자임을 알리다'라는 내포문만으로 H문을 구성하였고, [3]에서는 함축동사 '강제되다'가 실현된 P문에서 동사를 삭제하고 '난민들이 수용소를 떠나다'라는 내포문만으로 H문을 구성하여 각각 함의 관계의 추론쌍을 구성하였다.

그러나 [1]과 [3]의 P문이 부정문으로 변환되면 더 이상 함의 관계를 구성하지 못하게 된다. 즉 [2]의 P문이 '성공하지 못하다'와 같은 부정문으로 변환되면, H문은 모순 관계를 구성하며, [4]에서는 P문에서 '떠나는 것이 강제되지 않았다'면 '떠났다'는 사실이 함의되지 않으므로 두 문장은 중립 관계를 구성하게 된다.14)

---

14) '사실동사' 구문을, 내포문의 진리가를 '사실'로 확정하는 구문으로 단순화하여 해석하는 일부 연구들에서는 위의 [1]과 [3]의 술어 '성공하다'와 '강제되다'의 내포문의 진리가 '참'이 되므로, 이들이 '함축동사'가 아닌 '사실동사'의 한 유형으로 분류될 수 있다. 실제로 '사실동사/함축동사'에 대한 정의는 학자들마다 모두 일치하는 것이 아니어서, 이에 대한 많은 논의와 새로운 용어가 제안되어 왔다. 본 연구에서는 동사 술어에 대한 이론 의미론적 분류보다는 이러한 문장쌍들의 추론 관계가 동사에 따라 어떻게 달라질 수 있는가를 논의하는 데에 초점을 두어, Nairn et al.(2006) 및 MacCartney(2009)의 정의에 따라 이 문장쌍들의 함의 관계의 변환 양상을 고찰하고자 하였다.

2. 제2유형 | 함축동사 구문이 내포문과 '중립' 관계를 구성하는 유형

긍정문 형태로 실현된 함축동사 구문이 내포문과 '중립' 관계를 구성하는 경우로(즉 내포문 문장의 진리가가 '참/거짓'으로 확인되지 않는 경우), 이때 함축동사가 부정문 형태로 변환되면 내포문의 진리가가 변화되어 '모순' 또는 '함의'의 관계로 바뀌게 되는 유형이다.

즉 영어의 'permit to'(o/-)와 'hesitate to'(o/+) 유형으로 분류되는 함축동사 범주로서, 아래의 두 문장쌍은 함축동사 '허용하다'와 '망설여지다' 구문이 내포문 문장과 추론 관계를 구성한 예를 보인다.

- [1] P | 회사는 그 두 사람이 서로 법적으로 고발하는 **것을 허용했다.**
  H | 그 두 사람이 서로 법적으로 고발했다. [중립]

- [2] P | 회사는 그 두 사람이 서로 법적으로 고발하는 **것을 허용하지 않았다.**
  H | 그 두 사람이 서로 법적으로 고발했다. [모순]

- [3] P | 검사는 자신이 상대측에게 그 제안을 하는 **것을 망설였다.**
  H | 검사가 상대측에게 그 제안을 했다. [중립]

- [4] P | 검사는 자신이 상대측에게 그 제안을 하는 **것을 망설이지 않았다.**
  H | 검사가 상대측에게 그 제안을 했다. [함의]

위에서 [1]과 [3]의 P문은 모두 내포문의 내용을 사실로서 확인하고 있지 않다. 즉 [1]에서 '두 사람이 서로 고발하는 것'을 허용했지만, 실제 그런 일이 일어났는지 확인할 수 없고, [3]에서 '검사 자신이 직접 그 제안을 하는 것'을 망설였으므로 실제 그런 일이 일어났는지 확인할 수 없기 때문에, 두 문장쌍은 모두 '중립' 관계가 된다.

여기서 두 문장쌍을 부정문으로 변환하면, [2]에서는 P문에서 '두 사람이 서로 고발하는 것'을 허용하지 않았으므로, '고발했다'는 H문은 '모순' 관계로 유추된다. 반면 [4]에서는 P문에서 '검사가 그 제안을 하는 것'을 망설이지 않았으므로, '제안을 했을 것'으로 예상되며, 따라서 H문은 P문과 '함의' 관계가 된다.15)

3. 제3유형 | 함축동사 구문이 내포문과 '모순' 관계를 구성하는 유형

긍정문 형태로 실현된 함축동사 구문이 내포문과 '모순' 관계를 구성하는 경우로(즉 내포문 문장의 진리가 '거짓'이 되는 경우), 이때 함축동사가 부정문 형태로 변환되면 내포문의 진리가 변화되어 '함의' 또는 '중립'의 관계로 바뀌게 되는 유형이다.

즉 영어의 'fail to'(-/+)와 'refuse to'(-/o) 유형으로 분류되는 함축동사 범주로서, 다음을 보자.

- [1] P | 젊은 검사는 검사측이 더 설득력있음을 인정 받는데에 **실패했다.**
  H | 검사측이 더 설득력있음을 인정 받았다.   [모순]

- [2] P | 젊은 검사는 검사측이 더 설득력있음을 인정 받는데에 **실패하지 않았다.**
  H | 검사측이 더 설득력있음을 인정 받았다.   [함의]

- [3] P | 젊은 검사는 변호인단이 검사측과 합의를 도출하는 것을 **거절했다.**
  H | 변호인단이 검사측과 합의를 도출했다.   [모순]

- [4] P | 젊은 검사는 변호인단이 검사측과 합의를 도출하는 것을 **거절하지 않았다.**
  H | 변호인단이 검사측과 합의를 도출했다.   [중립]

---

15) [2]에서 '허용하지 않았음'에도 불구하고 '고발'을 강행할 수도 있고, [4]에서 '망설이지 않았음'에도 최종적으로 '제안을 하지 않았을 수'도 있다. 다만 앞서 논의한 것처럼 자연어추론 태스크는 '보통 사람들이 상식적으로 판단'함을 전제로 한다는 점을 환기할 필요가 있다.

위의 [1]과 [3]의 P문에 실현된 함축동사 '실패하다'와 '거절하다'가 H문에 삭제될 때, 두 문장은 '모순'의 관계를 형성한다. 즉 각 쌍의 H문에서 '검사측이 더 설득력있음을 인정받다'와 '변호인단이 검사측과 합의를 도출했다'는 내포문만으로 문장이 구성되어, P문에서 이에 '실패하거나' '거절한' 상황을 묘사하는 것과 대립되는 의미 구조를 나타내고 있다.

그런데, 위의 두 문장에 대해 '부정문' 변환이 이루어지면 [2]의 P문에서 '인정 받는 데에 실패하지 않았다'는 H문의 '인정 받았다'와 '함의' 관계가 되는 반면, [4]의 P문에서는 '합의를 도출하는 것을 거절하지 않았다'는 실제로 '합의를 도출했는지 여부'를 언급하고 있지 않으므로 H문의 '합의를 도출했다'와는 '중립' 관계가 된다.

이상에서 논의한 3가지 유형의 함축동사 구문을 정리하면 다음과 같다. 즉 함축동사 구문(P문)은 부정문으로 변형될 때 내포문(H문)과의 추론 관계가 더 이상 동일하지 않게 된다는 점이, 뒤에서 살필 사실동사 구문과의 가장 중요한 차이를 형성한다.

번호	동사 유형	유형	긍정의 P문	부정의 P문	동사 예시
1	함축동사 (implicative)	제1유형	H와 함의관계	H와 모순관계	성공하다
2				H와 중립관계	강제되다
3		제2유형	H와 중립관계	H와 함의관계	망설이다
4				H와 모순관계	허용하다
5		제3유형	H와 모순관계	H와 함의관계	실패하다
6				H와 중립관계	거절하다

35 P12 사실동사의 삭제

전제문에 실현된 '사실동사(factive verb)'가 가설문에서 삭제되어 추론쌍을 구성하는 유형으로, 다음과 같은 통사 관계로 기술될 수 있다.

- 전제문(P) | Nn1-가 [Nm-가 PREDm]2-를 PREDn_factive
- 가설문(H) | Nm1-가 PREDm

이 추론쌍의 예를 들면 다음과 같다.

P		회사 대표는 지난해 회사수익이 적자로 돌아섰음을 **인정했다.**
	E	지난해 회사수익이 적자로 돌아섰다.
H	C	회사 대표는 지난해 회사수익이 흑자로 돌아섰음을 인정했다.
	N	회사 대표는 올해 회사수익이 적자로 돌아섰음을 인정했다.

위의 P문의 술어 '인정하다'는 '지난해 회사 수익이 적자로 돌아섰다'는 사실을 '전제(presuppose)'하고 있는 '사실동사'이다. 즉 앞서 논의한 바와 같이, 사실동사는 내포문의 진리가를 이미 '전제'하고 있기 때문에, 사실동사 술어구가 부정문으로 변환이 되어도 동일한 내포문에 대해 변함없이 '함의' 관계를 구성하는 것을 확인할 수 있다. 다음을 보자.

- P | 회사 대표는 지난해 회사수익이 적자로 돌아섰음을 **인정하지 않았다.**
- H | 지난해 회사수익이 적자로 돌아섰다.   [함의]

즉 P문에서 내포문의 내용을 '인정하지 않았음'에도 불구하고, H문에 기술된 '지난해 적자로 돌아섰다'는 내포문의 내용 자체는 여전히 '참'이므로 두 문장은 함의 관계를 구성한다.

　　사실동사 구문의 술어 삭제 변형에 의한 추론 관계도, 앞서 함축동사의 경우에서처럼, Nairn et al.(2006)의 영어 사실동사의 3가지 유형(앞서 언급한 바와 같이 MacCartney(2009에서 재구성된 유형)에 기반하여 다음과 같이 분류될 수 있다.

1. 제1유형 | 사실동사 구문이 내포문과 '함의' 관계를 구성하는 유형

　　긍정문 형태로 실현된 사실동사 구문이 내포문과 '함의' 관계를 구성하는 경우로(즉 내포문 문장의 진리가도 '참'이 되는 경우), 앞서 함축동사의 경우와 달리, 사실동사가 부정문 형태로 변환되어도 내포문의 진리가는 변하지 않기 때문에 두 문장은 함의 관계를 구성한다.

　　예를 들면 영어의 'admit'(+/+) 유형으로 분류되는 사실동사 범주가 여기 해당한다. 전제문에 실현된 사실동사 술어가 삭제되어 내포문이 가설문을 구성하는 경우에 두 문장이 '함의' 관계를 구성하는 것을 볼 수 있다.

- [1] P | 사람들은 이번 시합에서는 한국팀이 패했다는 것을 **받아들였다.**
  H | 이번 시합에서는 한국팀이 패했다　　　　　　　　　　　　[함의]

- [2] P | 사람들은 이번 시합에서는 한국팀이 패했다는 것을 **받아들이지 않았다.**
  H | 이번 시합에서는 한국팀이 패했다.　　　　　　　　　　　　[함의]

즉 [1]의 P문에서 사실동사 '받아들이다'는 '이번 시합에서 패했다'는 내포문의 진리가를 '전제(presuppose)'하기 때문에 [2]와 같이 주절 동사가 부정문 형태로 변환되어도 동일한 H문을 함의하는 것을 볼 수 있다.

　　여기서 한 가지 주의할 점이 있다. 한국어 내포문 구성에 있어서, 위에서 살핀 목적격 위치의 내포문 '~한 것을' 외에 '~했다고'나 '~한 것으로'와 같은 형태가 실현되면, 그 진리가의 판단에 영향을 미칠 수 있다는 점이다. 다음을 보자.

- [3] P | 사람들은 이번 시합에서는 한국팀이 패했다고 **받아들였다**.
  H | 이번 시합에서는 한국팀이 패했다. [중립]

- [4] P | 사람들은 이번 시합에서는 한국팀이 패했다고 **받아들이지 않았다**.
  H | 이번 시합에서는 한국팀이 패했다. [중립]

즉 위의 예에서, 한국어 사실동사 구문이 영어에서 제안한 동사 유형과 대응되는 경우는, '~한 것을'이라는 내포문 형태로 실현될 때로 한정하는 것이 필요하다. '~했다고'나 '~한 것으로'와 같은 형태로 실현되면 그 내포문의 진리가에 대한 해석이 상이해지므로, 이 경우 추가적인 별도의 논의가 수반되어야 한다.

2. 제2유형 | 사실동사 구문이 내포문과 '중립' 관계를 구성하는 유형

긍정문 형태로 실현된 사실동사 구문이 내포문과 '중립' 관계를 구성하는 경우로(즉 내포문 문장의 진리가가 '참/거짓'으로 확인되지 않는 경우), 앞서 함축동사의 경우와 달리, 사실동사가 부정문 형태로 변환되어도 내포문의 진리가는 변하지 않기 때문에 두 문장은 중립 관계를 구성한다. 즉 영어에서 'believe'(o/o) 유형으로 분류되는 사실동사 범주로서, 다음을 보자.16)

---

16) 앞서 '함축동사'에서 언급한 것처럼, '사실동사'가 내포문의 진리가를 '참'으로 설정하는 특징을 보인다는, 좁은 의미의 해석에서는 현재 제2유형의 '믿다'나 뒤의 제3유형의 '척하다'와 같은 동사들은 내포문의 진리가를 '참'으로 전제하지 않으므로, 일부 연구에서는 이들을 함축동사의 유형으로 간주하거나 또는 각각 '비사실동사(non-factive verbs)'와 '반사실동사(anti-factive verbs)' 등으로 명명하기도 하였다. Nairn et al.(2006)에서도 이들을 'factives/neutral/counterfactives'와 같은 세부 유형의 '사실성(factivity)' 동사들로 설정하여, 이를 '함축동사'와 구별하여 논의하고 있다. 다만 앞서도 논의한 것처럼, 본 연구에서는 이러한 세부 명칭의 논의는 유보하고 모두 '사실성(factivity)'에 입각한 동사 구문으로 수용하여, 내부적으로 3가지 유형을 제시하는 방법을 채택하였다.

- [1] P | **사람들은** 회사가 작년에 배당을 한 것으로 **믿었다.**
  H | 회사가 작년에 배당을 했다.   [중립]

- [2] P | **사람들은** 회사가 작년에 배당을 한 것으로 **믿지 않았다.**
  H | 회사가 작년에 배당을 했다.   [중립]

[1]의 P문에 실현된 사실동사 '믿다'는 '회사가 배당을 했다'고 생각하는 것을 표현하므로, 실제로 이 내포문 내용이 참인지 거짓인지를 유추하는 것이 불가능하다. 따라서 위와 같이 내포문으로 H문이 구성되는 경우, 두 문장은 함의 관계를 구성하지 못한다.

또한 [2]의 P문과 같이 사실동사 구문이 부정문으로 변형되어도, 내포문으로 구성된 H문은 P문과 동일한 추론 관계를 유지한다. 즉 위와 같이 '중립'의 관계를 구성한다.

여기서는 앞서 '제1유형'과는 반대로, 내포문의 형태가 '~한 것으로' 형태로 실현되어야 하는 것을 볼 수 있다. 만일 '~한 것으로' 대신에 '~한 것을'과 같이 구성되면, 내포문의 진리가에 대한 판단이 명확하지 않게 된다. 이 경우에도 한국어 내포문을 구성하는 보문소의 의미 특징에 대한 추가적인 논의가 병행될 필요가 있다.

3. 제3유형 | 사실동사 구문이 내포문과 '모순' 관계를 구성하는 유형

긍정문 형태로 실현된 사실동사 구문이 내포문과 '모순' 관계를 구성하는 경우로(즉 내포문 문장의 진리가가 '거짓'이 되는 경우), 앞서 함축동사의 경우와 달리, 사실동사가 부정문 형태로 변환되어도 내포문의 진리가는 변하지 않기 때문에 두 문장은 모순 관계를 구성한다. 즉 영어의 'pretend'(-/-) 유형으로 분류되는 사실동사 범주로서, 다음을 보자.

- [1] P | 아이들은 자신들은 그 친구를 못 본 **척했다**.
  H | 아이들은 그 친구를 못 보았다.   [모순]

- [2] P | 아이들은 자신들은 그 친구를 못 본 **척하지 않았다**.
  H | 아이들은 그 친구를 못 보았다.   [모순]

[1]에서 P문의 술어구 '척하다'가 삭제되어 '그 친구를 못 보았다'와 같은 H문이 구성될 때, 두 문장은 '모순' 관계가 된다. 즉 '~하는 척하다'는 의도적으로 사실과 다른 거짓된 행동을 하는 것을 표현하는 일종의 양태 보조용언으로서, 여기서는 내포문과 반대되는 의미 관계를 구성하는 술어 성분으로 사용되었다.

이러한 술어구는 '사실동사'의 속성을 갖고 있어서, 부정문으로 변환되어도 그 내포문의 진리가 변하지 않는다. 즉 [2]와 같이 두 문장의 추론 관계는 여전히 '모순' 관계를 유지하게 된다.

이러한 유형의 사실동사에는 '척하다' 외에도 '체하다', '~인 것처럼 꾸미다' 등의 동사구 표현이 실현될 수 있다.

이상에서 논의한 3가지 유형의 사실동사 구문을 정리하면 다음과 같다. 즉 사실동사 구문(P문)은, 부정문으로 변형되어도 내포문(H문)과의 추론 관계가 변함없이 동일하게 설정되므로, 앞서 함축동사 구문과 이 점에서 분명히 구별된다.

번호	동사 유형	유형	긍정의 P문	부정의 P문	동사 예시
1	사실동사 (factive)	제1유형	H와 함의관계	H와 함의관계	인정하다
2		제2유형	H와 중립관계	H와 중립관계	믿다
3		제3유형	H와 모순관계	H와 모순관계	척하다

36 P13 사역동사의 삭제

전제문에 일련의 '사역동사(causative verb)'가 실현되고, 가설문에서 이 술어가 삭제되어 추론쌍이 구성되는 유형으로, 다음과 같은 통사적 관계로 기술될 수 있다.

- 전제문(P) | Nn1-가 [Nm-가 PREDm]2-를 PREDn_Causative
- 가설문(H) | Nm1-가 PREDm

이 추론쌍의 예를 들면 다음과 같다.

P		전쟁통에 어른들은 아이들이 모두 허기진 배를 움켜잡고 잠들도록 했다.
	E	아이들이 모두 허기진 배를 움켜잡고 잠들었다.
H	C	전쟁통에도 어른들은 아이들이 허기진 배를 움켜잡고 잠들게 하진 않았다.
	N	전쟁통에 어른들은 아이들이 모두 허기진 배를 움켜잡고 견디도록 했다.

P문의 사역동사 '하다'는 '아이들이 잠들도록'과 같이 'V-도록'의 내포문을 취하는 술어이다. 이때 H문에 이러한 사역동사가 삭제되어 두 문장 사이의 함의 관계가 형성되었다. 사역 구문은 내포문 동사(V)에 대해 'V-게/도록'의 연쇄를 구성하고, 여기에 '하다/만들게/시키다' 등의 일련의 타동사가 연결되어 구성되는데, 이때 역방향으로 두 문장쌍이 구성되면 중립의 관계를 보이게 된다.

- P | 아이들이 모두 허기진 배를 움켜잡고 잠들었다.
- H | 전쟁통에 어른들은 아이들이 모두 허기진 배를 움켜잡고 **잠들도록 했다.** [중립]

사역동사 구문은 통사적으로 복문 구조를 구성하지만, 어휘 층위에서 '사동의 접미사'가 결합하여 이와 유사한 구조가 구성될 수 있다. 가령 다음과 같은 사역동사 구문 추론쌍에 대하여,

- P | 그 감동적인 소식은 결국 많은 선수들을 울게 만들었다.
- H | 결국 많은 선수들이 울었다. [함의]

'V-게 만들다' 연쇄 대신 'V-리-다'와 같은 사동 접미사가 결합한 형태가 실현되어 추론쌍을 구성할 수 있다.

- P | 그 감동적인 소식은 결국 많은 선수들을 울렸다.
- H | 결국 많은 선수들이 울었다. [함의]

다만 사동 접미사 '이/히/리/기/우/구/추'가 결합하여 사동형 동사를 구성하는 경우, 그 의미적 해석이 사역동사 구문과 일치하지 않는다는 것을 고려할 필요가 있다. 즉 '엄마가 아이에게 밥을 먹게 했다'와 '엄마가 아이에게 밥을 먹였다'는 행위의 주체에 있어 의미 해석의 차이가 발생하는 것을 볼 수 있다.

술어 변환 스키마

술어 등위접속 | P14-P15

전제문의 술어구가 등위접속 관계로 연결되어 있을 때, 가설문에서 한 성분이 삭제되어 추론 관계를 구성하는 유형으로, 다음 2가지 유형으로 분류할 수 있다.

- P14 | 술어의 AND 등위접속
- P15 | 술어의 OR 등위접속

37 P14 술어의 AND 등위접속

전제문의 술어구가 AND 유형으로 연결되어 있을 때, 즉 '연언 (conjunction)' 구성을 이루고 있을 때, 이 구조의 한 성분이 삭제되어 가설문을 구성하는 경우이다. 두 문장의 관계는 다음과 같이 기술될 수 있다.

- 전제문(P) | N1-가 PREDn-AND PREDm
- 가설문(H) | N1-가 PREDn | N1-가 PREDm

이 유형의 추론쌍의 예를 들면 다음과 같다.

P		학생들이 새로운 주제에 대하여 열심히 발표하고 질문했다.
	E	학생들이 새로운 주제에 대하여 열심히 발표했다.
H	C	학생들이 새로운 주제에 대하여 발표하지 않았다.
	N	학생들이 지난주 주제에 대하여 열심히 발표하고 질문했다.

P문의 서술어 '발표하고 질문하다'는 'V-하고(AND) V'의 형식의 '연언' 구성으로 연결된 복합 서술어구이다. 이때 H문에서 '질문하다'가 삭제되어 '함의' 관계를 구성하였다. 반면 두 문장이 역관계로 구성된 다음 문장쌍을 보자.

- P | 학생들이 새로운 주제에 대하여 **발표했다.**
- H | 학생들이 새로운 주제에 대하여 **발표하고 질문했다.** [중립]

위의 P문에서는 '발표하다'가 술어로 실현되었지만, H문에서는 '발표하다'와 '질문하다'의 두가지 행위가 언급되어, 새로운 정보를 추가하고 있으므로 P문과 함의 관계를 구성하지 못한다.

술어의 AND 등위접속 구문에 대한 추론쌍의 하위 유형은 술어의 속성에 따라 다음과 같이 나누어 볼 수 있다.

1. '동사' 술어의 AND 등위접속 유형

전제문의 서술어가 '동사-AND 동사'의 등위접속 구조로 이루어진 경우로서, 예를 들면 다음과 같다.

- P | 학생들은 마지막 행사에서 **상송을 부르며 멋진 춤을 추었다**.
- H | 학생들은 마지막 행사에서 상송을 불렀다.   [함의]

여기서 AND 연결어미는 실제 어휘 표현 차원에서 '~고/~면서/~며' 등의 다양한 유형으로 실현될 수 있다.

2. '형용사' 술어의 AND 등위접속 유형

전제문의 서술어가 '형용사-AND 형용사'의 등위접속 구조로 이루어진 경우로서, 다음과 같은 예를 들 수 있다.

- P | 이 학생들은 **솔직하고 친절하군요**.
- H | 이 학생들은 솔직하군요.   [함의]

여기서도 AND를 나타내는 활용어미는 '~고/~며/~면서/~는데/~는데도

/~면서도/~지만' 등과 같이 다양한 형태가 실현될 수 있다.

3. '명사구' 술어의 AND 등위접속 유형

　전제문의 서술어가 '명사구-AND 명사구'의 구조로 이루어진 경우로서, 예를 들면 다음과 같다.

- P | 그 사람은 **지역경제 전문가이면서 청소년 교육자이기도 합니다.**
- H | 그 사람은 지역경제 전문가입니다.　　　　　　　　　　　[함의]

38 P15 술어의 OR 등위접속

　전제문의 술어구가 OR 유형의 등위접속 관계를 구성할 때, 즉 '선언(conjunction)' 구성을 이루고 있을 때, 이 구조의 한 성분이 삭제되어 가설문을 구성하는 경우이다. 이러한 문장쌍 관계는 다음과 같은 방식으로 기술될 수 있다.

- 전제문(P) | 　N1-가　 PREDn-OR　PREDm
- 가설문(H) | 　N1-가　 PREDn　 | 　N1-가　 PREDm

이 추론쌍의 예를 들면 다음과 같다.

P		그 친구는 3년전에 **미국으로 유학을** 가거나 이민을 간 거 같아요.
H	E	그 친구는 3년전에 미국으로 떠났어요.
	C	그 친구는 3년전에 미국으로 떠나지 않았어요.
	N	그 친구는 3년전에 **미국으로 유학을** 갔어요.

위의 P문에서 '유학을 가다'와 '이민을 가다'의 두 술어가 'A-거나 B' 유형의 OR 등위접속되어 실현되었고, H문에서 한 성분이 삭제되어 추론쌍을 구성하였다. 이때 P문에서 확정되지 않았던 두 가지 내용이 H문에서는 단정적으로 기술되어, 두 문장은 동일한 유형의 정보를 나타내지 않는 '중립' 관계의 추론쌍을 구성하게 된다.
　그런데 앞서 '명사구의 OR 등위접속(A20)'에서 살핀 바와 같이 자연어 문장에서 OR 접속문은 수학적 개념과는 달리 여러 속성을 가질 수 있다. 여기서도 Saha et al.(2020)에 기반하여 술어의 OR 등위접속문을

다음 2가지 유형으로 나누어 고찰한다.

1. '배타적-OR' 등위접속문 유형

'배타적-OR'(Exclusive-OR) 등위 접속문은 다음 예에서 보는 바와 같이 'A-OR-B'로 연결된 두 성분이 모두 '참'일 수 없는 경우를 의미한다.

- [1] P ┃ 그 아이는 초등학교 **2학년이거나 3학년이야.**
  H ┃ 그 아이는 초등학교 2학년이야.   [중립]

위의 P문에서는 'A-거나 B'의 구조에서 둘 중 하나만이 '참'이므로, 하나만이 양자택일 되어야 함을 나타내지만, H문에서는 A와 B 중 하나를 선택하여 의견이 표현되어 있으므로, 두 문장은 중립 관계가 된다.
   그런데 여기서 '가능성(possibility)'의 양태적 표현이 명시적으로 삽입되면 두 문장 사이의 추론 관계의 해석이 달라질 수 있다.

- [2] P ┃ 그 아이는 내일 오전 10시에 오거나 아니면 오후 2시에 **올 수도 있어요.**
  H ┃ 그 아이는 내일 오전 10시에 **올 수도 있어요.**   [함의]

위의 문장쌍에서 P문에서는 2가지 '가능성'을 제시하였고, H문에서 그중 1가지 '가능성'을 언급하였다. 그런데 실제로 P문에서 '두 사건'은 '배타적-OR'의 의미 해석을 갖지만, '두 가능성'은 '불리언-OR'의 의미 해석(즉 '오전에 올 가능성'과 '오후에 올 가능성'이 모두 포함)을 보이므로, 이중 1가지 가능성을 언급한 H문은 P문과 함의 관계를 구성하게 된다.
   여기서 이런 '가능성' 또는 '추측'의 의미가 배제되고, 과거에 일어난 '확정적 사건'을 묘사하는 경우를 살펴보자.

- [3] P | 그 아이는 어제 전시회때 오전 10시에 오거나 오후 2시에 **왔었어요** .
  H | 그 아이는 어제 전시회때 오전 10시에 **왔었어요.**   [중립]

위에서 [3]과 같은 OR 등위접속문은 의미적으로 다소 부자연스럽게 느껴지지만, '아마도'와 같은 추측의 부사가 함축된 것으로 해석된다면 받아들여질 수 있다. 이 경우 문맥상 '그 아이가 오전 또는 오후에 한번 왔다'는 의미를 함의하는데, 다만 화자가 그 사실 여부를 알지 못하는 것으로 해석된다. 반면 H문에서는 단정적 사실을 표현하므로, P문과 함의 관계를 구성하지 못한다. 여기서 다음을 보자.

- [4] P | **3학년 학생들은** 어제 전시회때 오전 10시에 오거나 오후 2시에 **왔었어요.**
  H | **3학년 학생들은** 어제 전시회때 오전 10시에 **왔었어요.**   [중립]

위의 P문은 [3]처럼 과거에 일어난 일을 묘사하는데, '불확실성'의 양태 보조용언 없이 실현되어도 문장이 어색하게 느껴지지 않는다. 이는 '복수 주어' 원소들의 '선택적 집합들'에 대한 의미 해석이 가능하기 때문으로 보인다. 즉 [4]에서는 '오전 10시에 오거나' '오후 2시에 오는' 것은 복수 주어 여러 명의 행위들로서, 화자가 사실여부를 알지 못함을 표현하는 '배타적-OR' 구문이 아니라, 전체 집합의 일부는 오전 10시에 오고 다른 일부는 오후 2시에 왔음을 의미하는 '불리언-OR' 구문의 해석이 가능하기 때문이다.

앞서 [3]에서 각 개인들에게는 '오전 10시에 오는 것'과 '오후 2시에 오는 것'이 동시에 성립하지 않는 배타적 선택이지만, '3학년 학생들'이라는 집단에 대해서는 '학생들 중 일부는 오전 10시에 왔고 일부는 오후 2시에 왔다'는 '선택적 옵션들의 합'(즉 '불리언-OR')이라는 의미 해석이 가능해지기 때문에, [3]과 달리 문장이 자연스럽게 받아들여지는 것이다. 이 경우 OR 등위접속문을 삭제한 H문은 '복수 주어' 집단에 대해 한가지 선택(오전 10시)만을 할당하게 되므로, 이 경우도 위의 [3]과 같이 P문과 함의 관계를 구성하지 못하게 된다.

그런데 여기서 '3학년 학생들'이라는 '한정적' 의미의 집단을 표현하지 않고, 다음과 같이 '비한정적 복수 명사구'로 치환해 보자. 이 경우 두 문장은 '함의' 관계로 분석될 수 있다.

- [5] P | **많은** 학생들이 어제 전시회때 오전 10시에 오거나 오후 2시에 **왔었어요**.
  H | **많은** 학생들이 어제 전시회때 오전 10시에 **왔었어요**.   [함의]

즉 위의 H문은, '3학년 학생들 전체가 10시에 왔음'을 의미하는 [4] H문과 달리, '전체의 일부만이 10시에 왔음'을 의미할 수 있기 때문에, P문과 함의 관계를 구성할 수 있게 된다.

다음 문장쌍도 위와 유사한 현상을 보인다.

- [6] P | **많은** 학생들이 어제 행사때 강당 의지에 앉거나 복도에 서있었어요.
  H | **많은** 학생들이 어제 행사때 강당 의지에 앉았었어요.   [함의]

2. '불리언-OR' 등위접속문 유형

'불리언-OR'(Boolean-OR) 등위접속문은 앞서 '배타적-OR'과 달리, 'A-OR-B'로 나타난 두 성분이 각각 참일 수 있는 경우를 말한다. 여기서도 앞서 '배타적-OR' 유형과 마찬가지로, '가능성' 양태 표현의 삽입 여부가 중요한 기능을 한다. 다음을 보자.[17]

---

17) 여기서는 '감독을 맡거나 주연을 맡을 수 있다'는 유형의 '동사구-OR-동사구' 구문으로서, 반복되는 동사가 삭제되어 '감독이나 주연을 맡을 수 있다'는 표현으로 실현되었다.

- [7] P | 그 사람이 다음 독립영화에서 감독이나 주연을 **맡을 수 있다고 봐요.**
  H | 그 사람이 다음 독립영화에서 감독을 **맡을 수 있다고 봐요.** [함의]

위 [7]에서 '감독'이나 '주연'을 맡을 수 있다는 '가능성'의 양태 표현('맡을 수 있다고 봐요')이 명시적으로 삽입된 P문은 '감독을 맡을 수 있다'는 가능성을 표현하는 H문과 함의 관계를 구성한다.

여기서 위의 문장쌍이 다음과 같이 '과거'를 나타내는 내용으로 변환된 경우를 살펴보자.

- [8] P | 그 사람이 **지난번** 독립 영화에서 감독이나 주연을 **맡았을 겁니다.**
  H | 그 사람이 **지난번** 독립 영화에서 감독을 **맡았을 겁니다.** [중립]

- [9] P | 그 사람이 **지난번** 독립 영화에서 감독이나 주연을 **맡았었을 수 있어요.**
  H | 그 사람이 **지난번** 독립 영화에서 감독을 **맡았었을 수 있어요.** [함의]

[8]의 P문은 이미 확정된 특정 사실에 대한 추측을 표현하는데, 이 경우 '배타적 OR'의 의미 해석을 갖게 된다. 여기서 '~했을 거다'와 같은 불확실성의 양태 표현이 실현되었음에도 불구하고, P문과 달리 H문에서는 화자의 한가지 의견이 선택적으로 나타났으므로, 두 문장은 함의 관계를 구성하지 못한다. 반면 [9]과 같이 '~했을 수 있다'는 '가능성'의 양태 표현이 실현되면, P문과 마찬가지로 H문에서도 화자가 한 가지 선택을 단언하지 않게 되므로, 두 문장은 함의 관계를 구성하게 된다.

앞서 논의한 바와 같이 [8]의 'A-OR-B' 구문이 '복수 형태의 여러 상황'에서 일어난 사실들을 설명하는 형태로 변환되면, 이 구문은 다시 함의 관계를 구성하게 된다. 다음을 보자.

▪ [10] P | 그 사람은 **수많은** 독립 영화에서 감독이나 주연을 **맡았을 겁니다.**
　　 H | 그 사람이 **수많은** 독립 영화에서 감독을 **맡았을 겁니다.**　　[함의]

즉 앞서 '배타적-OR'에서 논의한 것처럼, '복수 형태의 집합 요소'가 전제되면 '구성 요소들의 선택적 집합'이 설정될 수 있기 때문으로 보인다. 위에서 [8]의 P문은 '감독'이나 '주연' 중 하나의 역할을 선택적으로 수행한 것을 의미하는데, 이때 단 한 편의 영화이므로 P문에서 확언되지 않은 하나의 역할을 단언하고 있는 H문은 함의 관계를 구성하지 못하였다. 반면 [10]의 P문에서는 여러 편의 영화에서 때로는 감독을, 때로는 주연을(두 역할을 동시에 수행하는 것도 배제되지 않음) 수행했음을 의미하므로, H문은 이에 대한 일부분을 기술하는 것으로 해석되어 두 문장은 함의 관계를 구성하게 된다.

　한국어 문장에서 'A-OR-B' 구문은 용언의 등위접속문의 경우 'A-거나 B'의 형태와 같이 활용어미 '거나'를 통해 실현되고, 명사구 등위접속의 경우에는 'A-거나 B', 'A-나 B', 또는 'A 또는 B'와 같이 조사나 연결부사를 통해 실현된다. 또한 '배타적-OR'의 경우 'A-거나 아니면 B'와 같이 부사어 '아니면'이 삽입될 수 있는 반면, '불리언-OR'의 경우 'A-거나 또는(혹은) B'와 같이 '또는(혹은)' 등이 삽입될 수 있다는 차이를 보인다. 이상에서 살핀 두 가지 유형의 OR 등위접속문 기반 추론쌍의 특징을 정리하면 다음과 같다.

유형	OR 유형	확신성	'가능성'양태	대상:복수성	대상:한정성	관계	본문예시
1	배타적-OR	NO	NO			중립	[1][3][8]
2			YES			함의	[2][9]
3		YES		YES	YES	중립	[4]
4					NO	함의	[5][6]
5	불리언-OR					함의	[7][10]

III 수식성분 변환 스키마

MODIFIER | M01-M21

♛ 수식성분(MODIFIER) 변환 스키마의 21가지 세부 유형

번호	중분류	코드	세부 유형
39	관형어 변형(change)	M01	수량사/시간 표현 관형어 변형
40		M02	상향 단조의 존재양화사 변형
41		M03	하향 단조의 보편양화사 변형
42		M04	수 관형사의 비단조 변형
43		M05	두 관형어의 교차 변형
44		M06	관형어의 위치 변형
45		M07	관형어의 삭제 변형
46	관형어 등위접속(coordination)	M08	관형어의 AND 등위접속
47		M09	관형어의 OR 등위접속
48	관계절 변형(change)	M10	주어의 주격 관계절 변형
49		M11	주어의 비주격 관계절 변형
50		M12	비주어 논항의 주격 관계절 변형
51		M13	비주어 논항의 비주격 관계절 변형
52	부사절 변형(change)	M14	조건 부사절 내포 문장의 변형
53		M15	양보 부사절 내포 문장의 변형
54		M16	목적 부사절 내포 문장의 변형
55		M17	원인 부사절 내포 문장의 변형
56		M18	시간 부사절 내포 문장의 변형
57		M19	설명 부사절 내포 문장의 변형
58	부사어 변형(change)	M20	확신/태도 표현 문장부사의 변형
59		M21	불확신 표현 문장부사의 변형

수식성분 변환 스키마

관형어 변형 | M01-M07

문장 내에서 명사구 또는 동사구를 수식하는 수식 성분(modifier)에 대한 일련의 통사적 변환을 통해 추론쌍을 구성하는 첫 번째 유형은 '관형어 변형'이다. 다음과 같이 7가지 하위 유형으로 분류된다.

- M01 | 수량사/시간 표현 관형어 변형
- M02 | 상향 단조의 존재 양화사 변형
- M03 | 하향 단조의 보편 양화사 변형
- M04 | 수 관형어의 비단조 변형
- M05 | 두 관형어의 교차 변형
- M06 | 관형어의 위치 변형
- M07 | 관형어의 삭제 변형

'수량사 및 시간 표현 관형어의 변형'은 전제문에 실현된 일련의 수식성분 구문을 가설문에서 변환하여 추론쌍을 구성하는 경우이다. 수 표현 관형어가 변환되는 유형의 예를 들면 다음과 같은 관계로 기술될 수 있다.

- 전제문(P) | [NUMn N_ClaMesTim N]1-가 PRED
- 가설문(H) | [NUMm N_ClaMesTim N]1-가 PRED

이 추론쌍의 예를 들면 다음과 같다.

P		어제 세미나에 대학원생이 **12명 이상** 참석한 거 같아요.
	E	어제 세미나에 대학원생이 **적어도 10명**은 참석한 거 같아요.
H	C	어제 세미나에 대학원생이 **한 명**만 참석한 거 같아요.
	N	어제 세미나에 박사과정생이 **10명 이상** 참석한 거 같아요.

위의 P문에 나타난 수량 표현 '12명 이상'을 H문에서 '적어도 10명'이라고 변환하면 두 문장은 '함의' 관계가 될 수 있다. 반면 '한 명'으로 표현하면 진리가가 대립되는 '모순' 관계가 되며, '박사과정생이 10명 이상'이 되면 P문에 표현되지 않은 새로운 정보가 더해지므로 진리 관계에 대한 판단이 불가능하여 '중립' 관계가 된다. 이 유형의 추론쌍에서는 수량사 표현을 어떻게 변환하는가에 따라 '함의/모순/중립'의 모든 관계 설정이 가능하다.

수(number) 표현 사이의 추론 관계는 다음과 같은 '시간' 표현에서도 실현된다.

- P | 내일 임원 회의는 **오후 3시 이후**이면 저는 가능합니다.
- H | [1] 내일 임원 회의는 **점심시간 이후**이면 저는 가능합니다.   [함의]
  [2] 내일 임원 회의는 **오후 3시 이전**이면 저는 가능합니다.   [모순]
  [3] 내일 임원 회의는 **오후 4시 이전**이면 저는 가능합니다.   [중립]

P문의 '오후 3시 이후'는 H문 [1]의 '점심시간 이후'의 시간 범위에 포함되므로, 두 문장은 '함의' 관계가 된다. H문 [2]의 '오후 3시 이전'은 P문과 대립되는 개념이므로 '모순' 관계가 되며, H문 [3]의 '오후 4시 이전'은 P문의 3시 이후 시간을 일부 포함하지만 4시 이후의 시간이 포함되지 못하므로, '중립' 관계가 된다.

'수 표현'이 변형되어 추론 관계를 구성하는 문장쌍 유형은 다음 3가지로 나누어 볼 수 있다.

1. 수 표현이 '분류 단위명사(N_Cla)'와 실현된 유형

'수(Num: Numeral) 표현'이 '명, 마리, 그루, 개, 자루' 등과 같은 일련의 '분류 단위명사 또는 분류사(N_Cla: Classifier Noun)'와 실현되어 통사·의미적으로 공기 가능한 명사와 함께 하나의 명사구를 구성하는 경우이다. 이때 명사구는 다음과 같은 3가지 구조로 실현될 수 있다.

- [1] 분류 단위명사 구문 | [Num N_Cla]-의 NOUN [다섯 명의 학생]
- [2] 수 표현의 외치 | = NOUN [Num N_Cla]   [학생 다섯 명]
- [3] 분류 단위명사 삭제 | = [Num] NOUN   [다섯 학생]

위에서 3가지 문형 구조는 서로 함의 관계를 구성할 수 있지만, 이때 수사(Num)와 명사(NOUN), '분류 단위명사(N_Cla)'의 통사·의미적 속성에 상호 의존적으로 연결되어 있다.

가령 명사가 '학생'과 같이 인물성 명사이면 '명, 분, 인' 등과 같은 분류사가 오며, '마리'나 '그루' ,'개'와 같은 분류사는 실현될 수 없다. 함께 실현되는 수사도 '다섯 명, 다섯 분, 오 인'과 같이, 분류 단위명사에 따라 고유어 수사와 한자어 수사가 이미 결정되어 결합한다. 즉 '*오 명, *오 분, *다섯 인'과 같은 구성은 불가능하다. 또한 수사나 명사, 분류사에 따라서는 '다섯 학생'처럼 분류사 없는 구성이 자연스러운 형태가 있는가 하면, '?두 돼지, ?두 벚꽃'처럼 분류사 없이는 부자연스러운 구성도 존재한다.

이 외에도 수 표현은 피수식 명사구로부터 '분리되어(floating)' 함의 관계를 구성할 수 있다. 다음을 보자.

- P | 어제 회의실에서 **학생들 다섯 명이** 변호사를 만났다.
- H | [1] 어제 회의실에서 **다섯 명의 학생들이** 변호사를 만났다.   [함의]
     [2] 어제 회의실에서 **단 두명의 학생만** 변호사를 만났다.   [모순]
     [3] 어제 회의실에서 학생들이 **다섯 명의 변호사를** 만났다.   [중립]

위에서 H문 [1]은 P문과 함의 관계를 구성하지만, H문 [2]와 같이 수량의 의미 범위를 변형하는 경우, '모순' 관계가 구성된다. 반면 H문 [3]의 경우는 P문에서 '학생들'로부터 분리된 수량사 '다섯명'이 아닌, '변호사'를 수식하는 수량사 '다섯 명'이 실현된 형태로서, P문과는 '중립' 관계가 된다.

2. 수 표현이 '측량 단위명사(N_Mes)'와 실현된 유형

수 표현(Num)이 '킬로그램(kg), 미터(m), 밀리리터(ml)' 등과 같은 일련의 '측량 단위명사(N_Mes: Measure Noun)'와 함께 실현되는 경우로, 이 구문에서는 위에서 살핀 '분류 단위명사' 구문과 달리 '측량 단위명사'의 삭제가 불가능하다.

- [1] 측량 단위명사 구문 | [Num N_Mes]-의 NOUN [삼 킬로그램의 감자]
- [2] 수 표현의 외치 | = NOUN [Num N_Mes] **[감자 삼 킬로그램]**
- [3] 측량 단위명사 삭제 | =*[Num] NOUN *[삼 감자] (불가능)

이러한 '측량 단위명사'들에는 'kg, km, l' 등과 같은 별도의 측량 부호가 존재하는 경우가 많으며, 일반적으로 '한, 두, 세' 등의 고유어 수사보다는 '일, 이, 삼' 등의 한자어 수사가 요구되는 경우가 많다. 다음은 이러한 수 표현에 의한 추론쌍 구성의 한 예를 보인다.

- P | **십 리터의 물**을 담아 나르고 있다.
- H | 작업자들이 **물 십 리터**를 담아 나르고 있다. [함의]

3. 수 표현이 '시간/기간 단위명사(N_Tim)'와 실현된 유형

수 표현이 시간 또는 기간을 표현하는 '시간 단위명사(N_Tim: Time Noun)'와 함께 실현되어 명사구를 구성하는 경우로서, 앞서 살핀 유형들과 달리 'Num N_Tim' 구성은 공기할 수 있는 '명사구(NOUN)'가 매우 제한되어 있으며 보통 단독으로 구성된다. 아래에서 보듯이 [2]나 [3]과 같은 구성은 허용되지 않는다.

- [1] 시간 단위명사 구문 | [Num N_Tim]-의 NOUN [세 달의 기간]
- [2] 수 표현의 외치 | =*NOUN [Num N_Mes] *[기간 세 달]
- [3] 시간 단위명사 삭제 | =*[Num] NOUN *[세 기간] (다른 의미)

다음은 이러한 시간 표현들이 포함된 추론쌍의 예를 보인다.

- P | 학생들은 주말에 오후 3시부터 할인된 금액을 적용 받습니다.
- H | 학생들은 **토요일**에 **15시**부터 할인된 금액을 적용 받습니다.　　　[함의]

위의 P문에는 '날짜/요일' 등의 표현과 '시간' 표현이 함께 실현되었고, H문에는 '주말' 대신 '토요일'이, '오후 3시' 대신 '15시'의 표현이 실현되어 함의 관계를 구성하였다. 여기서 두 문장이 함의 관계가 되기 위한 일반적인 조건인 '상향 단조(upward monotone)'의 특징이 나타나지 않았는데 함의 관계가 구성된 것은, 두 문장이 암시적으로 '모든 주말에, 모든 토요일에'와 같은 보편 양화사의 수식을 받는 것으로 해석되기 때문이다. 즉 '모든, 항상' 등은 '하향 단조(downward monotone)'를 요구하는 연산자로서, 다음과 같이 두 문장이 역방향으로 추론 관계를 구성하는 경우에는 함의 관계를 이루지 못하는 것을 확인할 수 있다.

- P | 학생들은 (모든) 토요일에 15시부터 할인된 금액을 적용 받습니다.
- H | 학생들은 (모든) 주말에 오후 3시부터 할인된 금액을 적용 받습니다.[중립]

실제로 '시간/기간' 표현은 매우 다양한 형식의 복합 구조를 구성할 수 있다. 또한 '시간' 개념에 기반한 문장쌍의 추론 관계를 결정하기 위해서는 상식 및 세계 지식이 요구되는 경우가 많아, 이와 관련된 보다 정교한 논의가 필요하다. 일반적으로 '시간/기간' 표현은 '년/월/일' 및 '시/분/초', 또는 '요일' 등의 단위명사들과 실현될 뿐 아니라, '주말, 오후, 오전' 등의 시간명사나 '어제, 오늘, 내일, 작년, 올해' 등과 같이 화자와 연동되는 '상대적 개념의 시간 표현', '크리스마스, 현충일'과 같은 반복되는 기념일, '우수, 동지, 경칩'과 같은 24절기, '임진왜란, 2차대전' 등과 같은 사건 명사 등 다양한 형태로 실현될 수 있다. 또한 'N-이상/이하/이후/이전'이나 'N-과 N-사이'와 같은 시간/기간 범위와 관련된 표현들을 통해 추론 관계를 구성하기도 한다.

40 M02 상향 단조의 존재양화사 변형

전제문에 일련의 '존재 양화사(existential quantifier)'가 실현되고, 이때 이 연산자에 의해 요구되는 '단조성(monotonicity)'의 속성이 반영된 가설문에 대해 추론 관계가 구성되는 유형으로, 다음과 같이 기술될 수 있다.

- 전제문(P) ｜ [QUANTIF_Existential Nn]1-가 PRED
- 가설문(H) ｜ [QUANTIF_Existential Nm]1-가 PRED

이 추론쌍의 예를 들면 다음과 같다.

P		어떤 길잃은 강아지가 아무도 없는 골목길에 쓰러져 있었다.
	E	어떤 길잃은 반려동물이 아무도 없는 골목길에 쓰러져 있었다.
H	C	어떤 길잃은 강아지가 아무도 없는 골목길에서 튀어 나왔다.
	N	어떤 길잃은 고양이가 아무도 없는 골목길에 쓰러져 있었다.

위의 P문의 '어떤 길잃은 강아지'는 '어떤 길잃은 반려동물'에 해당하므로, 두 문장은 함의 관계를 구성한다. 앞서 제1장의 MED 데이터셋 연구(Yanaka et al. 2019b)에서 소개된 바와 같이, 존재 양화사 '어떤(SOME)'은 '상향 단조성(upward monotone)'의 관계를 요구하는 연산자로서, 즉 H문에는 '강아지'의 상위 개념인 '반려동물'과 같은 의미 계열의 어휘가 분포해야 한다. 따라서 두 문장이 역방향의 관계를 구성하게 되면, 다음과 같이 중립 관계를 형성하는 것을 볼 수 있다.

- P | 어떤 길잃은 반려동물이 아무도 없는 골목길에 쓰러져 있었다.
- H | 어떤 길잃은 강아지가 아무도 없는 골목길에 쓰러져 있었다.　　[중립]

즉 '어떤 반려동물'이 쓰러져 있다는 사실은 '어떤 강아지'가 쓰러져 있다는 사실을 반드시 의미하지 않기 때문에, 두 문장은 함의 관계가 될 수 없다.

　　또한 이와 같이 상향 단조성을 요구하는 연산자에는 다음과 같은 수량사 표현도 포함된다.

- P | 내 친구는 작년부터 햄스터 한 마리를 키우고 있다.
- H | 내 친구는 작년부터 애완동물 한 마리를 키우고 있다.　　[함의]

위에서 '햄스터 한 마리'를 키운다면, '애완동물 한 마리'를 키우는 것이므로, 두 문장은 함의 관계를 구성하지만, 이 경우도 역방향의 관계쌍은 중립 관계가 된다.

　　추론 관계 해석에 있어 '단조성'의 이해는 매우 중요하다. 앞서도 논의한 바와 같이 언어 모델이 단조성에 기반한 추론 관계를 얼마나 정확히 이해하는가를 실험하기 위해 다양한 데이터셋이 연구된 바 있으나, 한국어의 경우에는 아직 이에 대한 본격적인 연구를 찾기 어렵다. 여기서 살핀 존재 양화사가 한국어에서 어떠한 어휘 범주로 실현되는지, 어떠한 유형의 문장 구조를 구성할 수 있는지에 대한 추가적인 논의가 수행되어야 할 것이다.

41 M03 하향 단조의 보편양화사 변형

전제문에 일련의 '보편 양화사(universal quantifier)'가 실현되고, 이때 이 연산자에 의해 요구되는 '단조성(monotonicity)'의 속성이 반영된 가설문에 대해 추론 관계가 형성되는 유형이다. 다음과 같은 방식으로 기술될 수 있다.

- 전제문(P) | [QUANTIF_Universal Nn]1-가 PRED
- 가설문(H) | [QUANTIF_Universal Nm]1-가 PRED

이 추론쌍의 예를 들면 다음과 같다.

P		파티에 참석했던 **모든 사람들이** 그 광경을 보고 놀랐다.
	E	파티에 참석했던 **모든 남자들이** 그 광경을 보고 놀랐다.
H	C	파티에 참석했던 모든 사람들이 그 광경을 보고도 놀라지 않았다.
	N	회의에 참석했던 모든 사람들이 그 광경을 보고 놀랐다.

위의 P문의 '모든 사람들'은 H문에서 '모든 남자들'로 변환되었다. 여기서 '모든(EVERY)'은 보편 양화사(universal quantifier)의 일종으로, '하향 단조성(downward monotone)'을 요구하는 연산자이다. 즉 P문에 '모든 사람들'이 실현되었다면, '사람들'보다 더 좁은 카테고리의 명사류(예를 들어 '모든 남자들')가 H문에 실현되어 함의 관계를 구성하게 된다. 이 경우, 역방향의 관계 설정이 되면 다음과 같이 두 문장은 중립 관계가 된다.

- P ｜ 파티에 참석했던 **모든 남자들이** 그 광경을 보고 놀랐다.
- H ｜ 파티에 참석했던 **모든 사람들이** 그 광경을 보고 놀랐다.　　　　[중립]

　　일반적으로는 단조성의 관점에서 P문과 H문 사이의 추론 관계를 논의할 때, 앞서 '존재 양화사'의 유형에서 본 바와 같이 H문에 '상향 단조(upward monotone)'의 현상이 일어나는 경우에 함의 관계가 구성된다. 다음을 보자.

- P ｜ 파티에는 마을 사람들이 **처음 보는 낯선 남자가** 있었다.
- H ｜ 파티에는 마을 사람들이 **처음 보는 낯선 사람이** 있었다.　　　[함의]

즉 '처음 보는 낯선 남자'는 '처음 보는 낯선 사람'이므로, 두 문장은 함의 관계가 형성되지만, 역방향의 관계쌍이 형성되면 두 문장은 중립 관계가 된다.

- P ｜ 파티에는 마을 사람들이 **처음 보는 낯선 사람이** 있었다.
- H ｜ 파티에는 마을 사람들이 **처음 보는 낯선 남자가** 있었다.　　　[중립]

즉 P문의 '처음 보는 낯선 사람'은 '낯선 남자'인지 알 수 없으므로, 두 문장은 함의 관계가 될 수 없다.

　　이런 점에서 '모든'과 같이 '하향 단조'의 문맥을 요구하는 연산자들의 특이성이 확인된다. 실제 영어를 중심으로 연구된 논문들에 의하면 언어 모델이 '상향 단조'의 문장쌍보다 '하향 단조'의 문장쌍 해석에 보다 더 어려움을 보이는 것으로 나타났다. 한국어의 경우에도 이와 유사한 상황이 관찰될 것으로 예상되며, 이는 추가적인 연구를 통해 확인될 수 있을 것이다.

42 M04 수 관형어의 비단조 변형

전제문에 실현된 일련의 '수 관형어'가 가설문에서 '비단조성(non-monotone)'의 관계로 추론쌍을 구성하는 경우로, 다음과 같이 기술될 수 있다.

- 전제문(P) | [QUANTIF_Exact   Nn]1-가   PRED
- 가설문(H) | [QUANTIF_Exact   Nm]1-가   PRED

이러한 추론쌍의 예를 들면 다음과 같다.

P		나와 내 친구가 공통으로 알고 있는 친구는 **단 두명이야.**
	E	나와 내 친구가 공통으로 아는 친구는 **한 명보다 많지만 세 명은 안돼.**
H	C	나와 내 친구가 공통으로 알고 있는 친구는 **다섯 명이 넘어.**
	N	나와 내 동생이 공통으로 알고 있는 친구는 **단 두명이야.**

위의 P문에서 '단 두명이다'라는 수 표현은 H문에서 '한 명보다 많지만 세 명은 안된다'와 같은 표현을 통해 '함의' 관계를 구성하고 있다. 또한 '다섯 명이 넘는다'는 표현은 P문의 내용과 같지 않으므로 '모순' 관계를 구성한다.

'비단조'의 수 표현은 보통 '정확한 수(EXACT NUMBER)'를 표현하며, '정확히, 딱, 분명히, 단' 등의 부사어의 수식을 받아서, 'N-이상/이하'와 같은 범위 표현을 통해 상향 단조 또는 하향 단조를 표현할 수 있는 H문과는 일반적으로 함의 관계를 구성하지 못한다. 다음과 같다.

- P | 정확히 스무 명의 학생이 세미나에 참석했다.
- H | 스무 명 이상의 학생이 세미나에 참석했다.   [모순]

43 M05 두 관형어의 교차 변형

전제문에 관형어의 수식을 받는 명사구가 2쌍 이상 존재하며, 이들이 AND 유형으로 등위 접속되어 있을 때, 가설문에서 이러한 수식어구가 서로 교차하여 새로운 문장을 구성하는 유형이다. 이러한 명사구가 주어 위치에 실현된 구문의 예를 통해 기술하면 다음과 같다.

- 전제문(P) | [MODIFn Nn]1-AND [MODIFm Nm]2-가 PRED
- 가설문(H) | [MODIFm Nn]1-AND [MODIFn Nm]2-가 PRED

이 추론쌍의 예를 들면 다음과 같다.

P		앞집에 사는 남자는 **젊은** 의사이면서 동시에 **개혁적인** 시민운동가다.
	E	앞집에 사는 남자는 의사이면서 동시에 젊은 시민운동가다.
H	C	앞집에 사는 남자는 나이든 의사이면서 동시에 시민운동가다.
	N	앞집에 사는 남자는 **개혁적인** 의사이면서 동시에 **젊은** 시민운동가다.

위의 P문에서 보격 위치에는 주어에 대해 '젊은 의사'와 '개혁적인 시민운동가'라는 두 개의 속성을 동시에 부여하고 있다. 이때 H문에서 수식어 '젊은'과 '개혁적인'을 서로 교차하여 '개혁적인 의사'와 '젊은 시민운동가'라는 두 개의 명사구를 구성하게 되면, P문과는 중립의 관계를 구성하게 된다. 즉 앞집의 남자가 '젊은 시민운동가'는 맞는데, '개혁적인 의사'라고 묘사할 수는 없기 때문이다. 반면 위의 함의(E) 관계의 H문에서 보듯이, '의사이면서 동시에 젊은 시민운동가'라는 표현은 P문과 대응되는 진리가를 표현한다.

수식어구의 교차 현상을 고려할 때, 그 수식어가 '대상의 본질적 속성'을 표현하는 경우에는 교차를 허용하는 것을 볼 수 있다. 가령 '젊거나', '돈이 많거나', '키가 크거나' 하는 속성은 어떠한 직업 또는 분야에 따라 변화하는 특징이 아닌, 대상 고유의 속성이므로 교차되는 수식이 가능하지만, '개혁적인 시민운동가'가 '개혁적인 의사'는 서로 동일할 수 없기 때문이다.

수식어가 교차되는 추론쌍의 유형은 다음과 같이 3가지 유형으로 나누어 고찰될 수 있다.

1. '본질적 속성'을 표현하는 수식 성분의 교차

앞서 언급한 바와 같이, 대상 개체의 본질적이거나 지속적인 어떤 속성을 표현하는 수식어구의 경우에는 다른 명사구에 대한 교차 수식이 가능하다. 이 경우 두 문장은 함의 관계를 구성할 수 있다.

- P | 그 사람은 **중년의** 변호사이면서 돈이 많은 방송인이기도 합니다.
- H | 그 사람은 돈이 많은 변호사이면서 **중년의** 방송인이기도 합니다.   [함의]

2. '비본질적 속성'을 표현하는 수식 성분의 교차

위의 수식어와는 달리, 각각 피수식어 명사구에 특화된 형용사 수식어가 실현되는 경우가 있다. 이 경우에는 두 수식 성분을 교차하는 경우 두 문장이 함의 관계를 구성할 수 없다.

- P | 그 사람은 **유능한** 변호사이면서 인기있는 방송인이기도 합니다.
- H | 그 사람은 인기있는 변호사이면서 **유능한** 방송인이기도 합니다.   [중립]

3. '본질적 속성을 부정'하는 수식 성분의 교차

수식 성분에는 피수식어의 본질 속성을 '부정'하는 의미를 표현하는 일련의 형용사 유형이 존재한다. '가짜, 거짓, 위조된' 등과 같은 유형들로서(MacCartney 2009), 이러한 수식 성분이 교차되는 경우 문장의 의미가 달라지게 되므로 함의 관계를 구성하지 못한다.

- P | 그 사람은 **가짜** 변호사이면서 돈 많은 방송인이기도 합니다.
- H | 그 사람은 돈 많은 변호사이면서 **가짜** 방송인이기도 합니다.　　[중립]

앞서 언급한 수식 성분들은 일반적으로 문장 속에서 생략이 되어도 문장의 진리가를 변화시키지 않는 경우가 많아 함의 관계를 그대로 유지하는데, 이 유형의 수식 성분들이 '삭제'되는 경우에는 다음과 같이 모순의 추론 관계를 구성할 수 있다.

- P | 그 사람은 **가짜** 변호사이면서 돈 많은 방송인이기도 합니다.
- H | 그 사람은 변호사이면서 돈 많은 방송인이기도 합니다.　　[모순]

44 M06 관형어의 위치 변형

　전제문에서 명사구를 수식하는 일정 수식 성분이 가설문에서 그 출현 위치가 변동되어 구성되는 추론쌍으로, 다음과 같이 기술될 수 있다.

- 전제문(P) ｜　MODIF　N1-의　 N2-가　 PRED
- 가설문(H) ｜　N1-의　 MODIF　N2-가　 PRED

이 추론쌍의 예를 들면 다음과 같다.

P		**신규 출시된** 삼성의 노트북은 놀라운 기능을 갖추었다.
	E	삼성의 **신규 출시된** 노트북은 놀라운 기능을 갖추었다.
H	C	신규 출시된 삼성의 노트북은 놀라운 기능이 전혀 없다.
	N	신규 출시된 샤오미의 노트북은 놀라운 기능을 갖추었다.

위의 P문에서 수식어 '신규 출시된'은 바로 오른쪽의 명사 '삼성'을 수식 하는 성분이 아니라, 그 오른쪽의 '노트북'을 수식하는 성분이다. 이때 이 수식어가 '삼성'의 오른쪽으로 위치 이동을 하면 두 문장에 실현된 수 식어 '신규 출시된'은 여전히 동일한 '수식어-피수식어' 관계쌍을 유지하 므로, 두 문장은 함의 관계를 구성한다.

　실제로 한국어 명사구 구성에서 'MODIF N1-의 N2'와 같은 구성은 '관형형 수식어(MODIF)'가 N1과 N2를 모두 수식할 수 있는 중의적 구 조를 구성하므로, 이때 수식어와 명사구들 사이의 의미적 제약 관계의 특징에 따라 그 통사 구조 역시 결정되어야 한다. 이러한 관점에서 다음 2가지 유형으로 나누어 고찰할 수 있다.

1. 관형어(MODIF)가 N2를 수식하는 유형

'MODIF N1-의 N2' 구조에서 앞서 살핀 것처럼 수식어 성분이 N2를 수식하는 유형이라면(즉 "MODIF [N1-의 N2]"의 구조), P문의 수식 성분이 다음과 같이 H문에서 위치 이동을 해도, 두 문장은 함의 관계를 구성한다.

- P | **털빠진** 삼촌의 반려견은 항상 문앞에 웅크리고 있다.
- H | 삼촌의 **털빠진** 반려견은 항상 문앞에 웅크리고 있다.   [함의]

2. 관형어(MODIF)가 N1를 수식하는 유형

위와 반대로, 수식어 성분이 N1을 수식하는 유형이라면(즉 "[MODIF N1]-의 N2"의 구조), P문의 수식 성분은 H문에서 이동할 수 없다. 다음을 보자.

- P | **돈많은** 삼촌의 반려견은 항상 문앞에 웅크리고 있다.
- H | *삼촌의 **돈많은** 반려견은 항상 문앞에 웅크리고 있다. [문장 성립 불가]

다만 수식 성분과 N1, N2의 의미 관계에 있어, 'MODIF N1'과 'MODIF N2'의 수식 관계가 모두 가능하다면, 두 문장은 중의적 해석이 가능하므로, P문은 그 자체로 중의적인 문장이 된다. 가령 다음을 보면,

- P | **건강한** 삼촌의 반려견은 항상 꼬리를 흔든다.

수식어 '건강한'은 '삼촌'과 '반려견' 모두에 대한 수식 관계를 허용하므로(즉 '건강한 삼촌'과 '건강한 반려견'), '삼촌의 건강한 반려견'과 같은 H문의 구성은 위의 P문과 함의 관계가 될 수도 있고 비함의 관계가 될 수도 있다.

45 M07 관형어의 삭제 변형

전제문의 수식어구가 동사나 형용사의 관형형 또는 일련의 관형절로 실현될 때, 가설문에서 이러한 수식어구가 삭제되어 추론쌍을 구성하는 유형으로, 다음과 같이 기술될 수 있다.

- 전제문(P) | [MODIF N]1-가 　PRED
- 가설문(H) | N1-가 　　　　　PRED

이 추론쌍의 예를 들면 다음과 같다.

P		회사는 **언어학을 전공한** 연구원들을 채용했다.
	E	회사는 연구원들을 채용했다.
H	C	회사는 연구원들을 뽑지 않았다.
	N	회사는 생물학을 전공한 연구원들을 채용했다.

위의 P문에는 '언어학을 전공한'이라는 관형절 수식어가 실현되었고, H 문에서 이 수식어가 생략되어 함의 관계를 구성하였다. 이 경우 두 문장이 역방향의 관계로 설정되면 두 문장은 중립 관계로 변환된다.

　위의 예에서 보는 것처럼 H문에 수식어가 삭제되면 문장의 의미 범위가 더 넓어지면서 두 문장이 함의 관계를 구성하는 것이 일반적인 현상이다. 다만 앞서도 논의한 바와 같이 하향 단조(downward monotone)의 속성을 갖는 일련의 연산자가 실현된 구문에서는 이러한 함의 관계가 성립하지 못한다. 다음을 보자.

- P | 우크라이나 사람들은 **러시아의** 어떠한 미사일 공격도 겁내지 않았다.
- H | 우크라이나 사람들은 어떠한 미사일 공격도 **겁내지 않았다.** [중립]

위의 P문에서 전제문에서는 '러시아의 미사일 공격'을 겁내지 않았다는 것을 의미하지만, 수식어가 삭제된 H문에서는 '특정 주체에 의한 미사일 공격'이 아닌 '일반적 미사일 공격'을 의미하므로 P문에 언급되지 않은 정보를 포함하면서 두 문장은 비함의 관계가 된다.

여기서 이러한 하향 단조를 요구하는 연산자 '부정소(negator)'가 삭제된 다음과 같은 문장쌍에서는, H문에 수식어가 삭제되어도 함의 관계가 유지되는 것을 볼 수 있다.

- P | 우크라이나 사람들은 **러시아의** 크림반도 공격을 걱정했다.
- H | 우크라이나 사람들은 크림반도 공격을 걱정했다. [함의]

수식성분 변환 스키마

관형어 등위접속 | M08-M09

전제문에서 명사구에 대한 수식어(modifier) 성분이 AND-등위접속 또는 OR-등위접속된 형태로 실현되고, 이때 가설문에서 한 성분이 삭제되는 추론쌍 유형으로, 다음 2가지로 분류된다.

- M08 | 관형어의 AND 등위접속
- M09 | 관형어의 OR 등위접속

46 M08 관형어의 AND 등위접속

전제문에서 두 개 이상의 수식어(MODIF)가 AND 방식으로 연결된 구조로부터, 가설문에 하나가 삭제되어 추론쌍을 구성하는 경우이다. 관형어가 주어 위치의 명사구를 수식하는 예를 통해 이 추론쌍의 관계를 기술하면 다음과 같다.

- 전제문(P) | [MODIFn-AND MODIFm Nnm]1-가 PRED
- 가설문(H) | [MODIFn Nnm]1-가 PRED

이 추론쌍의 예를 들면 다음과 같다.

P		그 친구는 **성실하고 겸손한** 청년이다.
	E	그 친구는 **성실한** 청년이다.
H	C	그 친구는 성실하지만 거만한 청년이다.
	N	그 친구는 성실하고 똑똑한 청년이다.

위의 P문의 '성실한'과 '겸손한'의 두 수식어는 AND 등위접속 관계로 연결되어 있다. 이 중 H문에 한 성분이 삭제되어도 여전히 함의 관계를 구성한다.

그런데 수식어의 AND 등위접속 구문에 기반한 문장쌍의 추론 관계는 수식 성분의 '한정성(determinicity)'의 문제와 연결되어 있다. 예를 들어 다음 두 유형을 비교해 보면,

- [1a] P | 그 아이는 많은 상자 중에 한 작고 긴 상자를 골랐습니다.
- [1b] H | 그 아이는 많은 상자 중에 한 작은 상자를 골랐습니다.　　　[함의]

- [2a] P | 그 아이는 많은 상자 중에 그 작고 긴 상자를 골랐습니다.
- [2b] H | 그 아이는 많은 상자 중에 그 작은 상자를 골랐습니다.　　　[중립]

위의 [1]에서는 '비한정성(non-determinicity)'의 성격을 보이는 명사구에서 AND로 연결된 수식어가 삭제된 경우로서, '하나의 작고 긴 상자'는 '하나의 작은 상자'에 포함되므로, 두 문장은 함의 관계를 구성한다. 반면 [2]에서는 '한정성'의 성격을 보이는 '특정' 대상에 대한 AND 연결 수식어가 삭제된 경우로서, 실제로 H문에 기술된 '그 작은 상자'가 P문에 기술된 '그 작고 긴 상자'일지가 명확하지 않다. 만일 진열대에 온갖 형태의 다양한 상자들이 있었고, 그래서 거기서 '작고 긴 상자'들과 '작고 길이가 짧은 상자'들, '작고 둥근 상자' 등 여러 유형의 작은 상자들이 있었다면, H문에서의 '그 작은 상자'가 어떤 상자를 가르키는지 특정하기 어렵기 때문이다.

따라서 수식어의 AND 등위접속에 기반한 문장쌍의 추론 관계는 각 수식 성분의 '한정성'의 특징과 함께 고려해서 결정되어야 한다. 여기서 논의하는 추론쌍은, AND로 연결되는 두 성분이 어떠한 특징을 갖는가에 따라 다음 3가지로 나누어 고찰될 수 있다.

1. 형용사 관형형의 AND-등위접속 구문

'형용사 관형형이 AND로 연결된 수식 성분'의 삭제 변형에 의한 추론쌍 구성으로, 예를 들면 다음과 같다.

- [1] P | 아이들은 미술시간에 **빨갛고 단단한** 공을 만들었다.
  　H | 아이들은 미술시간에 **빨간** 공을 만들었다.　　　[함의]

위에서 P문의 '빨갛고 단단한 공'은 H문의 '빨간 공'에 해당하므로, 두 문장은 함의 관계가 된다.

여기서 [1]의 P문과 표면적 형식 구조가 동일하지만(즉 'N1-가 N2-에 ADJ1-고 ADJ2-한 N3-를 V' 구조), 다음 [2]와 같이 전혀 다른 통사 구조를 구성하는 문장이 P문에 실현되는 경우를 보자.

- [2] P | 아이들은 미술시간에 **시끄러웠고** 짜증난 참관인들을 화나게 했다.
  H | 아이들은 미술시간에 **시끄러운 참관인들을** 화나게 했다. [중립]

이 경우 ADJ1은 N3를 수식하는 성분이 아니라 N1의 술어로 실현된 형태이므로, 위에서처럼 동일한 삭제 변형을 하는 경우, 두 문장은 함의 관계를 구성하지 못한다. 즉 위의 [1]과 [2]의 P문은 다음과 같이 기술된다.

- [1a] N1-가 N2-에 **[ADJ1-고 ADJ2]-한** N3-를 V [수식어 접속]
- [2a] N1-가 N2-에 **[ADJ1]-고,** [ADJ2-한 N3]-를 V [문장 접속]

이와 같이 표면적으로 어휘 및 통사적 유사도가 높은 문장들 사이의 정확한 의미 구조의 차이를 언어 모델이 이해할 수 있도록 하기 위해서는 이러한 유형의 문장쌍들로 구성된 학습 데이터의 구축이 유용할 것으로 판단된다.

2. 동사 관형형의 AND-등위접속 구문

'동사의 관형형이 AND로 연결된 수식 성분'에 대한 삭제 변형으로 추론쌍을 구성하는 경우로, 예를 들면 다음과 같다.

- P | 그 친구는 모퉁이를 돌다가 **우산을 쓰고 비옷을 입은 소녀를** 만났다.
- H | 그 친구는 모퉁이를 돌다가 우산을 쓴 소녀를 만났다.　　　　　[함의]

3. 명사구 수식어의 AND-등위접속 구문

명사구가 수식어로 사용된 구문으로, 두 개의 수식어가 AND로 연결된 경우이다. 이때 가설문에서 하나가 삭제되어 추론쌍을 구성하는 경우로서, 예를 들면 다음과 같다.

- P | **미국팀과 중국팀의 선수들**이 운동장을 돌기 시작했다.
- H | 미국팀의 선수들이 운동장을 돌기 시작했다.　　　　　　　[함의]

여기서 동사나 형용사 관형형을 AND로 연결하는 실제 어휘 표현은 일련의 활용어미들로, '~고'나 '~며', '~면서' 등과 같은 일련의 활용어미들이 사용될 수 있다. 반면, 명사 수식어를 연결하는 성분은 일련의 조사(후치사)로서, '~와'나 '~하고', '~랑', '~뿐 아니라', '~와 더불어' 등이 사용된다.

47 M09 관형어의 OR 등위접속

전제문에서 두 개 이상의 수식어(MODIF)가 OR 방식으로 연결된 구조로부터, 가설문에 하나가 삭제되어 추론쌍을 구성하는 경우이다. 관형어가 주어 위치의 명사구를 수식하는 예를 통해 이 추론쌍의 관계를 기술하면 다음과 같다.

- 전제문(P) | [MODIFn-OR MODIFm Nnm]1-가 PRED
- 가설문(H) | [MODIFn Nnm]1-가 PRED

이 추론쌍의 예를 들면 다음과 같다.

P		이 학생은 **아주 똑똑하거나 아주 어리석은** 사람이군요.
	E	이 사람은 아주 똑똑하거나 아주 어리석은 사람이군요.
H	C	이 학생은 똑똑하지도 않은데 아주 어리석지도 않아요.
	N	이 학생은 **아주 똑똑한** 사람이군요.

위의 P문에서는 '똑똑하거나'와 '어리석은'의 두 수식어가 실현되었고, 여기서 하나가 삭제되어 '똑똑한 사람'으로 표현된 H문은 중립 관계의 추론쌍을 구성하였다. 즉 P문에서는 둘 중의 하나라는 의미로 표현된 반면, H문에서는 하나의 사실로 단정적 서술을 하고 있으므로 두 문장은 함의 관계를 이루지 못한다.

이 경우에도 OR로 연결되는 두 성분이 어떠한 유형인가에 따라 다음 3가지로 나누어 고찰할 수 있다.

1. '형용사 관형형'의 OR 등위접속 구문

형용사 관형형이 OR로 연결된 경우, 한 성분을 삭제하여 추론쌍을 구성할 수 있다. 다음을 보자.

- [1] P | 작업자들은 바구니에서 **빨갛거나 파란 공**을 꺼냈다.
  H | 작업자들은 바구니에서 **빨간 공**을 꺼냈다. [함의]

여기서 P문의 수식어는 '빨갛다-OR 파랗다'의 구조로 구성되어 있으며, H문에서 '빨갛다'의 속성만이 선택되어 추론쌍을 구성하였다. 위에서는 '불특정 회수의 여러 번의 동작'이 이루어진다는 의미가 함축되어 있기 때문에, H문에서의 '빨간 공을 꺼내는 행위'가 마찬가지로 참이 된다.

그런데 다음을 보면,

- [2] P | 그 친구는 면접에서 **짧거나 긴 질문지**를 하나 골랐을거야.
  H | 그 친구는 면접에서 **짧은 질문지**를 하나 골랐을거야. [중립]

'짧거나 긴' 질문지를 하나 골랐을 상황을 기술하는 P문에 대해서, '짧은' 질문지를 하나 골랐을 것이라고, 사실상 선택지가 사라진 H문은 함의 관계를 구성하지 못한다.

즉 위의 [1]의 추론쌍과의 차이점은, [1]에서는 여러 반복되는 동작들 중의 일부를 H문에서 기술함으로써 부분집합의 의미를 내포한다면, [2]에서는 단 1회의 동작에 대해, 1가지를 선택한 내용을 H문에 기술함으로써 P문과 다른 의미를 내포하게 되었다는 데에 있다. 이것은 앞서 다른 문장 성분들의 OR 등위접속 구문에서도 논의한 바와 같이 '불리언-OR(Boolean OR)'과 '배타적-OR(Exclusive OR)'의 문제와 맞닿아있다. 즉 [1]의 경우 'A-OR-B'의 구성이 두 가지의 경우를 모두 포함할 수 있는 '불리언-OR'의 유형이라면, [2]의 경우는 'A-OR-B'의 구성이 동시에 성립할 수 없는 서로 배타적인 선택 사항을 의미하는 구성인 것이다.

이러한 '불리언-OR'과 '배타적-OR'은 다음과 같은 부사어의 삽입 검증을 통해서도 확인된다.

- 불리언-OR(Boolean OR) | A-OR B ⇒ *A-거나 **"아니면"** B
- 배타적-OR(Exclusive OR) | A-OR B ⇒ A-거나 **"아니면"** B

즉 'A-거나 또는 B'에서와 같이 대체로 두 경우 모두 삽입 가능한 부사어 '또는'과 달리, '아니면'의 경우는 반드시 '배타적-OR' 구문에서만 삽입이 가능하다. 위의 [1]과 [2]의 P문에 대해 '아니면'을 삽입해 보면 다음과 같은 양상을 보인다.

- [1a] P | 작업자들은 바구니에서 빨갛거나 [*아니면] 파란 공을 꺼냈다.
- [2a] P | 그 친구는 시험에서 짧거나 [아니면] 긴 질문지를 하나 골랐을거야.

2. '동사 관형형'의 OR 등위접속 구문

동사 관형형이 OR로 연결된 경우, 여기서도 한 성분이 삭제되어 추론쌍을 구성할 수 있다. 이 경우에도 앞서 형용사 관형형의 경우처럼 '불리언-OR'과 '배타적-OR'의 두 가지 유형을 구별할 수 있다.

- [1] P | 그 친구는 어제 **우산을 쓰거나 비옷을 입은** 아이들을 만났다.
  H | 그 친구는 어제 우산을 쓴 아이들을 만났다. [함의]

- [2] P | 그 친구는 어제 **우산을 쓰거나 비옷을 입은** 소녀를 만난거 같애.
  H | 그 친구는 어제 우산을 쓴 소녀를 만난거 같애. [중립]

위에서 [1]과 [2]의 결정적인 차이점을 보면, 우선 [1]의 경우 P문은 '복수(plural)'의 대상 '아이들'에 대한 기술이므로, H문에서 등위 접속된 동사 관형형 성분 하나가 삭제되고 '우산을 쓴 아이들'로 치환되는 경우 전체에 대한 '일부'로서의 해석을 받게 되어 함의 관계가 된다. 즉 여기서 P문은 '불리언-OR' 방식의 집합적 의미를 갖는다.

반면 [2]의 경우, P문에 묘사된 대상은 '소녀' 한 명으로서, 여기서 '우산을 쓰거나(OR) 비옷을 입은'은, 두 가지 옵션 중 하나만이 참이 되는 배타적 OR의 의미로서, 이 경우 '우산을 쓴 소녀'라고 한 가지 옵션을 선택한 H문은 P문과는 함의 관계를 구성할 수 없게 된다.

여기서 [1]과 [2]의 P문에 나타난 '양태'의 보조용언을 비교해 보면, 두 문장의 차이점이 더 잘 드러난다. [1]과 같이 복수의 집합에 대한 'V-OR V' 관형형 구성은 두 가지 옵션이 가능함을 의미하므로, 단정적 방식의 과거시제 '만났다'와 같은 술어가 가능하지만, [2]와 같이 단수 대상에 대한 'V-OR V'가 기술된 경우는 둘 중 하나만이 참이 되므로, 이 경우는 화자의 '불확신성'이 표현된 것으로 해석되어야 문장의 의미가 성립한다. 이 경우 '만난거 같애'와 같이 '추측'의 양태 표지가 포함되어야 문장이 자연스럽다. 가령 다음을 보면,

- P | 그 친구는 어제 **우산을 쓰거나 비옷을 입은 소녀를** 만났어.

위의 문장은 [2]의 P문에 비해 다소 부자연스러우며, 이 문장이 받아들여진다면 이 경우는 '그 친구는 (아마도+내 생각에+추측건대) 어제 우산을 쓰거나 비옷을 입은 소녀를 만났어'와 같이 화자의 추측을 포함하는 문장으로 해석되는 경우가 된다.

3. 명사 수식어의 OR 등위접속 구문

명사 수식어가 OR로 연결된 경우, 한 성분이 삭제되어 추론쌍을 구성하는 유형의 예를 들면 다음과 같다.

- [1] P | 그 선수는 **축구하는 남자들의 또는 축구팬 여자들의 최고 우상**일 겁니다.
  H | 그 선수는 축구하는 남자들의 최고 우상일 겁니다.   [함의]

- [2] P | 그 분은 **작년 연세대 펜싱팀의 또는 고려대 펜싱팀의 감독**을 맡았었을 겁니다.
  H | 그 분은 작년 연세대 펜싱팀의 감독을 맡았었을 겁니다.   [중립]

이 경우에도 앞서 '형용사 관형형'이나 '동사 관형형'의 OR 접속문의 경우처럼, '불리언-OR'과 '배타적-OR'의 두 가지 유형으로 나뉘어진다. [1]의 경우 'N-OR N'의 관형형 구성에서 두 가지 옵션이 동시에 '참'이될 수 있는 '불리언-OR'의 특징을 보인다면, [2]의 경우는 둘 중 한가지만이 '참'이라는 '배타적-OR'의 특징을 보이기 때문에, [1]과 달리 중립의 관계를 구성하게 된다.

수식성분 변환 스키마

관계절 변형 | M10-M13

전제문에서 명사구를 수식하는 관계절이 가설문에서 삭제되어 추론 쌍을 구성하는 유형으로, 여기서는 다음 4가지 유형에 대해 고찰한다.

- M10 | 주어의 주격 관계절 변형
- M11 | 주어의 비주격 관계절 변형
- M12 | 비주어 논항의 주격 관계절 변형
- M13 | 비주어 논항의 비주격 관계절 변형

48 M10 주어의 주격관계절 변형

'주어의 주격 관계절 변형'은 전제문의 주어를 수식하는 주격 관계절이 가설문에서 삭제되어 추론 관계를 구성하는 유형으로, 다음과 같이 기술될 수 있다.

- 전제문(P) | [Ø PREDn-DetEnd Nnm]1-가 PREDm
- 가설문(H) | Nm1-가 PREDm

이 추론쌍의 예를 들면 다음과 같다.

P		사건의 경위를 알지 못했던 경찰관은 거리에 있던 학생들을 조사했다.
	E	경찰관은 거리에 있던 학생들을 조사했다.
H	C	사건의 경위를 알지 못했던 경찰관은 거리에 있던 학생들을 귀가시켰다.
	N	사건의 경위를 알지 못했던 조사관은 거리에 있던 학생들을 조사했다.

위 P문의 주어 '경찰관'은 '사건의 경위를 알지 못했던'이라는 주격 관계절의 수식을 받고 있으며, H문에서 이 관계절이 삭제되어 함의 관계를 구성하고 있다.

문장 내에 관계절이 삽입될 때, 언어 모델은 그 관계절의 통사적 관계를 잘못 인식할 수 있다. 가령 다음을 보면,

- P | 법원에서 판사와 범인을 구속하였던 경찰관이 소리높여 언쟁을 벌였다.
- H | [1] 법원에서 판사와 경찰관이 소리높여 언쟁을 벌였다. [함의]
- [2] 법원에서 판사와 범인을 구속하였다. [중립]

P문의 주어 '경찰관'에는 '범인을 구속하였던'이라는 주격 관계절이 삽입되어 있다. 이때 관계절을 삭제한 H문 [1]의 경우는 P문과 함의 관계를 구성하지만, H문 [2]의 경우에는 '범인을 구속하였던'이라는 관계절의 통사적 구조를 전혀 다르게 분석하여 '법원에서 판사와 범인을 구속하였다'는 다른 의미의 문장을 도출한 것을 볼 수 있다. P문과는 별개의 의미 구조를 갖는 문장이 되므로, 중립 관계를 구성하게 된다.

관계절 등이 삽입된 통사적 복합문의 경우, 이러한 문장들에 대한 올바른 의미 해석이 가능하기 위해서는 문장의 '통사 구조(syntactic structure)'에 대한 지식이 요구되는 경우가 많다. 영어의 이러한 문제를 논의한 연구가 HANS 데이터셋(McCoy et al. 2019)으로서, 앞서 제1장에서 살핀 것처럼 영어에서 '동일 표면 구조'로 실현되는 두 문장들이 실제로 서로 다른 통사 구조로 구성되어 있는 경우, 그 함의문이 다르게 구성되어야 한다는 점을 확인할 수 있다.

실제로 한국어 문장에서 '관계절'은, 형용사나 동사 서술어의 관형형만으로 구성된 '명사 수식 관형어' 성분과의 경계가 분명하지 않다. 여기서는 관계절을 '형용사나 동사가 다른 논항을 내포한 술어 성분으로 실현된 경우'로 정의하며, 이때 HANS의 3가지 통사적 변형에 기반하여 추론쌍을 살펴보기로 한다.

1. '어휘적 중첩(lexical overlap)'을 고려한 비함의 구문 구성

'어휘적 중첩' 현상은 P문과 H문 사이의 단어 분포가 거의 유사한 경우, 언어 모델이 이들을 함의 관계로 추정하는 휴리스틱을 사용한다는 가정으로, 다음과 같은 문장쌍에서 이를 확인할 수 있다.

- P | **아무것도 할 수 없는** 아이들은 밤이 오기만을 기다렸다.
- H | [1] 아이들은 밤이 오기만을 기다렸다.   [함의]
  [2] 아이들은 **아무것도 할 수 없는** 밤이 오기만을 기다렸다.   [중립]

위의 H문 [1]은 '주격 관계절'이 삭제된 형태로 P문과 함의 관계를 구성한다. 반면 H문 [2]에서는 관계절이 다른 성분에 대한 수식어로 실현되었다. 이때 H문 [2]가 P문과 함의 관계가 될 수 없음을 이해하기 위해서는, 두 문장의 통사적 구조가 서로 같지 않음(즉 '관계절의 선행사가 서로 같지 않음')을 이해해야 하는데, 여기서 두 문장에 실현된 단어 구성이 매우 높은 비율로 일치하므로(즉 높은 비율로 '어휘적 중첩'이 일어나므로), 이러한 문장쌍의 경우 언어 모델은 높은 확률로 잘못된 추론을 하게 된다는 것이다.

'관계절'을 내포한 P문에 대한 '중립' 또는 '모순' 관계의 H문을 구성할 때, 이러한 특징을 고려하여 진행하게 되면 보다 정교하게 학습된 언어 모델을 기대할 수 있게 될 것이다.

2. '연속된 연쇄(subsequence)'를 고려한 비함의 구문 구성

'연속된 연쇄' 현상은 P문에서 문장 내의 일부 연속된 연쇄를 그대로 가져다가 H문을 구성하는 경우, 언어 모델이 함의 관계로 추정하는 휴리스틱을 사용한다는 가정으로, 예를 들어 다음과 같은 경우이다.

- P | 교사들이 **그 학생들을 도운** 젊은 변호사를 만나러 갔다.
- H | [1] 교사들이 젊은 변호사를 만나러 갔다.   [함의]
   [2] 교사들이 **그 학생들을 도왔다.**   [중립]

위의 H문 [1]에서는 주격 관계절이 삭제되어 P문과 함의 관계를 구성하였지만, H문 [2]에서는 P문의 첫 연속된 세 어절을 그대로 사용해서 문장을 구성한 경우로, P문과 함의 관계를 이루지 못한다. 즉 이 구문이 P문과 함의 관계가 될 수 없음을 알기 위해서는, P문의 본래 통사 구조를 올바르게 분석할 수 있어야 한다.

반면, 위의 P문과 일부 연쇄의 표면 형식이 동일하게 보이는 다음 P

문의 경우는 실제적 통사 구조가 전혀 상이하므로, 위의 '중립' 관계의 'P-H문 [2]' 쌍과 달리, 이들은 '함의' 관계를 구성한다.

- P | **교사들이 그 학생들을 도운** 숨겨졌던 사실이 모두에게 알려졌다.
- H | **교사들이 그 학생들을 도왔다.**   [함의]

일반적으로 이와 같이 동일한 연속된 연쇄가 실현될 때, 모델은 이들을 함의 관계로 추론하는 휴리스틱을 사용할 수 있으므로, 이 경우에도 비함의 문장 구성에 위와 같은 문장쌍을 의도적으로 설정하게 되면, 보다 신뢰할 수 있는 모델을 구현하는 데에 기여할 수 있을 것이다.

3. '문장 구성성분(constituent)'을 고려한 비함의 구문 구성

'문장 구성성분' 유형은, P문에서 문장을 구성하는 하나의 직접 '구성성분(consituent)'을 분리하여 H문에서 하나의 문장을 구성하는 경우로서, 언어 모델이 함의 관계로 추정하는 휴리스틱을 사용한다는 가정이다. 다음과 같은 예가 여기 해당한다.

- P | 어제 장마가 시작되었더라면, **여행을 떠나려던** 사람들이 일정을 바꿨을텐데요.
- H | [1] 어제 장마가 시작되었더라면, 사람들이 일정을 바꿨을텐데요. [함의]
      [2] 어제 장마가 시작되었다.   [모순]

위에서 H문 [1]에는 P문의 주격 관계절이 삭제되어 함의 관계를 구성하였다. 그런데 H문 [2]에서는 P문의 '문장 구성 직접성분'인 '조건절(conditional)'이 분리되어 문장을 구성한 경우로, 이 조건절은 현재 사실에 반대되는 '가정'을 표현하고 있으므로, 이렇게 구성된 H문 [2]는 P문과 '모순' 관계를 구성하게 된다.

반면 이러한 부사절 중에 '원인' 부사절과 같은 다음 유형은 이미 일어난 사실을 묘사하고 있으므로, 두 문장은 함의 관계를 구성하게 된다.

- P | 어제 장마가 시작되어서, **여행을 떠나려던** 사람들이 일정을 바꿨다.
- H | 어제 장마가 시작되었다.   [함의]

P문에 이와 같은 '원인절'이 실현되는 경우 이를 기반으로 하는 '함의' 문장이 구성될 수 있다면, 반대로 '조건절'이 실현되는 경우에는 이를 기반으로 하는 '모순'의 추론쌍이 구성될 수 있다는 점을 확인할 수 있다.

이 경우에도 이러한 부사절의 속성에 따라 문장쌍의 추론 관계가 달라질 수 있음을 언어모델이 이해하지 못하는 경우 잘못된 결과를 도출하게 될 것이다. 부사절의 문제는 '부사절 변형(M14-M19)'에서 상세히 다루어진다.

49 M11 주어의 비주격 관계절 변형

전제문의 주어 위치에 목적격 또는 부사격의 관계절이 수식어로 실현되고, 이 부분이 가설문에서 삭제되어 추론쌍을 구성하는 경우로, 다음과 같이 기술될 수 있다.

- 전제문(P) | [Nn-가 Ø PREDn-DetEnd] Nm1-가   PREDm
- 가설문(H) | Nm1-가   PREDm

이 추론쌍의 예를 들면 다음과 같다.

P		**우리가 어제 만난** 국선변호사가 이번 사건을 담당하기로 했다.
	E	국선변호사가 이번 사건을 담당하기로 했다.
H	C	우리가 어제 만난 국선변호사는 이번 사건을 맡지 않는다.
	N	우리가 오늘 만난 국선변호사가 이번 사건을 담당하기로 했다.

위의 P문에는 주어 '국선변호사'에 '우리가 어제 만난'이라는 목적격 관계절이 삽입되어 있으며, H문에서 이 관계절이 삭제되어 함의 관계를 구성하고 있다.

주어의 비주격 관계절은 다음과 같이 2가지 유형으로 나누어 논의될 수 있다.

1. 주어를 수식하는 '목적격 관계절'이 삭제된 유형

앞서 살핀 바와 같이 주어를 수식하는 관계절이 '목적격 관계절'로 실현되는 경우로서 예를 들면 다음과 같다.

- P ｜ **전세사기 피해자들이 고발한** 그 사기꾼이 젊은 청년들을 또한번 속였네!
- H ｜ 그 사기꾼이 젊은 청년들을 또한번 속였네!　　　　　　　　　[함의]

즉 P문에서 주어인 '그 사기꾼이'는 '전세사기 피해자들이 고발한'이라는 목적격 관계절의 수식을 받고 있으며, 이 성분이 삭제된 H문과 함의 관계를 구성한다. 이 경우, 아래의 구문처럼 목적어 '젊은 청년들'이 문두로 이동하여 문장의 표면 구조가 변형되면, 이와 통사적 구조는 상이하지만 표면적으로 높은 유사성을 보이는 H문과 '함의' 추론 관계를 예상하는 휴리스틱이 사용될 확률이 높다.

- P ｜ 젊은 청년들을 **전세사기 피해자들이 고발한** 그 사기꾼이 또한번 속였네!
- H ｜ 젊은 청년들을 **전세사기 피해자들이 고발했네!**　　　　　　[중립]

앞서 '주격 관계절' 구문에서 논의한 것처럼, 이러한 유형의 '비함의 관계쌍'을 함께 고려하여 추론쌍을 구성할 때, 보다 정교한 모델의 학습을 기대할 수 있을 것이다.

2. 주어를 수식하는 그 외 유형의 관계절이 삭제된 유형

　　주어를 수식하는 관계절이 '여격 또는 다른 부사격' 유형의 관계절로 실현되는 경우로서, 예를 들면 다음과 같다.

- [1] P ｜ **경찰이 많은 도움을 주었던** 국선변호사가 이 사건을 담당하기로 했다.
　　　　H ｜ 국선변호사가 이 사건을 담당하기로 했다.　　　　　　[함의]

- [2] P ｜ **우리가 많은 논쟁을 벌였던** 국선변호사가 이 사건을 담당하기로 했다.
　　　　H ｜ 국선변호사가 이 사건을 담당하기로 했다.　　　　　　[함의]

위의 [1]에서 P문에는 '경찰이 그 국선변호사에게 도움을 주었다'는 의미가 관계절을 통해 표현되었고, 여기서 관계절이 삭제되고 여격 논항 '국선변호사에게'가 주어로 실현된 주절만으로 H문이 구성되었다. [2]에서는 '우리가 그 국선변호사와 논쟁을 벌였다'는 문장 구조에서 관계절이 삭제되고 부사격 논항 '국선변호사와'가 주어로 실현된 주절 부분으로 함의 관계의 H문이 구성되었다.

이때에도 한국어의 자유 어순의 특징을 사용하여 다음과 같이 표면적 유사성을 보이는 추론쌍들을 생성할 수 있다.

- [3] P ㅣ 가출청소년들에게 **경찰이 많은 도움을 주었던** 국선변호사가 연락을 했다.
  H ㅣ 가출청소년들에게 **경찰이 많은 도움을 주었다**. [중립]

- [4] P ㅣ 가출청소년들과 **우리가 많은 논쟁을 벌였던** 국선변호사가 다시 충돌했다.
  H ㅣ 가출청소년들과 **우리가 많은 논쟁을 벌였다**. [중립]

위에서 각 P문의 문두에 나타난 여격 논항 '가출청소년들에게'나 공동격 논항 '가출청소년들과'는 주절 동사('연락을 하다'와 '충돌하다')의 지배를 받는 논항들이다. 그러나 주어를 수식하는 관계절로 삽입된 '경찰이 도움을 주었던'이나 '우리가 논쟁을 벌였던'과 같은 구문이, 선행하는 부사격 논항과 연속되는 위치에 실현되면서 모델이 잘못된 구문·의미 해석을 수행할 수 있는 가능성이 높아지게 된다. 이 경우, 각 H문이 '비함의' 관계인 것을 인식하지 못하고, 이들을 '함의' 관계로 잘못 추론할 확률이 높아진다.

여기서도 다시 한번, 통사 구조에 대한 정확한 이해가 수반되어야 문장의 올바른 의미를 파악할 수 있고, 나아가 두 문장쌍의 올바른 추론 관계를 제시할 수 있으므로, 이를 위한 언어학적 속성 기반 학습 데이터의 구축이 중요하다는 점을 확인할 수 있다.

50 M12 비주어 논항의 주격 관계절 변형

전제문에서 목적격 논항이나 여격 논항과 같은 비주어 논항에 '주격 관계절'이 실현되고, 이 부분이 가설문에서 삭제되어 추론쌍을 구성하는 유형으로, 다음과 같이 기술될 수 있다.

- 전제문(P) | Nn1-가 [Ø PREDm-DetEnd Nm]2-POST PREDn
- 가설문(H) | Nn1-가 Nm2-POST PREDn

이 유형의 추론쌍의 예를 들면 다음과 같다.

P		청년들은 늘 싸움만 하는 요즘 정치인들을 싫어합니다.
	E	청년들은 요즘 정치인들을 싫어합니다.
H	C	청년들은 요즘 정치인들을 좋아합니다.
	N	주부들은 늘 싸움만 하는 요즘 정치인들을 싫어합니다.

위의 P문에서 '늘 싸움만 하는'이라는 주격 관계절이 목적어 '정치인들을'의 수식어로 실현되었고, 이 관계절이 삭제된 문장이 H문에 실현되어 두 문장은 함의 관계를 구성하였다.

다만 관계절이 삽입됨으로써 그 목적어의 부분집합을 의미하는 '한정적' 용법으로 사용된 경우에는, 이러한 관계절 삭제시 함의 관계가 성립되기 어렵다. 다음을 보자.

- [1] P | 청년들은 이 법안에 찬성한 국회의원들을 싫어합니다.
  H | 청년들은 국회의원들을 싫어합니다. [중립]

위의 문장쌍에서는 '이 법안에 찬성한'이라는 관계절을 삭제하면, 이보다 넓은 범주의 '국회의원 자체'를 싫어한다는 의미가 되므로, P문에서 '특정 부류의 국회위원을 싫어한다'고 진술한 내용과 같은 의미를 표현하지 않는다. 그러나 다음과 같이 P문에 '일부 국회위원'이라는 의미가 내포되면 두 문장은 다시 함의 관계의 해석을 가질 수 있다.

- [2] P | 청년들은 **이 법안에 찬성한** 일부 국회의원들을 싫어합니다.
  H | 청년들은 일부 국회의원들을 싫어합니다. [함의]

즉 [1]의 경우는 앞서 논의한 것처럼 해당 명사구가 묵시적으로 '모든'과 같은 보편 양화사의 수식을 받는 것으로 해석되므로 '하향 단조'의 문장 관계를 필요로 한다. 따라서 '상향 단조'의 특징을 보이는 H문은 '비함의' 관계가 되지만, 두 문장이 역방향의 관계로 연결되면 '함의' 관계를 구성하게 된다. 반면 [2]에서는 '일부 국회의원'이라는 표현을 통해 [1]과 같은 의미 해석이 불가능하게 되므로 '함의' 관계가 성립된다.

비주어 논항의 주격 관계절에 기반한 추론쌍 유형은 다음 2가지 형태로 논의될 수 있다.

1. '목적격 논항을 수식하는 주격 관계절'이 삭제된 유형

'주격 관계절' 형태로 실현된 관계절이 '목적격 논항(N-를)'을 수식하는 경우로, 예를 들면 다음과 같다.

- P | 변호사들이 저녁 10시에 광장에서 범인을 목격한 증인을 보호하기로 했다.
- H | 변호사들이 증인을 보호하기로 했다. [함의]

위의 P문에서 관계절 '범인을 목격한'은 목적어 '증인'을 수식하고 있으며, H문에서 이 성분이 삭제되어 두 문장은 함의 관계를 구성하였다. 이 경우에도, 앞서 주어의 관계절 유형에서 살핀 것처럼, 표면적 유사성을

보이는 전혀 다른 구조의 H문을 '비함의' 관계의 추론쌍 유형으로 설정할 수 있다.

- P | 변호사들이 저녁 10시에 광장에서 범인을 목격한 증인을 보호하기로 했다.
- H | 변호사들이 **저녁 10시에 광장에서 범인을 목격했다.**   [중립]

즉 '저녁 10시에 광장에서 범인을 목격한 사람'은 '증인'인데, 위의 H문에서는 '변호사'들이 이런 행위의 주어로 설정되었다.

2. '여격 논항을 수식하는 주격 관계절'이 삭제된 유형

이번에는 '주격 관계절' 형태로 된 관계절이 '여격 논항(N-에게)'을 수식하는 경우로, 예를 들면 다음과 같다.

- P | 경찰이 오후에 공장에서 범죄 장면을 목격한 증인에게 질문했다.
- H | 경찰이 증인에게 질문했다.   [함의]

P문에서 관계절 '범죄 장면을 목격한'은 여격 보어 '증인에게'를 수식하고 있으며, H문에서 이 성분이 삭제되어 두 문장은 함의 관계를 구성하였다. 여기서도 표면적 유사성에 기반해, 다음과 같이 전혀 다른 통사적 구조의 문장과의 대응쌍을 생성할 수 있다.

- P | 경찰이 오후에 공장에서 범죄 장면을 목격한 증인에게 질문했다.
- H | 경찰이 **오후에 공장에서 범죄 장면을 목격했다.**   [중립]

즉 '오후에 공장에서 범죄 장면을 목격한 사람'은 '증인'인데, 위의 H문에서는 '경찰'이 이런 행위의 주어로 실현되었다.

51 M13 비주어 논항의 비주격 관계절 변형

전제문에서 목적격 논항이나 여격 논항과 같은 비주어 논항에 비주격 관계절이 실현되고, 이 부분이 가설문에서 삭제되는 유형으로, 다음과 같은 구조로 기술될 수 있다.

- 전제문(P) | Nn1-가 [Nm-가 Ø PREDm-DetEnd N]2-POST PREDn
- 가설문(H) | Nn1-가 N2-POST   PREDn

이 추론쌍의 예를 들면 다음과 같다.

P		학생들은 **선생님이 어제 얘기한** 건강식품에 대해 조사했다.
	E	학생들은 건강식품에 대해 조사했다.
H	C	학생들은 선생님이 어제 얘기한 건강식품에 대한 조사를 멈추었다.
	N	학생들은 선생님이 오늘 얘기한 건강식품에 대해 조사했다.

위의 P문에서 '선생님이 어제 얘기한'이라는 목적격 관계절이 여격 보어 '건강식품에'의 수식어로 실현되었고, 이 관계절이 삭제된 문장이 H문에 실현되어 두 문장은 함의 관계를 구성하였다.
비주어 논항의 비주격 관계절에 기반한 추론쌍 유형은 다음 2가지 형태로 논의될 수 있다.

1. '목적격 논항을 수식하는 비주격 관계절'이 삭제된 유형

목적격 논항을 수식하는 관계절이 비주격으로 실현되는 경우로서, 예를 들면 다음과 같다.

- P | K팝 가수들이 **전세계 음악인들이 존경하는** 세계적 작곡가를 국내에 **초청했다.**
- H | K팝 가수들이 세계적 작곡가를 국내에 **초청했다.** [함의]

위의 P문에서 관계절 '전세계 음악인들이 존경하는'은 목적어 '작곡가'를 수식하고 있으며, H문에서 이 성분이 삭제되어 두 문장은 함의 관계를 구성하였다. 이 경우에도, 앞서 주어의 관계절 유형에서 살핀 것처럼, 표면적 유사성에 기반하여 다음과 같이 전혀 상이한 통사 구조의 문장쌍을 생성하여 모델 학습을 강화할 수 있다. 다음 문장쌍은 위와 달리 '중립' 관계를 구성한다.

- P | K팝 가수들이 **전세계 음악인들이 존경하는** 세계적 작곡가를 국내에 **초청했다.**
- H | K팝 가수들이 **전세계 음악인들을 존경했다.** [중립]

2. '비목적격 논항을 수식하는 비주격 관계절'이 삭제된 유형

여격이나 공동격, 시간·장소 표현 등 다양한 비목적격 논항을 수식하는 관계절이 비주격으로 실현되는 경우로서, 예를 들면 다음과 같다.

- P | 마을사람들은 **장이 열리는** 매월 5일마다 온갖 물건을 내다 팔았다.
- H | 마을사람들은 매월 5일마다 온갖 물건을 내다 팔았다. [함의]

P문에서 관계절 '장이 열리는'은 시간 표현 논항 '매월 5일마다'를 수식하고 있으며, H문에서 이 성분이 삭제되어 두 문장은 함의 관계를 구성하였다.

수식성분 변환 스키마
부사절 변형 | M14-M19

여기서 논의되는 '부사절 내포 문장의 변형'은 일련의 부사절을 내포한 복문 구조가 전제문에 실현되고, 이러한 부사절 또는 주절의 삭제 변형을 통해 가설문이 생성되는 경우의 추론 관계로서, 부사절은 다음과 같이 6가지 유형으로 분류된다.

- M14 | '조건' 부사절 내포 문장의 변형
- M15 | '양보' 부사절 내포 문장의 변형
- M16 | '목적' 부사절 내포 문장의 변형
- M17 | '원인' 부사절 내포 문장의 변형
- M18 | '시간' 부사절 내포 문장의 변형
- M19 | '설명' 부사절 내포 문장의 변형

52 M14 조건 부사절 내포 문장의 변형

'조건(condition) 부사절'이 내포된 구문에 대한 변형을 통해 구성되는 추론쌍은 다음과 같이 기술될 수 있다.

- 전제문(P) | [Nn1-가 PREDn-ConditionEnd], Nm2-가 PREDm
- 가설문(H) | Nm1-가 PREDm | Nn1-가 PREDn

이 추론쌍의 예를 들면 다음과 같다.

P		**올여름에 비가 안오면, 9월에는 늪지대의 동물들이 모두 떠날 겁니다.**
	E	올여름에 비가 안오면, 늪지대의 동물들이 모두 떠날 겁니다.
H	C	올여름에 비가 안오면, 9월에는 늪지대의 동물들이 모두 돌아올 겁니다.
	N	9월에는 늪지대의 동물들이 모두 떠날 겁니다.

위의 P문에는 '올여름에 비가 안오면'이라는 '조건'의 부사절이 실현되었다. H문에서 이 부사절이 삭제되는 경우는, 특정 조건이 충족될 때 참이 되는 P문과 달리 H문은 모든 상황에 대해 참이 된다고 단언하고 있기 때문에, P문과 중립 관계를 구성하게 된다.

'조건'의 부사절은 '미래에 대한 조건 또는 가정'과 '과거에 대한 조건 또는 가정'으로 나누어 고찰할 수 있다.

1. '미래에 대한 조건/가정'의 부사절 내포 문장의 변형

'미래'에 대한 조건 또는 가정을 의미하는 부사절이 실현된 문장에 대한 변형으로서, 예를 들면 다음과 같다.

- P | 학생들이 내일 돌아온다면, 학교에서는 더이상 실종자 탐색을 하지 않을 겁니다.
- H | [1] 학교에서는 더이상 실종자 탐색을 하지 않을 겁니다.   [중립]
       [2] 학생들이 내일 돌아옵니다.   [중립]

위에서 H문 [1]은 P문의 조건이 주어지지 않은 상태에서의 진술이므로 P문과 함의 관계를 갖지 않는다. H문 [2]의 경우는 P문의 조건 부사절이 문장을 구성한 형태로, 확실성이 표현되지 않은 P문과 달리 진술에 대한 단언적 성격을 보이므로 이 경우에도 함의의 관계를 구성하지 않는다.

2. '과거에 대한 조건/가정'의 부사절 내포 문장의 변형

위에서 본 것처럼 아직 일어나지 않은 미래의 조건을 가정하는 경우, 조건문이 삭제되면 두 문장은 '중립'의 관계가 되지만, '이미 지나간 과거에 대한 가정'을 한다는 것은 '실제로 일어나지 않았던 상황에 대한 가정(즉 '과거 상황'의 반대의 가정)'이 되므로, 이때 조건문이 삭제되면 두 문장은 '모순'의 관계를 구성하게 된다. 다음을 보자.

- P | 학생들이 일주일전에 돌아왔다면, 학교에서는 실종자 탐색을 하지 않았을 겁니다.
- H | [1] 학교에서는 실종자 탐색을 하지 않았을 겁니다.   [모순]
       [2] 학생들이 일주일전에 돌아왔습니다.   [모순]

위의 P문은 '학생들이 돌아오지 않아서 학교에서는 탐색을 계속 했다'는 의미를 나타내고 있다. 따라서 H문 [1]에서 '탐색을 하지 않았을 것'이라는 내용은 P문과 '모순'이 되며, H문 [2]에서 '학생들이 돌아왔다'는 내용도 P문과 '모순'이 된다.

53 M15 양보 부사절 내포 문장의 변형

전제문에 '양보(concession)'의 부사절이 내포되어 실현된 경우, 가설문에서 부사절 또는 주절이 삭제되거나 변형되어 추론쌍을 구성하는 유형으로, 그 통사적 관계는 다음과 같이 기술될 수 있다.

- 전제문(P) | [Nn1-가 PREDn-ConcessionEnd], Nm2-가 PREDm
- 가설문(H) | Nm1-가 PREDm | Nn1-가 PREDn

이 추론쌍의 예를 들면 다음과 같다.

P		비가 많이 온다고 해도 갑자기 약속을 취소하는 것은 적절치 않다.
H	E	갑자기 약속을 취소하는 것은 적절치 않다.
	C	비가 많이 온다면 갑자기 약속을 취소하는 것도 가능하다.
	N	눈이 많이 온다고 해도 갑자기 약속을 취소하는 것은 적절치 않다.

P문에서 양보절로 실현된 '비가 많이 온다고 해도' 구문이 H문에서 삭제되고 주절만 실현된 위의 두 문장은 함의 관계를 구성하고 있다.

실제로 양보절은 주절의 내용과 논리적 관계를 보이지 않는 일련의 사건이나 상황을 표현하는 것으로, 현실적이지 않은 가능성의 영역도 포함할 수 있다. 위의 P문에 실현된 양보절 '비가 많이 온다고 해도'는 실제 '비가 오고 있는지'에 대한 정보가 유보되어 있어, 다음과 같이 단독으로 문장을 구성하는 경우, 두 문장은 함의 관계를 구성하지 못한다.

- P | 비가 많이 온다고 해도 갑자기 약속을 취소하는 것은 적절치 않다.
- H | 비가 많이 온다.   [중립]

그러나 양보절의 사실성 관계는 주절과 양보절에 나타난 시제 및 양태 의미와도 연관되어 있다. 만일 양보절과 주절이 모두 과거 또는 현재 시제로 표현되어 과거에 일어난 일 또는 보편적 사실을 명시적으로 함축하고 있다면, 양보절을 취한 H문도 참이 되므로 이러한 문장쌍은 함의 관계를 구성하게 된다. 다음을 보자.

- P | 조합원들은 결국 행사에 참석했다고 해도, 집행부가 오지 않았던 건 문제다.
- H | 조합원들은 결국 행사에 참석했다.　　　　　　　　　　　　　　[함의]

반면 다음과 같이 아직 실현되지 않은 가정을 의미하는 양보절의 형태로 변환되는 경우, 두 문장은 함의 관계를 구성하지 못하게 된다.

- P | 조합원들이 행사에 꼭 참석할거라 해도, 집행부가 오지 않는 건 문제다.
- H | 조합원들이 행사에 꼭 참석할거다.　　　　　　　　　　　　　　[중립]

한국어에서 양보절은 '비록 ~할지라도, 설사 ~했어도, 설사 ~했다한들, 아무리 ~했다해도' 등과 같은 여러 부사어와 활용어미의 호응에 의한 구문을 구성한다.

54 M16 목적 부사절 내포 문장의 변형

전제문에 '목적(PURPOSE)'의 부사절이 실현되고, 가설문에서 부사절 또는 주절이 삭제되거나 변형되어 추론 관계를 구성하는 유형으로, 다음과 같이 기술될 수 있다.

- 전제문(P) | [Nn1-가 PREDn-PurposeEnd], Nm2-가 PREDm
- 가설문(H) | Nm-가 PREDm | Nn-가 PREDn

이 추론쌍의 예를 들면 다음과 같다.

P		**선거가 잘 진행되도록 투표장에 담당직원들이 총동원되었다.**
	E	**투표장에 담당직원들이 총동원되었다.**
H	C	투표장에 담당직원들이 나타나지 않았다.
	N	투표장에 자원봉사자들이 총동원되었다.

위의 P문에 실현된 목적의 부사절 '선거가 잘 진행되도록'은 H문에서 삭제되어, 두 문장은 함의 관계를 구성하였다. 여기서 '목적'의 부사절은 아직 현실화되지 않은 미래의 목적 또는 바램 등을 표현하기 때문에, 다음과 같이 하나의 온전한 문장을 이루어 H문을 구성하면 두 문장은 중립 관계를 형성한다.

- P | 선거가 잘 진행되도록 투표장에 담당직원들이 총동원되었다.
- H | 선거가 잘 진행되었다.   [중립]

목적을 표현하는 부사절 술어의 활용어미는 다양한 방식으로 실현되는데, 가령 '~하도록'외에도 '~하게끔, ~하기 위해서, ~하고자, ~하려고' 등과 같은 형태가 사용될 수 있다. 이러한 부사절은 'N-를 위해, N-를 위해서' 등과 같은 부사격 논항 형태로 치환될 수도 있다.

또한 문장 구성 자체가 다음과 같이 변형된 구조로 실현될 수 있는데,

- ▪ A를 위해서 B를 했다.
- ▪ ☞ B를 한 것은 A를 위해서였다.

즉 'It is A that B'와 같이 A를 강조하기 위해 재구조화된 구조('분열문')로서, 예를 들면 다음과 같다.

- ▪ **선거를 잘 마치기 위해서** 직원들이 모두 동원되었다.
- ▪ = 직원들이 모두 동원된 **것은 선거를 잘 마치기 위해서였다.**

55 M17 원인 부사절 내포 문장의 변형

전제문에 '원인(CAUSE)' 또는 '이유(REASON)'의 부사절을 내포한 문장이 실현되고, 가설문에서 삭제되거나 변환되어 추론쌍을 구성하는 경우이다. 다음과 같은 구조로 기술될 수 있다.

- 전제문(P) | [Nn1-가 PREDn-CauseEnd], Nm2-가 PREDm
- 가설문(H) | Nm1-가 PREDm | Nn1-가 PREDn

이 추론쌍의 예를 들면 다음과 같다.

P		내년 여름 이집트행 항공권을 구하지 못해서, 우리는 휴가를 취소했다.
	E	우리는 휴가를 취소했다.
H	C	내년 여름 이집트행 항공권을 구해서, 우리는 휴가를 신청했다.
	N	내년 여름 그리스행 항공권을 구하지 못해서, 우리는 휴가를 취소했다.

위의 P문에 실현된 원인 부사절 '항공권을 구하지 못해서'가 H문에서 삭제되어도 '휴가를 취소했다'는 사실은 변함이 없기 때문에 두 문장은 함의 관계를 구성한다.

원인의 부사절은 보통의 경우 이미 발생한 사실이거나 확인된 내용을 그 이유로서 표현하는 기능을 하므로, 다음과 같이 부사절이 하나의 온전한 문장으로 실현된 H문도 함의 관계를 구성할 수 있다.

- P | 내년 여름 이집트행 항공권을 구하지 못해서, 우리는 휴가를 취소했다.
- H | 내년 여름 이집트행 항공권을 구하지 못했다.   [함의]

여기서 아직 일어나지 않은 미래에 대한 가정을 통해, 그것이 이유가 될 수 있음을 표현하기 위해 '원인 부사절'을 사용하는 경우가 가능한데, 이때에도 두 문장은 다음과 같이 함의 관계를 구성할 수 있다.

- P | 내년 여름 이집트행 항공권을 구하지 못할거라서, 우리는 휴가를 취소해야 할거야.
- H | 내년 여름 이집트행 항공권을 구하지 못할 것이다.　　　　　　[함의]

또한 '원인'의 부사절 대신 '원인/이유의 부사격 논항'이 실현될 수 있다. 다음을 보자.

- P | 내년 여름 이집트행 항공권을 구하지 못해서, 우리는 휴가를 취소했다.
- H | 내년 여름 이집트행 항공권 구매 실패로, 우리는 휴가를 취소했다.　[함의]

위에서 보듯이 'S(절)~어서' 유형의 원인 부사절은 'S(절)~했기 때문에'와 같이 의존명사 구문으로 실현되거나, 'N-때문에', 또는 'N-로, N-로 인해, N-로 말미암아, N-에, N-에 의해서, N~에 의해, N~에 연유하여' 등의 다양한 부사격 논항의 형태로 실현될 수 있다.

실제로 '원인'의 부사절은 문장 사이의 인과 관계, 더 나아가 텍스트의 추론 관계를 유추하는 데에 매우 중요한 기재가 된다. 가령 다음 P문과 같은 원인 부사절을 내포하는 복문 구조는, 여러 유형의 자연어 문장으로 변환되어 함의 관계를 구성할 수 있다.

- P | 석유값 폭등이 지속되어서, 세계 경기 침체의 장기화가 진행되었다.
- H | [1] 석유값 폭등의 지속 때문에, 세계 경기 침체의 장기화가 진행되었다. [함의]
　　　[2] 세계 경기 침체는 석유값 폭등의 지속으로 인해 장기화되었다. [함의]
　　　[3] 세계 경기 침체의 장기화의 원인은 석유값 폭등의 지속이다. [함의]
　　　[4] 석유값 폭등의 지속은 세계 경기 침체의 장기화에 영향을 미쳤다. [함의]

56 M18 시간 부사절 내포 문장의 변형

전제문에 '시간(TIME)'의 부사절을 내포한 문장이 실현되고, 이러한 부사절 또는 주절이 삭제되거나 변형되어 추론쌍을 구성하는 경우로, 다음과 같은 형태로 기술될 수 있다.

- 전제문(P) | [Nn1-가 PREDn-TimeEnd], Nm2-가 PREDm
- 가설문(H) | Nm1-가 PREDm | Nn1-가 PREDn

이 추론쌍의 예를 들면 다음과 같다.

P		**친구들이 어제 우리집에 놀러왔을 때, 우리는 서재에서 책을 읽고 있었다.**
	E	**우리는 서재에서 책을 읽고 있었다.**
H	C	친구들이 어제 우리집에 놀러왔을 때, 우리는 서재에는 들어가지 않았다.
	N	친구들이 어제 우리집에 놀러왔을 때, 우리는 서재에서 차를 마시고 있었다.

위 P문에 나타난 시간 부사절 '친구들이 우리집에 놀러왔을 때'가 삭제되어 H문을 구성하면 두 문장은 함의 관계를 구성한다. 여기서 시간 부사절은 주절 행위와 동시성을 나타내고 있으므로, 부사절만으로 문장을 구성한 다음과 같은 H문도 P문과 함의 관계를 구성한다.

- P | 친구들이 어제 우리집에 놀러왔을 때, 우리는 서재에서 책을 읽고 있었다.
- H | 친구들이 어제 우리집에 놀러왔다.   [함의]

시간의 부사절은 주절 동사에 대해서 '동시성'과 '선행성', 그리고 '후행성'의 3가지 유형으로 분류되어 논의될 수 있다.

1. '동시성'을 나타내는 시간 부사절 내포 문장의 변형

시간 부사절이 주절 시제와 '동시성'을 나타내는 유형으로, 예를 들면 다음과 같다.

- P | 아이들이 거실에서 게임을 하는 동안, 어른들은 손님들을 위한 음식을 준비했다.
- H | [1] 어른들은 손님들을 위한 음식을 준비했다.   [함의]
    [2] 아이들이 거실에서 게임을 했다.   [함의]

이 경우, H문 [1]과 [2]는 모두 P문에 대해 함의 관계를 구성한다.

2. '선행성'을 나타내는 시간 부사절 내포 문장의 변형

시간 부사절이 주절 시제보다 '선행성'을 나타내는 유형으로, 예를 들면 다음과 같다.

- P | 손님들이 모두 떠나고 난 후에, 우리들은 집안 청소를 했다.
- H | [1] 우리들은 집안 청소를 했다.   [함의]
    [2] 손님들이 모두 떠났다.   [함의]

여기서도 앞서 '동시성'의 경우에서처럼 H문 [1]과 [2]는 모두 P문에 대해 함의 관계를 형성한다.

3. '후행성'을 나타내는 시간 부사절 내포 문장의 변형

시간 부사절이 주절 시제보다 '후행성'을 나타내는 유형이다. 예를 들면 다음과 같다.

- P | 학생들이 성적표를 받기 전에, 교사들은 시험 결과를 컴퓨터에 입력했다.
- H | [1] 교사들은 시험 결과를 컴퓨터에 입력했다. [함의]
      [2] 학생들이 성적표를 받았다. [중립]

이 경우는 '선행성'을 나타내는 부사절의 진리가 P문에 명시적으로 표현되어 있지 않기 때문에, H문 [2]와 같은 부사절 변형문은 P문과 중립 관계를 구성하게 된다.

시간 부사절이 '동시성'을 나타낼 때에는 '~할 때, ~하자마자, ~하는 동안, ~하는 동시에' 등과 같은 형태로 실현되고, '선행성'을 나타낼 때에는 '~한 후에, ~한 다음에, ~하고 나서' 등과 같은 방식으로 실현된다. 시간 부사절이 '후행성'을 나타낼 때에는 '~하기 전에, ~하기에 앞서, ~하기보다 먼저'와 같은 표현을 통해 실현되는 것을 볼 수 있다.

또한 앞서 다른 부사절의 경우에서와 마찬가지로 부사절 대신 'N-과 동시에'나 'N-전에', 'N-후에' 등과 같은 명사구 표현으로 치환될 수 있다.

57 M19 설명 부사절 내포 문장의 변형

전제문에 어떤 상황이나 배경, 대조적 관계 등을 '설명(DESCRIPTION)'하는 일련의 부사절이 실현되는 경우로서, 여기서 '설명 부사절'은 앞서 5가지 유형으로 분류되지 않은 그 외의 모든 다양한 의미군의 부사절을 총칭하는 개념으로 사용되었다. 가설문에서 이러한 부사절이나 주절이 삭제되거나 변형되어 추론쌍을 구성하는 경우로서, 이 유형의 문장쌍은 다음과 같이 기술될 수 있다.

- 전제문(P) | [Nn1-가 PREDn-DescriptionEnd], Nm2-가 PREDm
- 가설문(H) | Nm1-가 PREDm | Nn1-가 PREDn

이 추론쌍의 예를 들면 다음과 같다.

P		학생들이 교사들을 불렀지만, 교사들은 급히 차를 타고 출발했다.
	E	교사들은 급히 차를 타고 출발했다.
H	C	학생들이 교사들을 불러서, 교사들은 출발하지 않았다.
	N	학부모들이 교사들을 불렀지만, 교사들은 급히 차를 타고 출발했다.

위의 P문에 나타난 부사절 '학생들이 교사들을 불렀지만'은 주절 사건에 대한 배경적 상황을 묘사하고 있는데, 이 성분이 삭제된 주절 '교사들이 출발했다'가 하나의 문장으로 실현된 H문은 함의 관계를 구성하고 있다.

즉 주절에 대한 어떤 상황 묘사 또는 설명, 반전이나 대립적 관계 등의 다양한 병렬적 뉘앙스를 첨가하는 이러한 설명 부사절은 일반적으로 실제 사실 또는 상황을 묘사하는 특징을 보이기 때문에 그 자체로 구성된 문장 역시 '참'의 진리가를 갖는다. 이와 같이 다음 두 문장은 함의 관계를 구성한다.

- P ㅣ **학생들이 교사들을 불렀지만, 교사들은 급히 차를 타고 출발했다.**
- H ㅣ **학생들이 교사들을 불렀다.**   [함의]

이러한 '설명' 부사절은 다음 3가지 유형으로 나누어 논의할 수 있다.

1. '상황 묘사/설명'의 의미를 갖는 부사절 내포 문장의 변형

P문에 사건이나 상황의 묘사, 설명, 또는 진행 상황의 나열 등을 표현하는 일련의 부사절이 실현되는 경우로서, 예를 들면 다음과 같다.

- P ㅣ **아이들이 방과후 집으로 가는데, 사거리에서 갑자기 큰 교통사고가 났다.**
- H ㅣ **[1] 사거리에서 갑자기 큰 교통사고가 났다.**   [함의]
      [2] 아이들이 방과후 집으로 갔다.   [함의]

이 경우, 주절로 구성된 H문 [1]과 부사절로 구성된 H문 [2] 모두 P문과 함의 관계를 구성한다.

2. '순접(AND)/역접(BUT)'의 의미를 갖는 부사절 내포 문장의 변형

P문에 '순접(AND)'이나 '역접(BUT)'을 의미하는 일련의 부사절이 실현되는 경우로서, 예를 들면 다음과 같다.

- P | 우리는 학교로 출발했고, 친구들은 미술관으로 떠났다.
- H | [1] 친구들은 미술관으로 떠났다.   [함의]
     [2] 우리는 학교로 출발했다.   [함의]

- P | 우리는 학교로 출발했지만, 친구들은 미술관으로 떠났다.
- H | [1] 친구들은 미술관으로 떠났다.   [함의]
     [2] 우리는 학교로 출발했다.   [함의]

위의 두 문장쌍은 각각 'A를 했고, B를 했다'의 의미(즉 '순접' 기능을 갖는 부사절 내포)와 'A를 했는데, B를 했다'의 의미(즉 '역접' 기능을 갖는 부사절 내포)의 서로 다른 논리적 연결 관계를 보이지만, 주절과 구성된 H문 [1]과 부사절로 구성된 H문 [2] 모두 P문과는 함의 관계를 구성하는 특징을 보인다.

3. '인용(QUATATION)'의 의미를 갖는 부사절 내포 문장의 변형

P문에 일종의 '인용(QUATATION)' 구문을 표현하는 부사절이 실현되는 경우로서, 예를 들면 다음과 같다.

- P | 외부손님들이 벌써 행사장에 도착했다고, 행사담당자들은 허둥지둥 서둘렀다.
- H | [1] 행사담당자들은 허둥지둥 서둘렀다.   [함의]
     [2] 외부손님들이 벌써 행사장에 도착했다.   [함의]

'인용'의 부사절은 '~했다고/~했다는데/~했다면서' 등과 같이 종결어미 '다'가 중간에 삽입된 형태로 실현되거나, '~했냐며/~하자는데' 등과 같이 의문형 어미 '냐'나 청유형 어미 '자'가 삽입되고 일련의 부사절 어미가 결합하여 실현될 수 있다. 이러한 인용 구문은 '원인'이나 '조건'의 부사절 어미와 결합하여 실현될 수도 있으므로, '인용'의 복합 구성에 대해서는 별도의 논의가 요구된다.

수식성분 변환 스키마
부사어 변형 | M20-M21

주절 문장 전체에 대한 일종의 수식어로 기능하는 문장 부사(sentence adverb)가 실현되는 구문에 대한 추론쌍으로, 다음 2가지 유형으로 분류된다.

- M20 | 확신/태도 표현 문장부사의 변형
- M21 | 불확신 표현 문장부사의 변형

58 M20 확신/태도 표현 문장부사의 변형

화자의 '확신(CERTAINTY)' 감정 및 화자의 입장이나 태도 등을 표현하는 문장 부사가 실현되는 경우로, 두 문장 간의 관계는 다음과 같이 기술될 수 있다.

- 전제문(P) | ADV_CertaintySentiment, N1-가 PRED
- 가설문(H) | N1-가 PRED

이 추론쌍의 예를 들면 다음과 같다.

P		**분명히,** 그 학생들이 어린 아이들의 돈을 빼앗은거 같애.
	E	그 학생들이 어린 아이들의 돈을 빼앗은거 같애.
H	C	그 학생들이 어린 아이들의 돈을 빼앗은게 분명하지 않아.
	N	그 학생들이 어린 아이들의 가방을 빼앗은거 같애.

위의 P문에 나타난 문장 부사 '분명히'는 화자의 발화 내용에 대한 확신성을 표현하는데, H문에서 이 부사어가 삭제되어 P문과 함의 관계를 구성하였다.

화자의 확신 및 감정, 태도 등을 표현하는 문장 부사는 다음과 같이 2가지 유형으로 고찰될 수 있다.

1. 화자의 '확신'을 표현하는 문장 부사의 삭제 및 변형

앞서 살핀 예에서처럼 '분명히, 확실히, 틀림없이, 정확히' 등과 같은 논리적 판단을 나타내는 부사어들이 문두에 실현되어서, 문장 전체를 하나의 명제로 하여 이에 대한 화자의 확신 또는 판단을 표현하는 경우이다. 다음을 보자.

- P ｜ **틀림없이**, 그 청년들이 소매치기 도둑을 잡은 것 같아요.
- H ｜ 그 청년들이 소매치기 도둑을 잡은 것 같아요.　　　　　[함의]

위의 P문에서 '틀림없이'는 문장 내에 속하는 하나의 문장 구성성분이 아니라, 문장 전체에 대해 다음과 같은 '판단 술어'('틀림없다')로 대응될 수 있는 성분이다.

- P ｜ **틀림없이**, 그 청년들이 소매치기 도둑을 잡은 것 같아요.
- H ｜ 그 청년들이 소매치기 도둑을 잡은 것이 **틀림없어요.**　　[함의]

즉 위에서 언급된 부사들은 '문장(S)' 전체에 대해 'S가 분명하다/확실하다/틀림없다/정확하다'와 같은 형식의 형용사 술어 구조를 구성할 수 있다는 특징을 보인다. 이 부분에 대해서는 앞서 논의한 '형용사 술어의 부사어 변환(P10)' 논의를 참고할 수 있다.

2. 화자의 '감정/태도'를 표현하는 문장 부사의 삭제 및 변형

　다음 추론쌍을 보면,

- P ｜ **솔직히**, 그 친구가 능력면에서는 부족함이 많습니다.
- H ｜ [1] **솔직히 말해서**, 그 친구가 능력면에서는 부족함이 많습니다.　[함의]
　　　[2] 그 친구가 능력면에서는 부족함이 많습니다.　　　[함의]

P문의 부사어 '솔직히'는 H문 [1]에서 '솔직히 말해서'로 치환되어 함의

관계를 구성하였다. 이 부사어는 화자가 발화를 할 때의 본인의 '감정 또는 입장'을 설명하는 유형(즉 '향화자 부사(speaker-oriented adverb)'의 일종)으로, 여기서처럼 'ADV speaking'과 같은 형태로 치환될 수 있다. 이러한 문장부사들은 문장 내의 통사적 구성성분으로 출현한 다음과 같은 부사어와는 그 통사 · 의미적 기능이 다르다.

- P | 그 친구는 불편한 질문에 **솔직히** 답변했어요.
- H | [1] ⇏ 솔직히 말해서, 그 친구는 불편한 질문에 답변했어요. [의미다름]
  [2] 그 친구는 불편한 질문에 **솔직한 태도로** 답변했어요. [함의]
  [3] 그 친구는 불편한 질문에 답변했어요. [함의]

위의 P문에서 '솔직히'는 동사 '답변하다'를 수식하는 양태부사(manner adverb)의 하나로서, [1]과 같은 치환은 성립하지 않고, [2]와 같이 '솔직한 태도로'로 치환되거나 [3]과 같이 부사어가 삭제된 구문과 함의 관계를 구성한다.

또한 이 부사어들은 앞서 '명제 내용에 대한 화자의 확신'을 표현하는 문장부사어와도 양상이 다르기 때문에, 다음과 같은 형용사 술어 구문으로의 변환이 불가능하다.

- P | **솔직히**, 그 친구가 능력면에서는 부족함이 많습니다.
- H | *그 친구가 능력면에서는 부족함이 많은 것이 솔직합니다. [문장 불가]

59 M21 불확신 표현 문장부사의 변형

전제문에 화자의 '불확신(UNCERTAINTY)'을 나타내는 문장 부사가 실현되고, 가설문에서 이 부사가 삭제되거나 변형되어 추론쌍을 구성하는 경우로, 다음과 같이 기술될 수 있다.

- 전제문(P) | ADV_Uncertainty, N1-가 PRED
- 가설문(H) | N1-가 PRED

이 추론쌍의 예를 들면 다음과 같다.

P		**어쩌면 그 학생들이 어린 아이들의 돈을 빼앗은 거 같기도 해.**
	E	**그 학생들이 어린 아이들의 돈을 빼앗은 거 같기도 해.**
H	C	그 학생들이 어린 아이들의 돈을 빼앗은 거 같지는 않아.
	N	어쩌면 그 깡패들이 어린 아이들의 돈을 빼앗은 거 같기도 해.

'어쩌면, 아마도, 혹시' 등과 같이 화자의 '불확신'을 의미하는 양태의 문장 부사들이 P문에 나타나는 경우로, 술어에는 보통 '~일 것 같다/~듯하다/~할 것이다'와 같은 우언적 구성이 실현되는 특징을 보인다. 위에서 이러한 부사어가 삭제된 H문은 P문과 함의 관계를 구성하였다.

그러나 부사어를 생략한 경우, 다음과 같은 '1인칭 주어' 문장에서는 '불확실성'을 나타내는 추측의 양태 표현이 '주어의 의지'를 표현하는 문장으로 해석될 수 있는 중의성을 보이기 때문에 주의가 필요하다.

- P | **아마도** 이번에는 제가 그분들을 변호할 겁니다.
- H | 이번에는 제가 그분들을 변호할 겁니다. [주어의 '의지'로 해석가능 ☞중립]

위에서 P문은 '화자의 불확신'의 양태로서 '추측'을 표현하는데, '아마도'와 같은 부사어가 삭제된 H문에서는 '추측'의 양태적 해석 외에 '1인칭 주어의 의지'를 표현하는 문장으로의 해석이 가능하다. 이런 경우에 H문은 P문과 중립 관계를 보이게 된다.

화자의 '불확신'의 양태를 표현하는 부사어는 단일 부사어 외에도 '확실하지는 않지만, 정확히는 모르겠어도, 잘 모르겠기는 한데' 등과 같은 다양한 방식의 부사구 형태로 실현될 수 있다.

IV 어휘・지식 변환 스키마

LEXICON・KNOWLEDGE | L01-L19

♛ 어휘•지식(LEXICON & KNOWLEDGE) 변환 스키마의 19가지 유형

번호	중분류	코드	세부 유형
60	유의어/반의어 변형(change)	L01	명사의 유의어 어휘 변형
61		L02	명사 외 범주의 유의어 어휘 변형
62		L03	명사의 반의어 어휘 변형
63		L04	명사 외 범주의 반의어 어휘 변형
64		L05	비유적•관용적 유의어 표현 변형
65		L06	부정 접두사에 의한 파생어 변형
66	상위어/하위어 변형(change)	L07	명사의 상위어•하위어 어휘 변형
67		L08	명사 외 범주의 상하위어 어휘 변형
68		L09	명사의 부분어•전체어 어휘 변형
69		L10	명사의 환유어 어휘 변형
70	지식/상식표현 변형(change)	L11	문화•종교 지식에 기반한 변형
71		L12	지리적 지식에 기반한 변형
72		L13	역사적 지식에 기반한 변형
73		L14	예술적 지식에 기반한 변형
74		L15	법률•사회적 지식에 기반한 변형
75		L16	경제•스포츠 지식에 기반한 변형
76		L17	수리적 지식에 기반한 변형
77		L18	과학•의학 지식에 기반한 변형
78		L19	일반상식 지식에 기반한 변형

어휘•지식 변환 스키마

유의어/반의어 변형 | L01-L06

　전제문과 가설문 사이의 추론쌍을 구성하는 데에 있어, 두 문장의 통사적 구조나 문장 성분들 사이의 논리적 관계에 기반하는 대신, 개별 단어 사이의 '어휘적 관계(lexical relation)' 및 '세계 지식(world knowledge)'에 기반하여 추론 관계를 구성할 수 있다.

　여기서 '어휘적 관계' 중 '유의어/반의어' 유형에 기반하여 추론쌍을 구성하는 경우는 다음과 같이 6가지 하위 범주로 나누어 고찰할 수 있다.

- ▪ L01 | 명사의 유의어 어휘 변형
- ▪ L02 | 명사 외 범주의 유의어 어휘 변형
- ▪ L03 | 명사의 반의어 어휘 변형
- ▪ L04 | 명사 외 범주의 반의어 어휘 변형
- ▪ L05 | 비유적•관용적 유의어 표현 변형
- ▪ L06 | 부정 접두사에 의한 파생어 변형

60 L01 명사의 유의어 어휘 변형

　　'명사의 유의어 어휘 변형'은 P문의 일정 명사구가 H문에서 유의어 (SYNONYM)로 치환되어 추론 관계를 구성하는 것으로, 이러한 명사구가 '주어' 위치에 실현된 구문의 예를 들어 기술하면 다음과 같다.

- 전제문(P) ｜　N1-가　　PRED
- 가설문(H) ｜　[N_Synonym]1-가　　PRED

　　여기서 명사의 '유의어'는 동의어, 연관어 등으로로 명명될 수 있는, 의미적으로 다소 느슨한 개념의 두 명사의 관계로서, 예를 들어 '개'와 '멍멍이', '생명체'와 '생물' 같은 관계가 여기 해당될 수 있다. 명사의 유의어에 의한 추론쌍의 예를 들면 다음과 같다.

P		이 사진에 보이는 물체는 현재 알려지지 않은 특이한 **생명체**다.
	E	이 사진에 보이는 물체는 현재 알려지지 않은 특이한 **생물**이다.
H	C	이 사진에 보이는 물체는 현재 알려지지 않은 특이한 무생물이다.
	N	이 삽화에 보이는 물체는 현재 알려지지 않은 특이한 생명체다.

　　위의 P문의 '이 사진에 보이는 물체는 현재 알려지지 않은 특이한 생명체다'와 같은 문장에 대해, '생명체'가 '생물'이라는 유의어로 치환된 H문은 함의 관계를 구성한다.

　　명사 유의어 관계는 다음과 같이 2가지 유형으로 논의될 수 있다.

1. '구체 명사'의 유의어 변형

'함의' 관계의 추론쌍을 구성하는 명사구가 '구체 명사(concrete noun)' 유형인 경우로서, 예를 들면 다음과 같다.

- P | 아이들이 **사과잼**을 좋아해요.
- H | 아이들이 **애플잼**을 좋아해요.   [함의]

2. '추상 명사'의 유의어 변형

추론쌍을 구성하는 명사구가 '추상 명사(abstract noun)' 유형인 경우, 다음과 같이 함의 관계가 구성될 수 있다.

- P | 자신의 **결점**을 스스로 보지 못하면, 그런 사람은 발전하기 어렵다.
- H | 자신의 **흠**을 스스로 보지 못하면, 그런 사람은 발전하기 어렵다.   [함의]

일반적으로 유의어는 두 문장이 '상호 함의 관계'를 구성할 수 있는 '동등문(equivalent sentences)' 또는 'paraphrase'를 구성하므로 '함의' 관계 추론쌍의 특정 하위 유형을 형성한다.

61 L02 명사외 범주의 유의어 어휘 변형

'명사외 범주의 유의어' 관계를 통해 추론쌍을 구성하는 유형으로, 여기서 '서술어'의 예를 들어 살펴보면 다음과 같이 기술될 수 있다.

- 전제문(P) | N1-가 PRED
- 가설문(H) | N1-가 [PRED_Synonym]

예를 들어 '숨쉬고 있다'와 '살아 있다'와 같은 동사구 유의어나, '똑똑하다'와 '스마트하다'와 같은 형용사구 유의어 쌍이 여기 해당한다. 이러한 추론쌍의 예를 들면 다음과 같다.

P		어제 골목길에 쓰러져 있던 큰 개는 그때 **숨쉬고** 있었다.
	E	어제 골목길에 쓰러져 있던 큰 개는 그때 **살아** 있었다.
H	C	어제 골목길에 쓰러져 있던 큰 개는 그때 숨이 멈추어 있었다.
	N	어제 골목길에 쓰러져 있던 큰 개는 그때 눈을 감고 있었다.

위 P문의 술어 '숨쉬다'는 H문에서 '살다'로 치환되어, 두 문장은 함의 관계를 구성하였다. 그런데 '숨쉬고 있다'와 '살아 있다'의 두 동사구는 의미적으로 동일한 상태를 표현하지 않는데, 앞서도 언급한 것처럼 여기서 논의하는 '유의어' 관계는 상식적인 실세계 지식을 기반으로 하는 '느슨한 개념'의 의미 관계로 이해되어야 한다.

'명사외 범주의 유의어' 관계쌍은 다음과 같이 3가지 유형으로 나누어 고찰할 수 있다.

1. '동사구의 유의어'로 구성된 추론쌍 유형

    '유의어' 관계의 동사구가 실현되어 '함의'의 추론쌍을 구성하는 경우로서, 동사가 문장의 '서술어'로 사용되는 경우와 다른 성분의 '수식어'로 사용되는 경우로 나누어 볼 수 있다.

- P | 학생들이 물레 앞에 앉아서 도자기 그릇을 **빚기** 시작했다.
- H | 학생들이 물레 앞에 앉아서 도자기 그릇을 **만들기** 시작했다.   [함의]

- P | **뛰어가는** 학생들을 보고 그 주변의 사람들이 모여들었습니다.
- H | **달려가는** 학생들을 보고 그 주변의 사람들이 모여들었습니다.   [함의]

2. '형용사구의 유의어'로 구성된 추론쌍 유형

    '유의어' 관계의 형용사구가 실현되어 '함의' 관계의 추론쌍을 구성하는 경우로서, 이 경우에도 형용사가 문장의 '서술어'로 사용되는 경우와 다른 성분의 '수식어'로 사용되는 경우로 나누어 고려할 수 있다.

- P | 아이들이 위급한 상황에서도 꽤 **침착했어요**.
- H | 아이들이 위급한 상황에서도 꽤 **차분했어요**.   [함의]

- P | 마음이 **온화한** 사람은 언제나 다른 사람들의 존경을 받습니다.
- H | 마음이 **따뜻한** 사람은 언제나 다른 사람들의 존경을 받습니다.   [함의]

앞서도 논의한 것처럼, 위에 사용된 형용사 유의어 쌍은 '주어진 문장 쌍'에서 서로 치환되어 '함의' 관계를 구성할 수 있다는 의미이므로, 두 단어 자체의 '어휘 층위'에서의 유의어라고 할 수 없는 유형들이 포함된

다. 가령 다음 문장쌍에서는 두 형용사 '온화하다'와 '따뜻하다'는 상호
호환 가능한 유의어로 기능하지 못한다.

- P | 장작불 앞에서 좀 쉬었더니, 이제 온몸이 **따뜻하네요.**
- H | *장작불 앞에서 좀 쉬었더니, 이제 온몸이 **온화하네요.**　　[의미가 어색함]

3. '부사구의 유의어'로 구성된 추론쌍 유형

'유의어' 관계의 부사구가 실현되어 함의 관계의 추론쌍을 구성하는
경우로서, 예를 들면 다음과 같다.

- P | 두 정치인의 태도가 **정말** 똑같습니다.
- H | 두 정치인의 태도가 **아주** 똑같습니다.　　　　　　　[함의]

- P | 실험실의 용액이 이번에는 생각보다 **빨리** 반응을 했다.
- H | 실험실의 용액이 이번에는 생각보다 **빠르게** 반응을 했다.　[함의]

62 L03 명사의 반의어 어휘 변형

　'명사의 반의어(ANTONYM) 어휘 변형'은 전제문의 일정 명사구가 가설문에서 반의어로 치환되어 추론 관계를 구성하는 것으로, 이러한 명사구가 주어 위치에 실현된 구문의 예를 통해 그 관계를 기술하면 다음과 같다.

- 전제문(P) | 　N1-가　PRED
- 가설문(H) | 　[N_Antonym]1-가　PRED

여기서 '반의어'는 앞서 유의어의 경우와 마찬가지로, 의미적으로 느슨하게 해석되어야 하는데, 가령 '반의어, 대립어, 배타적 연관어' 등으로 명명될 수 있는 두 명사의 관계를 나타낸다. 예를 들어 '삶'과 '죽음', '더위'와 '추위', 그리고 '남자'와 '여자'와 같은 관계가 여기 해당한다. 명사 반의어에 의한 추론쌍의 예를 들면 다음과 같다.

P		이번 파이널 테스트에서는 한 사람의 20대 **남성**만이 통과했다.
	E	이번 파이널 테스트에서는 20대 남자 한 사람이 통과했다.
H	C	이번 파이널 테스트에서는 한 사람의 20대 **여성**만이 통과했다.
	N	작년 파이널 테스트에서는 한 사람의 20대 남성만이 통과했다.

위의 P문에 나타난 '남성'이 '여성'으로 치환된 H문은 P문과 '모순' 관계의 추론쌍을 구성한다. 여기서 명사의 유의어나 반의어가 '어휘 층위(lexical level)'에서 분명한 '유의성' 또는 '대립성'을 보인다 하더라도, 이들이 실제 문장 속에 실현되는 '문장 층위(syntactic level)'에서는 두

문장이 이러한 유의성 또는 대립성을 보이지 못하는 경우들이 존재한다. 가령 다음을 보자.

- P | 이번 파이널 테스트에서 한 사람의 50대 **남성**이 등장했다.
- H | 이번 파이널 테스트에서 한 사람의 50대 **여성**이 등장했다. [중립]

위의 두 문장을 살펴보면, '어휘 층위의 두 반의어'가 실현된 두 문장은 '모순'이 아닌 '중립'의 관계를 형성한다. 즉 '50대 남성이 등장했다'는 사실이 참일 때, '50대 여성이 등장했다'는 사실의 참/거짓 진리가(truth value)를 판단할 수 없기 때문이다.

명사 반의어 기반 추론쌍의 경우 다음 2가지 유형으로 분류할 수 있다.

1. '구체 명사'의 반의어 변형

구체 명사의 반의어가 추론쌍을 구성하는 경우로서, 다음을 보자.

- [1] P | 마을의 광장에는 **남자들**이 모여 있었다.
  H | 마을의 광장에는 **여자들**이 모여 있었다. [중립]
- [2] P | 광장에는 그 마을의 **남자들만**이 모여 있었다.
  H | 광장에는 그 마을의 **여자들만**이 모여 있었다. [모순]

앞서 살핀 '중립' 관계의 예문에서처럼, [1]의 문장쌍의 경우, '남자들이'가 주어로 실현된 P문은, 그 반의어인 '여자들이'가 주어로 실현된 H문과 모순 관계를 이루지 못한다(광장에 남자들도 모여 있고, 여자들도 모여 있을 수 있으므로).

반면 [2]에서는 P문에서 '남자들만이 모여있다'고 하였고, H문에서는

'여자들만이 모여있다'고 하였으므로, 서로가 완벽하게 배타적인 관계를 형성하면서 '모순'의 관계를 구성하게 된다. 즉 이 경우, 배타적인 의미를 명시적으로 부여하는 후치사 '만'의 실현이 필수적으로 나타났다.

2. '추상 명사'의 반의어 변형

추상 명사의 반의어가 실현되어 추론쌍을 구성하는 경우로서, 다음 예와 같다.

- [1] P | 인생에서 가까운 사람의 **실패**는 우리에게 큰 가르침을 준다.
  H | 인생에서 가까운 사람의 **성공**은 우리에게 큰 가르침을 준다.　　[중립]

- [2] P | 우리에게 가장 중요한 가르침은 **실패**에서 온다.
  H | 우리에게 가장 중요한 가르침은 **성공**에서 온다.　　[모순]

위의 두 문장 쌍에서도 '실패'와 '성공'의 반의어가 사용되었지만 [1]은 중립 관계를, 그리고 [2]는 모순 관계를 나타내었다. [1]에서는 '실패'나 '성공' 모두 가르침을 줄 수 있다고 해석되는 반면, [2]에서는 '가장 중요한 가르침'은 '실패'나 '성공' 중의 하나로 해석되어야 할 것이라는 의미적 전제를 받아들이게 되기 때문이다.

63 L04 명사외 범주의 반의어 어휘 변형

'명사외 성분의 반의어' 관계를 통해 추론쌍을 구성하는 경우로서, '서술어'의 예를 통해 추론쌍의 구조를 기술하면 다음과 같다.

- 전제문(P) | N1-가   PRED
- 가설문(H) | N1-가   PRED_Antonym

여기서도 반의어는 '대립어, 배타적 연관어' 등으로 명명될 수 있는 느슨한 의미적 개념의 두 어휘 사이의 관계로서, 예를 들어 '죽다'와 '살다', '움직이다'와 '멈추다', 또는 '뜨겁다'와 '차갑다'와 같은 관계가 여기 해당한다. 이 유형의 추론쌍의 예를 들면 다음과 같다.

P		일부 기관에서는 기관내 수소충전소의 설치를 찬성하고 있다.
	E	일부 기관에서는 기관내 수소충전소의 설치를 동의하고 있다.
H	C	일부 기관에서는 기관내 수소충전소의 설치를 반대하고 있다.
	N	일부 기관에서는 주차장에 수소충전소의 설치를 찬성하고 있다.

위 P문의 '찬성하다'가 H문에서 '반대하다'로 치환되어, 두 문장은 '모순' 관계를 구성하였다. 명사외 범주의 반의어에 의한 추론쌍 구성은 동사와 형용사, 부사 범주의 3가지 유형으로 분류될 수 있다. 이때 앞서 살핀 것처럼, '어휘 층위'에서 이러한 성분들의 반의어 관계가 성립하여도, 각 어휘들이 실현된 '통사적 문장 구조'에 따라 두 문장은 모순 또는 중립의 관계를 구성할 수 있다.

1. 동사 반의어가 실현되는 유형

반의어 관계의 동사구가 문장의 서술어로 사용되는 경우와 다른 성분의 수식어로 실현되는 경우로 나누어 볼 수 있다. 우선 문장의 서술어로 사용된 경우의 예를 들면 다음과 같다.

- [1] P | 갑자기 끼어든 트럭에, 1차선에 있던 경찰차가 급히 **멈추었다.**
  H | 갑자기 끼어든 트럭에, 1차선에 있던 경찰차가 급히 **움직였다.** [모순]

- [2] P | 비명소리를 듣고, 길가던 사람들이 **그쪽을** 보며 **멈추었다.**
  H | 비명소리를 듣고, 길가던 사람들이 **그쪽을** 보며 **움직였다.**   [중립]

위에서 [1]의 P문에서 '경찰차가 급히 멈춘 것'과 H문에서 '급히 움직인 것'은, 동일한 개체에 대한 의미 해석이 전제되므로, 두 문장은 모순 관계로 판단된다. 반면 [2]의 P문에서 '사람들이 멈춘 것'과 H문에서 '사람들이 움직인 것'은 불특정 대상 집단의 부분적 행위들로 해석될 수 있으므로, 동시에 성립될 수 없는 배타적인 상황을 나타내지 않는다. 이 경우 두 문장은 중립 관계를 형성하게 된다.

앞서도 여러번 논의된 바와 같이 [1]에 주어진 상황에서는 '상식적으로 판단할 때' 우연히 특정 시간과 장소에 있을 수 있는 '경찰차'는 일반적으로 하나뿐일 것으로 추측되므로, '반의어' 관계의 두 동사는 모순 관계를 형성하지만, [2]와 같이 '불특정 복수 개체'가 전제될 수 있는 문맥에서는 두 동작의 동시 발생 가능성을 배제할 수 없어, 두 문장은 중립 관계가 된다.

동사구가 다른 성분의 수식어로 사용된 다음과 같은 문장쌍에서도 유사한 상황이 관찰된다.

- [3] P | 그는 이번 철도 사고에서 외조부가 **사망했다는** 소식을 들었다.
  H | 그는 이번 철도 사고에서 외조부가 **생존했다는** 소식을 들었다. [모순]

- [4] P | 이번 철도 사고에서 **사망한** 사람이 있습니다.
  H | 이번 철도 사고에서 **생존한** 사람이 있습니다.   [중립]

위의 [3]에서는 '외조부가 사망한 것'과 '외조부가 생존한 것'은 서로 양립될 수 없으므로 '모순' 관계가 되지만, [4]에서 '사망한 사람이 있는 것'과 '생존한 사람이 있는 것'은 동시에 일어날 수 있는 상황들이므로, '중립' 관계를 형성하게 된다.

2. 형용사 반의어가 실현되는 유형

반의어 관계의 형용사가 문장의 서술어로 사용되는 경우와 다른 성분의 수식어로 실현되는 경우로 나누어 고려할 수 있다. 우선 문장의 서술어로 사용된 경우의 예를 보면 다음과 같다.

- [1] P | 욕조 안의 물이 생각보다 너무 **뜨겁다**.
  H | 욕조 안의 물이 생각보다 너무 **차갑다**. [모순]

- [2] P | 정부의 경기부양 정책들에 대한 일부 시민들의 반응이 **뜨겁다**.
  H | 정부의 경기부양 정책들에 대한 일부 시민들의 반응이 **차갑다**. [중립]

위에서 [1] P문의 '욕조의 물이 뜨겁다'와 H문의 '욕조의 물이 차갑다'는 두 문장이 '모순' 관계로 해석되는 이유는 '일반 상식적 지식'으로 판단할 때 화자가 '하나의 욕조'를 소유할 것이라 예측되기 때문이다. 반면 [2]에서는 '정부의 정책들'에 대한 시민들의 반응은 '복수 집단에 대한 묘사'를 의미하므로, 그 반응이 '뜨겁기'도 하고 '차갑기'도 할 것이라는 예측이 가능하여 '중립'의 관계를 구성하게 된다.

이번에는 형용사가 다른 성분의 수식어로 사용된 다음 두 문장쌍을 살펴보자.

- [3] P | **밝은** 색을 좋아하는 사람들이 꼭 이 니트를 구매해요.
  H | **어두운** 색을 좋아하는 사람들이 꼭 이 니트를 구매해요.　　[모순]

- [4] P | 요즘 많은 손님들이 **밝은** 색 니트를 찾습니다.
  H | 요즘 많은 손님들이 **어두운** 색 니트를 찾습니다.　　[중립]

위의 [3]에서는 '밝은'과 '어두운'의 두 형용사 반의어쌍이 모순되는 문장 쌍을 구성하는 반면, [4]에서는 이러한 경향이 동시 성립될 수 있는 요즘 의 다양한 트랜드를 배제하지 않으므로, P문이 참일 때 H문이 반드시 거 짓이 되지 않아서 두 문장은 중립 관계가 된다.

3. 부사 반의어가 실현되는 유형

끝으로, 반의어 관계의 부사구가 실현되는 경우를 살펴보자.

- [1] P | 그 친구는 요즘 들어 아주 **빈번하게** 우리를 찾아왔어요.
  H | 그 친구는 요즘 들어 아주 **뜸하게** 우리를 찾아왔어요.　　[모순]

- [2] P | 일부 학생들은 **빈번하게** 그 가게를 찾아갔어요.
  H | 일부 학생들은 **뜸하게** 그 가게를 찾아갔어요.　　[중립]

위의 [1]에서는 동일한 사람이 요즘 '빈번하게 찾아오는 것'과 '뜸하게 찾아오는 것'이 동시에 참일 수 없는 모순의 관계를 보이지만, [2]에서는 '일부 학생은 빈번하게' 그리고 '다른 일부 학생은 뜸하게' 찾아가는 것이 동시에 가능하므로, 중립의 관계를 구성하게 된다.

전제문에서 명사구 또는 술어구가 비유적 또는 관용적 용법으로 사용되거나 다른 개념의 정의문으로 실현된 경우, 가설문에서 이에 대응되는 유의어 표현으로 변형되어 추론쌍을 구성하는 유형이다. 술어구에 이러한 동등 변형문(PARAPHRASE)이 실현된 예를 통해 문장 관계를 기술하면 다음과 같다.

- 전제문(P) ｜ N1-가   PRED
- 가설문(H) ｜ N1-가   PRED_Paraphrase

이 추론쌍의 예를 들면 다음과 같다.

P		어제 미국 증시에서 주가가 **롤러코스터를 탔다.**
	E	어제 미국 증시에서 주가가 **급등락을 반복했다.**
H	C	어제 미국 증시에서 주가가 거의 변동이 없었다.
	N	어제 일본 증시에서 주가가 롤러코스터를 탔다.

P문에서 '롤러코스터를 탔다'는 술어구는 H문의 '급등락을 반복했다'는 의미를 비유적으로 표현하는 것으로, 두 문장은 함의 관계를 구성한다.
　여기서 논의하는 '비유적 유의어 표현 변형'은 다음 2가지 유형으로 나누어 살펴볼 수 있다.

1. 명사구에 대한 대응문(paraphrase) 유형

전제문에 실현된 일련의 명사구 대응 표현이 하나의 다른 명사구 형태로 변환되어 구성되는 추론쌍으로, 예를 들면 다음과 같다.

- P | 어린 아이는 **자기를 낳아준 사람**에 대한 본능적인 애정을 느낀다.
- H | 어린 아이는 **엄마**에 대한 본능적인 애정을 느낀다.　　　[함의]

P문에서 '자기를 낳아준 사람'은 H문의 '엄마'에 대한 유의어 대응문의 성격을 보인다. 이러한 유형의 변형이 이루어질 때 두 문장은 함의 관계를 구성할 수 있다.

2. 술어구에 대한 대응문(paraphrase) 유형

앞서도 살핀 바와 같이, 전제문에 실현된 일련의 술어구 구문 표현이 다른 술어구 대응문으로 변환되어 구성되는 추론쌍으로, 예를 들면 다음과 같다.

- P | 아이들은 담벼락에서 교장선생님을 보자 놀라서 **줄행랑을 쳤다**.
- H | 아이들은 담벼락에서 교장선생님을 보자 놀라서 **도망쳤다**.　　[함의]

P문에 나타난 '줄행랑을 치다'는 H문의 '도망치다'로 치환될 수 있는 관용적인 유의어 대응 구문을 구성한다. 이 경우 두 문장은 함의 관계를 구성한다.

전제문의 한 어휘 성분이 가설문에서 '부정(NEGATION) 접두사'에 의한 파생어로 변형되어 추론쌍을 구성하는 유형으로, 주어 명사구에 부정 접두사가 결합된 예를 통해 두 문장의 관계를 기술하면 다음과 같다.

- 전제문(P) | N1-가   PRED
- 가설문(H) | [NegPfx-N]1-가   PRED

여기서 부정 접두사(NegPfx)는 '미/비/부/불' 등과 같은 일련의 한자어들로서, 명사뿐 아니라 동사, 형용사, 부사 등과도 결합한다. 다음은 이러한 추론쌍의 예를 보인다.

P		검은 모자를 쓴 저 학생은 이번 강의에 **등록한** 학생이에요.
	E	검은 모자를 쓴 저 학생은 이번 강의에 신청한 학생이에요.
H	C	검은 모자를 쓴 저 학생은 이번 강의에 **미등록한** 학생이에요.
	N	검은 모자를 쓴 저 학생은 이번 강의에 결석한 학생이에요.

위의 P문의 동사 '등록하다'는 H문에서 '미등록하다'로 치환되어 모순 관계의 추론쌍을 구성하였다.

부정 접두사가 결합하여 추론쌍이 구성되는 경우, 다음과 같이 2가지 유형으로 나누어 고찰할 수 있다.

1. 명사에 부정 접두사가 결합한 유형

명사에 부정 접두사가 결합하여 'A'와 'Non-A' 유형의 단어쌍이 구성된 후, 이들이 실현된 두 문장이 추론쌍을 구성하는 경우이다. 예를 들면 다음과 같다.

- P | 그 제품의 개발자들은 결국 고객 90% 만족이라는 결과를 얻었다.
- H | 그 제품의 개발자들은 결국 고객 90% 불만족이라는 결과를 얻었다.[모순]

2. 명사외 성분에 부정 접두사가 결합한 유형

'동사'나 '형용사', '부사' 등 명사 외 성분에 부정 접두사가 결합하여 구성된 단어쌍을 내포한 두 문장이 추론 관계를 구성하는 유형으로, 예를 들면 다음과 같다.

- [1] P | 내 친구는 이번 공무원 시험에 최종적으로 합격했다.
      H | 내 친구는 이번 공무원 시험에 최종적으로 불합격했다.   [모순]

- [2] P | 몇몇 학생들은 경찰관의 질문에 성실하게 답했다.
      H | 몇몇 학생들은 경찰관의 질문에 불성실하게 답했다.   [중립]

[1]에서는 동사 '합격하다'에서 '불합격하다'가 파생된 후, 각 단어가 사용된 두 문장('내 친구가 합격했다'는 P문과 '내 친구가 불합격했다'는 H문) 사이에 모순 관계가 구성되었다. 반면 [2]에서는 '성실하게-불성실하게'의 반의어쌍이 각 문장에서 실현될 때, '몇몇 학생들은 성실하게 답하고' 또한 '몇몇 학생들은 불성실하게 답하는 것'이 서로 배타적이지 않으므로, 두 문장은 중립 관계가 된다.

어휘·지식 변환 스키마
상위어/하위어 변형 | L07-L10

    단어들 간의 특정 어휘적 관계(lexical relation)로 '상위어(hypernym)' 및 '하위어(hyponym)', '부분어(meronym)' 및 '전체어(holonym)', 그리고 '환유어(metonym)' 등의 변형에 의해 추론쌍을 구성하는 경우이다.

    앞서 살핀 '유의어/반의어'의 경우와 달리, '상위어/하위어'나 '부분어/전체어', '환유어' 등의 관계는 두 어휘간의 관계가 동등하지 않고, '방향성을 가지는 포함 관계'를 보이기 때문에, 여기서는 어떠한 성분이 전제문에 실현되어 가설문에서 치환되는가 하는 그 방향성 관계가 중요하다. 즉 이 경우, 앞서 논의한 '단조성(monotonicity)'의 개념과 긴밀하게 연관된다. 다음과 같이 4가지 유형으로 분류할 수 있다.

- L07 | 명사의 상하위어 어휘 변형
- L08 | 명사 외 범주의 상하위어 어휘 변형
- L09 | 명사의 부분·전체어 어휘 변형
- L10 | 명사의 환유어 어휘 변형

'명사의 상하위어 어휘 변형'은 '상위어(hypernym)'와 '하위어 (hyponym)' 관계를 보이는 두 명사 쌍을 기반으로 추론쌍이 구성되는 유형으로, 이들이 주어 위치에 실현되는 경우의 예를 들면 다음과 같이 기술될 수 있다.

- 전제문(P) | [N_Hyponym/Hypernym]1-가   PRED
- 가설문(H) | [N_Hypernym/Hyponym]1-가   PRED

명사의 상하위어는 어휘 층위의 논리적 속성 상으로는 하위어가 상위어에 포함되므로 함의 관계를 구성할 수 있으나, 실제 문장내 어떠한 연산자 등과 실현되는가에 따라 추론 관계는 달라질 수 있다. 명사 상하위어의 예를 들면, '사람'과 '남자', '학생'과 '중학생' 등의 경우를 들 수 있다. 명사 상하위어에 의한 추론쌍의 예를 들면 다음과 같다.

P		내 동생의 대학 친구들이 행사에 참석했다.
	E	내 동생의 지인들이 행사에 참석했다.
H	C	내 동생의 대학 친구들이 행사에 불참했다.
	N	내 사촌의 대학 친구들이 행사에 참석했다.

위에서 '내 동생의 대학 친구들이 참석했다'면, '내 동생의 지인들이 참석했다'고 할 수 있으므로, 두 문장은 함의 관계가 된다.

명사 상하위어에 의한 추론쌍은 다음 2가지 유형으로 나누어 논의할 수 있다.

1. 전제문에 하위어가 실현되는 유형

앞서의 예문에서도 본 바와 같이, 일반적으로 '하위어'는 '상위어'에 포함되는 개념이므로, 전제문에 '하위어'가 분포되고 가설문에 '상위어'가 분포된 경우 '상향 단조(upward monotone)'가 일어나서 두 문장은 함의 관계가 될 수 있다. 다른 예를 살펴보면 다음과 같다.

- P | 가을이 되니 거리의 **은행나무들이** 가을색으로 바뀌었네요.
- H | 가을이 되니 거리의 **나무들이** 가을색으로 바뀌었네요.   [함의]

P문에서 '거리의 은행나무들'을 언급했다면, '거리의 나무들'은 그 상위어로서 이를 내포하는 개념이므로, H문은 P문과 함의 관계를 구성한다. 그런데 다음과 같이 '하향 단조(downward monotone)'의 특징을 보이는 연산자 '모든'이 삽입되면 두 문장은 '중립' 관계가 된다.

- P | 가을이 되니 거리의 **모든 은행나무들이** 가을색으로 바뀌었네요.
- H | 가을이 되니 거리의 **모든 나무들이** 가을색으로 바뀌었네요.   [중립]

즉 P문에서 '모든 은행나무들이 가을색으로 바뀐다'고 하였지만, 이는 H문에서처럼 '모든 나무들이 가을색으로 바뀐다'는 의미를 함축하지는 않는다. 즉 '모든'의 수식을 받는 경우, 다음과 같이 P문에 상위어가 실현되고 H문에 하위어가 실현되어야 함의 관계가 성립된다.

- P | 가을이 되니 거리의 **모든 나무들이** 가을색으로 바뀌었네요.
- H | 가을이 되니 거리의 **모든 은행나무들이** 가을색으로 바뀌었네요.   [함의]

2. 전제문에 상위어가 실현되는 유형

전제문에 상위어 명사구가 실현되고, 가설문에 그 하위어 명사구가
실현된 다음 예를 보자.

- P | 내 동생의 **한 지인이** 자전거를 타다가 사고를 당했다.
- H | 내 동생의 **한 동아리친구가** 자전거를 타다가 사고를 당했다.　　　[중립]

P문에서 '지인이 사고를 당했다'고 하였는데, 그 사람이 '동아리 친구'인
지는 알 수 없다. 이 경우 H문은 P문과 중립 관계를 구성한다. 반면 다
음과 같이 수식어가 '모든'으로 변환되면, 두 문장은 함의 관계를 구성하
게 되는데,

- P | 내 동생의 **모든 지인들은** 춤추는 걸 좋아한다.
- H | 내 동생의 **모든 동아리친구들은** 춤추는 걸 좋아한다.　　　[함의]

이 경우, '모든 지인들' 속에 '모든 동아리친구들'이 포함될 수 있기 때문
이다. 이와 같이 '하향 단조'의 특징을 보이는 연산자 '모든'이 실현되는
경우에는, 전제문에 상위어가 실현되고 가설문에 하위어가 실현되었을
때 함의 관계를 구성할 수 있게 된다.

상하위어 변형은, 단조성에 영향을 미치는 일정 연산자 및 문장 구조
에 따라 두 문장 사이의 추론 관계에 변화를 가져오므로, 앞서 논의한
'단조성'의 현상과 함께 고찰될 필요가 있다.

　　'명사외 성분의 상위어 및 하위어' 관계를 통해 추론쌍을 구성하는 유형으로, 술어의 예를 들면 다음과 같은 구조로 기술될 수 있다.

- 전제문(P) │　N1-가　　PRED_Hyponym/Hypernym
- 가설문(H) │　N1-가　　PRED_Hypernym/Hyponym

여기서 명사외 성분의 상하위어의 예를 들면, '움직이다'와 '뛰다', 또는 '말하다'와 '소곤거리다'와 같은 단어쌍을 들 수 있다. 이러한 추론쌍의 예를 들면 다음과 같다.

P		야생 동물원의 얼룩말들이 무리지어 **뛰어다니고 있다.**
	E	야생 동물원의 얼룩말들이 무리지어 **움직이고 있다.**
H	C	야생 동물원의 얼룩말들이 모두 흩어져 앉아 있다.
	N	야생 동물원의 조랑말들이 무리지어 뛰어다니고 있다.

위 P문의 동사 '뛰어다니다'가 상위어 '움직이다'로 치환된 H문은 함의 관계를 구성하고 있다.

　　명사외 범주의 상하위어에 의한 추론쌍도 앞서 명사 범주의 경우처럼 다음 2가지 유형으로 나누어질 수 있다.

1. 전제문에 하위어가 실현되는 유형

　　전제문에 명사외 범주의 하위어가 실현되고, 가설문에서 상위어로 치환되는 경우의 예를 들면 다음과 같다.

- P | 유치원 발표회에서 한 아이가 수줍게 **춤을 추었다.**
- H | 유치원 발표회에서 한 아이가 수줍게 **몸을 움직였다.**   [함의]

P문의 술어구 '춤을 추다'는 H문의 '몸을 움직이다'에 대한 하위어 유형으로 나타났다. 앞서 명사의 경우에서처럼, 하위어가 상위어로 치환되는 '상향 단조'의 경우, 일반적으로 함의 관계가 성립될 수 있다.

그런데, 여기서 '부정소(negator)'와 같은 '하향 단조'의 특징을 보이는 연산자가 삽입되면, 위 문장은 더 이상 함의 관계를 구성하지 못하게 된다.18)

- P | 유치원 발표회에서 한 아이가 **춤을 추지 않았다.**
- H | 유치원 발표회에서 한 아이가 **몸을 움직이지 않았다.**   [중립]

부정소 '않다'가 삽입된 P문에서 '춤을 추지 않았다'고 했을 때, 그것이 H문에서처럼 '몸을 움직이지 않았다'는 것을 의미하지는 않기 때문에, 두 문장은 함의 관계를 구성하지 못한다.

2. 전제문에 상위어가 실현되는 유형

반대로, 전제문의 술어구에 상위어가 실현되고 가설문에서 하위어로 치환되는 경우를 살펴보자.

---

18) 여기서는 동사에 대한 연산자로서의 '부정소'의 범위 해석을 명확히 하기 위하여, 부사어 '수줍게'를 삭제하고 문장쌍을 구성하였다.

- P | 행사장에서 학생 대표가 참석자들에게 **말을** 했다.
- H | 행사장에서 학생 대표가 참석자들에게 **연설을** 했다.   [중립]

P문의 술어구 '말을 하다'는 H문의 '연설을 하다'에 대한 상위어 유형으로서, 이와 같이 '하향 단조'가 일어나는 경우, 두 문장은 함의 관계가 구성되지 못한다. 즉 '말을 했다'는 것은 '연설을 하거나 가볍게 대화를 하거나 말다툼을 하거나' 여러 유형의 '말하는 행위'를 의미할 수 있으므로, '연설을 했다'는 H문의 '참/거짓'을 확인하는 것이 불가능하다.

 이 경우에도 '하향 단조'의 속성을 통해 함의 관계를 구성하는 '부정소'와 같은 연산자가 동반되면, 위의 문장은 함의 관계로 전환된다.

- P | 행사장에서 학생 대표는 참석자들에게 **말을 하지 않았다.**
- H | 행사장에서 학생 대표는 참석자들에게 **연설을 하지 않았다.**   [함의]

즉 부정소 '않다'가 실현된 P문에서 '말을 하지 않았다'면, '연설을 하지 않았다'는 H문도 당연히 참이 되므로, 두 문장은 함의 관계를 구성하게 된다.

68 L09 명사의 부분어·전체어 어휘 변형

　'부분어((meronym)'와 '전체어(holonym)' 관계의 두 명사쌍으로 이루어진 문장 사이의 추론 관계를 구성하는 것으로, 이러한 명사쌍이 주어 위치에 실현된 예를 들면 다음과 같이 기술될 수 있다.

- 전제문(P) | [N_Meronym/Holonym]1-가　PRED
- 가설문(H) | [N_Holonym/Meronym]1-가　PRED

부분어와 전체어의 예를 들면, '바퀴-차' 또는 '눈-얼굴'과 같은 유형을 볼 수 있다. 이러한 유형의 추론쌍의 예를 들면 다음과 같다.

P		새로 나온 이번 모델은 **차내부가** 전체적으로 넓직해요.
	E	새로 나온 이번 모델은 **운전석자리가** 전체적으로 넓직해요.
H	C	새로 나온 이번 모델은 차내부가 전체적으로 좁은듯해요.
	N	새로 나온 이번 모델은 계기판이 전체적으로 넓직해요.

P문의 명사구 '차내부'가 H문에서 '부분'의 의미를 갖는 '운전석자리'로 치환된 경우, 함의 관계를 구성하고 있다.

　'부분어'와 '전체어'의 관계는, 앞서 논의한 '하위어'와 '상위어'의 개념과는 구별되어야 한다. 가령 '자동차-트럭'이 '상위어-하위어'의 관계를 구성한다면, '자동차-바퀴'는 '전체어-부분어'의 관계를 구성한다. 즉 전자에서는 {자동차}라는 집합 범주에 {트럭}이라는 개체가 포함되는 개념이지만, 후자에서는 '자동차'라는 개체를 구성하는 '바퀴/엔진/시트/유리창' 등 여러 '요소'들 중의 하나로서의 '바퀴'가 언급된 것이다. 부분어

/전체어가 실현된 문장쌍 유형도 다음과 같이 2가지로 분류될 수 있다.

1. 전제문에 '전체어'가 실현되는 유형

전제문에 '전체어'가 나타나고, 가설문에서 '부분어'로 치환되는 경우로서, 예를 들면 다음과 같다.

- P | 어제 먹은 **초밥** 요리의 맛과 식감이 완벽했어요.
- H | 어제 먹은 **초밥** 회의 맛과 식감이 완벽했어요.   [함의]

P문의 '초밥 요리'는 H문에서 그 요리의 일부를 구성하는 부분어로서 '초밥 회'로 치환되어 함의 관계를 구성하였다.

그런데 전제문의 전체어가 가설문에서 부분어로 치환되는 경우인데도 함의 관계가 구성되기 어려운 유형이 있다. 다음을 보자.

- P | 피부과 전문의가 환자의 **얼굴** 부위에서 이상한 증상을 발견했다.
- H | 피부과 전문의가 환자의 **눈** 부위에서 이상한 증상을 발견했다.   [중립]

위의 예에서는 '얼굴-눈'의 전체-부분어 관계쌍이 실현되었지만, P문에서 '얼굴 부위에 증상이 있다'는 것이 H문의 '눈 부위에 있는 증상'이라고 단정지을 수 없기 때문에, 두 문장은 중립 관계가 된다.

2. 전제문에 '부분어'가 실현되는 유형

전제문에 '부분어'가 실현되고, 이것이 가설문에서 '전체어'로 치환된 경우로, 다음과 같은 예를 들 수 있다.

- P | 아이가 **이마에** 상처가 났어요.
- H | 아이가 **얼굴에** 상처가 났어요.　　　　　　　　[함의]

위의 P문에 실현된 부분어 '이마'는 H문에서 전체어 '얼굴'로 치환된 명사쌍 관계를 구성하는데, 이때 '이마에 상처가 났다'는 사실은 '얼굴에 상처가 났다'는 것을 의미하므로, 두 문장은 함의 관계를 구성한다.

　그런데 이러한 신체부위 명사들이 상하위어 관계로 구성된 다음 문장쌍을 보면, 이러한 함의 관계가 가능하지 않은 것을 볼 수 있다.

- P | 그 아이는 **눈이** 커요.
- H | 그 아이는 **얼굴이** 커요.　　　　　　　　　　[중립]

　두 명사 사이의 '전체-부분어' 관계의 의미적 양상이 다양할 뿐 아니라, 이러한 명사구들이 어떠한 문장 구조에서 실현되었는가에 따라 그 함의 관계가 달라지므로, 향후 이에 대한 포괄적인 논의가 요구된다.

69 L10 명사의 환유어 어휘 변형

일반명사 또는 고유명사의 '환유(METONYMY)' 관계를 통해 추론쌍을 구성하는 유형으로, 이러한 명사쌍이 주어 위치에 실현되는 예를 통해 이를 기술하면 다음과 같다.

- 전제문(P) | [N_Metonym]1-가   PRED
- 가설문(H) | N1-가   PRED

이 추론쌍의 예를 들면 다음과 같다.

P		2층 회의실에 **크리넥스**가 다 떨어져서 새로 주문했어요.
	E	2층 회의실에 **미용티슈**가 다 떨어져서 새로 주문했어요.
H	C	2층 회의실에 크리넥스가 아직 있습니다.
	N	2층 회의실에 커피가 다 떨어져서 새로 주문했어요.

P문에 실현된 고유명사 '크리넥스'는 H문의 '미용티슈'에 대한 환유적 표현으로서, 두 문장은 함의 관계를 구성한다.

여기서 논의하는 '환유적 표현'에 의한 추론쌍은 다음과 같이 분류될 수 있다.

1. 일반명사가 환유적 표현으로 사용된 유형

어떤 사물의 대표적인 속성을 기반으로, 그 속성 표현과 사물 사이의 환유적 관계를 구성하는 경우로서, 다음과 같은 문장 쌍을 살펴볼 수 있다.

- [1] P │ 오늘은 학교에 그 **빨간머리**가 보이질 않네.
  H │ 오늘은 학교에 그 **빨간머리 친구**가 보이질 않네.　　　[함의]

- [2] P │ 첨단 분야에서의 **두뇌 유출**이 심각합니다.
  H │ 첨단 분야에서의 **고급인력 유출**이 심각합니다.　　　[함의]

위의 [1]에서 P문의 '빨간머리'는 H문의 '빨간머리 친구'를 일컫는 환유적 표현이며, [2]에서는 '두뇌 유출'이 '고급인력 유출'을 의미하는 환유적 표현으로 사용되어 각 문장쌍은 함의 관계를 구성하였다. 즉 어떤 대상에 대하여 대표적 속성 표현을 별명처럼 사용하거나 비유적 의미로 사용하여 추론 관계를 구성하였다.

2. 고유명사가 환유적 표현으로 사용된 유형

특정 대상을 일컫는 '고유명사(proper noun)'가 '보통명사(common noun)'를 대신해서 사용되는 환유적 관계로서, 예를 들면 다음과 같다.

- [1] P │ 이 해물전골에는 **다시다**가 너무 많이 들어갔네요.
  H │ 이 해물전골에는 **감미료**가 너무 많이 들어갔네요.　　　[함의]

- [2] P │ 동아리 친구들이 요즘 **쇼팽**에 빠져 있어요.
  H │ 동아리 친구들이 요즘 **쇼팽의 음악**에 빠져 있어요.　　　[함의]

위 [1]의 P문에 사용된 '다시다'는 H문의 '감미료'에 대한 환유적 표현으로서, 두 문장은 함의 관계를 구성한다. [2]의 P문에서 '쇼팽'은 H문의 '쇼팽의 음악'을 의미하므로, 두 문장 역시 함의 관계를 구성한다.

어휘•지식 변환 스키마
지식/상식표현 변형 | L11-L19

지식(knowledge)과 상식(common sense)에 기반하여 두 문장 사이의 추론 관계를 구성하는 유형으로, 다음과 같이 9가지로 나누어 고찰할 수 있다.

- L11 | 문화•종교 지식에 기반한 변형
- L12 | 지리적 지식에 기반한 변형
- L13 | 역사적 지식에 기반한 변형
- L14 | 예술적 지식에 기반한 변형
- L15 | 법률•사회적 지식에 기반한 변형
- L16 | 경제•스포츠 지식에 기반한 변형
- L17 | 수리적 지식에 기반한 변형
- L18 | 과학•의학 지식에 기반한 변형
- L19 | 일반상식 지식에 기반한 변형

'문화·종교 지식에 기반한 변형' 유형은 전제문에 나타난 문화 및 종교 지식 정보를 가설문에서 재구성하여 추론쌍을 구성하는 경우로, 이러한 명사구 유형이 주어 위치에 실현되는 예를 들면 두 문장의 관계는 다음과 같이 기술될 수 있다.

- 전제문(P) | [N_CultureReligion]1-가   PRED
- 가설문(H) | [N_Paraphrase]1-가   PRED

이러한 추론쌍의 예를 들면 다음과 같다.

P		인도네시아에는 **이슬람교도**가 생각보다 많이 있습니다.
	E	인도네시아에는 **알라신을 믿는 신자들**이 생각보다 많이 있습니다.
H	C	인도네시아에는 무슬림 종교를 믿는 신도가 없습니다.
	N	말레이시아에는 생각보다 많은 이슬람교도가 있습니다.

P문에서 '이슬람교도'는 H문에서 '알라신을 믿는 신자들'로 치환되어 함의 관계를 구성하였다. 두 명사구 사이의 추론 관계를 파악하기 위해서는 '알라신을 믿는 신자들이 이슬람 교도'라는 종교적 사실에 대한 지식이 수반되어야 한다.

문화·종교 지식에 기반한 추론쌍은 다음 2가지 유형으로 나누어 고찰할 수 있다.

1. '문화적 지식'을 바탕으로 하는 추론쌍

여기서 문화적 지식은 'K-POP, 힙합, 웹툰, 게임, 드라마, 영화, 연극' 등 현대의 다양한 예술 및 엔터테인먼트에 대한 지식을 의미한다. 이는 뒤에서 살필 '예술적 지식'과 구별되는데, 즉 예술 영역에서는 역사적 또는 고전 예술 (회화, 조각, 음악, 문학 등) 영역을 의미하고, 여기서는 현대적 개념과 대중적 영역을 중심으로 한다. 예를 들면 다음과 같다.

- P | **처음으로 인공지능과 바둑 대결을 벌인 기사**가 오늘 TV에 나왔다.
- H | **이세돌 기사**가 오늘 TV에 나왔다.   [함의]

P문의 '처음으로 인공지능과 바둑 대결을 벌인 기사'가 '이세돌 기사'를 의미한다는 것은 이 영역에 대한 세계 지식(world knowledge)이 갖추어져야 추론할 수 있다.

마찬가지로 다음의 문장쌍에서도 '전세계적으로 제일 히트쳤던 싸이의 노래' 제목이 '강남스타일'이라는 것을 이해하기 위해서는 이러한 문화적 지식이 뒷받침되어야 한다. 이 경우 두 문장이 함의 관계에 있다는 사실을 추론할 수 있다.

- P | 사람들이 **전세계적으로 제일 히트쳤던 싸이의 노래**를 모두 따라부르더라.
- H | 사람들이 **강남스타일**을 모두 따라부르더라.   [함의]

2. '종교적 지식'을 바탕으로 하는 추론쌍

앞서 살핀 '이슬람교'와 관련된 종교적 지식 외에도 '기독교, 불교, 천주교, 원불교, 무속신앙' 등 다양한 세계 종교에 대한 지식이 토대가 되어야 추론 관계를 이해할 수 있는 경우이다. 다음 P문에서 '부처님께 예불을 드리는 종교인'이 '스님'인 것을 추론하기 위해서는 불교에 대한 종교적 지식이 요구됨을 알 수 있다.

- P | 우리는 법당안에서 **부처님께 예불을 드리는 한 종교인**을 만났다.
- H | 우리는 법당안에서 **한 스님**을 만났다.   [함의]

71 L12 지리적 지식에 기반한 변형

전제문에 나타난 '지리적 지식' 표현에 대한 이해를 통해 가설문과의 추론 관계를 해석할 수 있는 경우로서, 두 문장의 관계는 다음과 같이 기술될 수 있다.

- 전제문(P) | [N_Geography]1-가   PRED
- 가설문(H) | [N_Paraphrase]1-가   PRED

이 추론쌍의 예를 들면 다음과 같다.

P		우리는 지난 여름 **에펠탑과 샹젤리제를** 관광했어요.
	E	우리는 지난 여름 **파리의 유명 관광지들을** 관광했어요.
H	C	우리는 지난 여름 에펠탑과 샹젤리제는 보지 못했어요.
	N	우리 부모님은 지난 여름 에펠탑과 샹젤리제를 관광했어요.

위의 P문에 포함된 '에펠탑과 샹젤리제'는 H문에서 '파리의 유명 관광지들'이라는 명사구로 치환되었다. 이때 두 문장이 함의 관계를 이루고 있음을 이해하기 위해서는 '세계의 지리적 정보'에 대한 지식이 필요하다.

지리적 지식에 기반한 추론쌍 구성은 다음과 같이 2가지 유형으로 나누어 살펴볼 수 있다.

1. '지리적 장소'의 특징/이슈 관련 지식에 기반한 추론쌍

여기서 '지리적 장소'는 도시나 특정 건축물, 자연적 장소 등 다양한 공간을 의미하며, 이러한 특정 장소에 대한 사회적 이슈나 문화적 특징 등의 정보에 기반하여 추론쌍이 구성되는 경우이다.

- P | 올해에는 **일본이 계속 자기 영토라 주장하는 우리나라 섬**에 다녀올 거예요.
- H | 올해에는 **독도**에 다녀올 거예요.   [함의]

위의 P문에 나타난 '일본이 계속 자기 영토라 주장하는 우리나라 섬'이 '독도'를 의미한다는 것은 이와 같은 지리적 대상에 대한 사회적 지식이 뒷받침되어야 이해할 수 있다. 그런데 현재 '지식'의 대분류 영역에서 다루어지는 이러한 유형들은 이와 같이 명확하게 '지리적 지식'이라는 하나의 소분류 영역으로만 한정하기 어렵고, '사회적·역사적 지식'과 같은 복합적인 세계 지식을 함께 포함하는 경우가 많다.

2. '지리적 장소'의 행정/사실관계 지식에 기반한 추론쌍

이 유형은 지리적 장소들 사이의 상하위 개념 또는 포함 관계 등에 대한 객관적 또는 행정적 사실 관계 지식이 뒷받침되어야 올바른 추론이 가능한 경우로서, 다음과 같은 예가 여기 해당한다.

- P | 세계의 3대 석양의 하나라는 곳이 **코타키나발루**에 있는 걸 몰랐네요.
- H | 세계의 3대 석양의 하나라는 곳이 **말레이시아**에 있는 걸 몰랐네요. [함의]

여기서 '코타키나발루'는 '말레이시아'에 속한 지명이므로, 위의 두 문장은 함의 관계를 구성한다.
이러한 지리적 관계는 국가, 도시, 또는 그 이하의 행정 구역이나 자연물 및 건축물 등의 지리적, 공간적 포함 관계를 나타낼 수 있어, 실제로 다음과 같이 아주 지엽적인 지리적 정보에 대한 지식이 뒷받침되어야 추론 관계를 판단할 수 있는 경우들이 포함된다.

- P | 어제 **분당구청** 앞에서 갑작스런 도로 붕괴 사고가 있었습니다.
- H | 어제 **성남시**에서 갑작스런 도로 붕괴 사고가 있었습니다.   [함의]

72 L13 역사적 지식에 기반한 변형

전제문에 나타난 '역사적 지식' 정보가 가설문에서 재구성되어 추론 쌍을 구성하는 경우로서, 다음과 같이 기술될 수 있다.

- 전제문(P) | [N_History]1-가   PRED
- 가설문(H) | [N_Paraphrase]1-가   PRED

이 추론쌍의 예를 들면 다음과 같다.

P		**프랑스 대혁명이 일어난 해에 세계적으로 여러 사건이 일어났다.**
	E	**1789년에 세계적으로 여러 사건이 일어났다.**
H	C	프랑스 대혁명이 일어난 해에 세계적으로 아무 사건도 일어나지 않았다.
	N	프랑스 대혁명이 일어난 다음 해에 세계적으로 여러 사건이 일어났다.

위의 P문에 나타난 '프랑스 대혁명이 일어난 해'는 H문에서 '1789년'으로 치환되어 함의 관계를 구성하였다. 여기서 이러한 함의 관계는 역사적 사실에 대한 지식이 뒷받침되어야 추론이 가능하다.

실제로 역사적 지식은 동양, 서양과 같은 '공간적 다양성'과, 역사적 시점에 있어서도 오래된 과거와 현대에 가까운 과거 등 다양한 '시간적 다양성'이 존재하므로, 이러한 특징들을 고려하여 문장쌍들의 추론 관계를 구성하는 것이 필요하다.

역사적 지식에 기반하는 추론쌍의 유형은 다음 2가지로 나누어 고찰할 수 있다.

1. '역사적 사건/시기'에 대한 지식을 기반으로 하는 추론쌍

　　역사적 지식에 있어 특히 '일정 시기 또는 사건(EVENT)'에 대한 지식이 바탕이 되어 추론 관계를 이해할 수 있는 유형으로, 예를 들면 다음과 같다.

- P | 미국에서는 **링컨의 남북전쟁**이 엄청난 사회적 변화를 가져왔다.
- H | 미국에서는 **링컨의 노예해방전쟁**이 엄청난 사회적 변화를 가져왔다. [함의]

- P | **히로시마 원폭으로 일본이 항복한 해**에 많은 외국인들이 일본을 떠났다.
- H | **1945년**에 많은 외국인들이 일본을 떠났다. [함의]

2. '역사적 인물'에 대한 지식을 기반으로 하는 추론쌍

　　역사적 지식에 있어 특히 역사적 '인물(PEOPLE)'에 대한 다양한 정치적, 문화적, 또는 사회적 지식이 바탕이 되어야 그 추론 관계를 이해할 수 있는 유형이 있다. 예를 들면 다음과 같다.

- P | **한글을 창제한 조선의 임금**은 과학기술 분야에도 많은 업적을 남겼다.
- H | **세종대왕**은 과학기술 분야에도 많은 업적을 남겼다. [함의]

- P | 학생들은 **최초로 전기를 발명한 사람**의 업적에 대한 보고서를 작성했다.
- H | 학생들은 에디슨의 업적에 대한 보고서를 작성했다. [함의]

73 L14 예술적 지식에 기반한 변형

전제문에 나타난 '예술적 정보'가 가설문에서 재구성되어 추론쌍을 구성하는 유형으로, 그 문장쌍은 다음과 같은 방식으로 기술될 수 있다.

- 전제문(P) | [N_Art]1-가   PRED
- 가설문(H) | [N_Paraphrase]1-가 PRED

이 추론쌍의 예를 들면 다음과 같다.

P		루브르미술관에서 **레오나르도 다빈치의 그림**은 항상 인기가 많다.
	E	루브르미술관에서 **모나리자 그림**은 항상 인기가 많다.
H	C	루브르미술관에서 다빈치의 그림은 이제는 사람들이 더 찾지 않는다.
	N	루브르미술관에서 이탈리아 화가의 그림은 항상 인기가 많다.

위의 P문에 나타난 '레오나르도 다빈치의 그림'은 '모나리자 그림'을 내포할 수 있는 상위 개념이다. 이 경우, P문과 H문은 함의 관계를 구성하지만, 두 문장이 역관계로 연결되면 두 문장은 중립 관계가 된다.

- P | 루브르미술관에서 **모나리자 그림**은 항상 인기가 많다.
- H | 루브르미술관에서 **레오나르도 다빈치의 그림**은 항상 인기가 많다.   [중립]

즉 H문의 '레오나르도 다빈치의 그림'은 P문의 '모나리자 그림' 같은 특정 작품이 아니라 그 화가의 작품들을 총칭하는 것으로 해석되므로, 두 문장은 함의 관계를 구성하기 어렵다.

그러나 다음에서는 같은 관계의 명사구 쌍이 실현되었음에도, 이들이 실현된 두 문장이 함의 관계를 구성하는 것을 볼 수 있다.

- P | 이 그림이 **모나리자 그림**입니다.
- H | 이 그림이 **레오나르도 다빈치의 그림**입니다.　　　　　　[함의]

위 문맥에서는 H문의 '레오나르도 다빈치의 그림'이 일반적 작품 집합을 의미하는 것이 아니라, 특정 예술 작품에 대한 설명으로 주어진 보격 논항으로서, P문의 '모나리자 그림'과 동등한 지시 대상물을 가르키기 때문이다.

예술적 지식에 기반한 추론쌍 유형에서, '예술적 지식'은 앞서 살핀 대중 문화적 지식과 구별하여, 전통적 또는 역사적 예술 행위로 좁혀서 해석하도록 한다. 예를 들어 회화나 조각, 음악, 문학 등의 영역으로서, 다음과 같이 3가지 유형으로 살펴볼 수 있다.

1. '시각 예술' 분야에 대한 지식을 바탕으로 하는 추론쌍

예술 분야에서 '그림'뿐 아니라 '조각, 사진, 건축, 발레' 등의 다양한 '시각 예술' 분야에 대한 지식이 바탕이 되어 추론 관계를 구성하는 경우로, 예를 들면 다음과 같다.

- P | **국내에서 가장 유명한 로댕의 작품**이 다음달에 국내 전시회에 온답니다.
- H | **로댕의 생각하는 사람 조각상**이 다음달에 국내 전시회에 온답니다. [함의]

2. '청각 예술' 분야에 대한 지식을 바탕으로 하는 추론쌍

예술 분야에서 '음악'이나 '연주, 작곡, 성악' 등 다양한 '청각 예술'

분야에 대한 지식이 바탕이 되어 추론 관계를 구성하는 경우이다. 예를 들면 다음과 같다.

- P | **쇼팽의 피아노 연주곡**을 들으니 마음이 편안해 지네요.
- H | **쇼팽의 녹턴 연주곡**을 들으니 마음이 편안해 지네요. [함의]

3. '텍스트 기반 예술'에 대한 지식을 바탕으로 하는 추론쌍

예술 분야에서 '소설'이나 '시' 등 문학작품 및 그 외 다양한 '텍스트 기반' 분야에 대한 지식이 바탕이 되어 추론 관계를 구성하는 경우로, 예를 들면 다음과 같다.

- P | 국내에서 **헤르만 헤세의 작품들**은 여전히 사랑을 받고 있습니다.
- H | 국내에서 **소설 데미안**은 여전히 사랑을 받고 있습니다. [함의]

전제문에 실현된 '법률적 또는 정치·사회적 지식'이 가설문에서 재구성되어 추론쌍을 구성하는 유형으로, 다음과 같이 기술될 수 있다.

- 전제문(P) | [N_LawSociety]1-가 PRED
- 가설문(H) | [N_Paraphrase]1-가 PRED

이 추론쌍의 예를 들면 다음과 같다.

P		한국은 **부모님 사망 후 유산 상속시 내야 하는 세금**이 너무 높다.
H	E	한국은 **상속세**가 너무 높다.
	C	한국은 부모님 사망 후 유산 상속시 내야 하는 세금이 높지 않다.
	N	한국은 증여세의 부담이 너무 높다.

위의 P문에 나타난 '부모님 사망후 유산 상속시 내야 하는 세금'은 H문에서 '상속세'로 치환되어서 함의 관계를 구성하였다.

법률, 정치·사회적 지식은 다음과 같이 2가지 유형으로 고찰될 수 있다.

1. '법률적 지식'에 기반한 추론쌍

'법률적 지식'에 기반한 추론 관계는 위에서 살핀 예시 외에도 다음과 같은 문장쌍에서 관찰된다.

- P | 다른 사람을 속여서 이익을 취하는 범죄는 더 강하게 처벌해야 한다.
- H | 사기죄는 더 강하게 처벌해야 한다.　　　　　　　　　　　[함의]

2. '정치·사회적 지식'에 기반한 추론쌍

　　정치적 또는 사회적 이슈 및 관련된 인물이나 집단, 사건 등에 대한 지식을 토대로 추론할 수 있는 문장쌍으로, 예를 들면 다음과 같다.

- P | 미국 대선에서 오바마 대통령을 배출한 당에서 이번 사안에 반대를 했다.
- H | 미국 민주당에서 이번 사안에 반대를 했다.　　　　　　　　[함의]

위의 P문에서 '오바마를 배출한 당'은 H문에서 '미국 민주당'으로 치환되어 함의 관계를 구성하였다.

　　정치적 지식은 과거에 이미 일어난 사건이 아닌 경우에는, 지속적으로 변화할 수 있는 시사적 정보 유형이 상당 부분 포함되므로, 언어 모델이 이를 올바르게 추론할 수 있기 위해서는 지속적인 업데이트가 반드시 요구된다.

75 L16 경제·스포츠 지식에 기반한 변형

전제문에 실현된 '경제·비즈니스(BUSINESS)' 또는 '스포츠(SPORTS)' 영역의 지식이 가설문에서 재구성되어 추론 관계를 구성하는 유형으로, 다음과 같이 기술될 수 있다.

- 전제문(P) | [N_BusinessSports]1-가   PRED
- 가설문(H) | [N_Paraphrase]1-가   PRED

이 추론쌍의 예를 들면 다음과 같다.

P		삼성 계열사 통합에 대해 어제 **이재용 대표**가 중요한 발표를 했다.
	E	삼성 계열사 통합에 대해 어제 **삼성전자 회장**이 중요한 발표를 했다.
H	C	삼성 계열사 통합에 대해 어제 이재용 대표는 발표를 하지 않았다.
	N	삼성 계열사 통합에 대해 지난주 이재용 대표가 중요한 발표를 했다.

위의 P문에서 '이재용 대표'는 현재 '삼성전자의 회장'으로서, 이때 H문과의 추론 관계를 이해하기 위해서는 비즈니스 관련 주요 대표자 또는 직책에 대한 지식이 있어야 한다. 이러한 유형의 지식은 앞서 '정치·사회적 지식'의 경우처럼 일반적으로 지속적인 업데이트를 필요로 하는 가변적인 성격을 보이는 경우가 많다.

현재 경제·비즈니스 관련 지식은 이와 같이 회사 대표나 회사, 주식 정보, 경제 정책 등 다양한 관련 이슈를 포함하며, 이외에도 주택이나 부동산 관련, 은행이나 금융 등의 분야도 포함한다. 이와 더불어 각종 다양한 스포츠 경기나 선수, 단체 등 '스포츠' 분야의 지식이 여기 해당된다.

다음과 같이 2가지 유형으로 고찰할 수 있다.

1. '경제·비즈니스 관련 지식'을 바탕으로 하는 추론쌍

경제·비즈니스 분야에 대한 지식을 바탕으로 추론 관계를 구성하는 또다른 예를 들면 다음과 같다. 아래의 예는 경제 분야 관련 법안 또는 정책의 예를 보인다.

- P | 단말기 유통구조 개선법은 2014년부터 시행된 통신사업 관련 법률이다.
- H | 단통법은 2014년부터 시행된 통신사업 관련 법률이다. [함의]

2. '스포츠 관련 지식'을 바탕으로 하는 추론쌍

스포츠 관련 지식은 스포츠 선수나 팀, 게임, 또는 관련 업체 등 다양한 관련 영역에 해당되며, 예를 들면 다음과 같다.

- P | 사람들은 2024년 올림픽에서 탁구 동메달 2개를 획득한 선수에게 환호했다.
- H | 사람들은 신유빈 선수에게 환호했다. [함의]

76 L17 수리적 지식에 기반한 변형

　전제문에 실현된 '수리적(MATHEMATICAL) 지식'이 가설문에서 재구성되어 추론쌍을 구성하는 유형으로, 다음과 같이 기술될 수 있다.

- 전제문(P) | [N_Mathematics]1-가　PRED
- 가설문(H) | [N_Paraphrase]1-가　PRED

이러한 추론쌍의 예를 들면 다음과 같다.

P		학생들은 **1과 자신만을 약수로 취하는 수**를 처음부터 5개 나열했다.
	E	학생들은 **소수**를 처음부터 5개 나열했다.
H	C	학생들은 1과 자신만을 약수로 취하는 수를 못 찾았다.
	N	**선생님**은 1과 자신만을 약수로 취하는 수를 처음부터 5개 나열했다.

위의 P문에 나타난 '1과 자신만을 약수로 취하는 수'는 H문에서 '소수'로 치환되어서 함의 관계를 구성하였다. '수리적 지식'은 실제 수학적 계산 지식뿐 아니라 수학적 공리 및 수학자, 수학의 역사 등 다양한 관련 영역을 포함한다. 이러한 관점에서 다음과 같은 2가지 유형으로 살펴볼 수 있다.

1. '수학적 계산 지식'에 기반한 추론쌍

　'수학적 계산 능력'과 관련된 수리적 지식은 위에서 살핀 예시 외에도 다음과 같은 문장쌍에서 관찰된다.

- P | 서류를 보니 59,320을 4로 나눈 수에 현재 우리 팀원수를 곱해야 합니다.
- H | 서류를 보니 14,830에 현재 우리 팀원수를 곱해야 합니다. [함의]

2. '그외의 수학 관련 지식'에 기반한 추론쌍

그 외의 수학적 공리나 정리, 수학자 및 수학적 역사 등 다양한 수학 관련 지식에 기반한 추론쌍 유형으로, 예를 들면 다음과 같다.

- P | 우리는 **직각삼각형의 빗변의 제곱이 다른 두변의 제곱의 합과 같음을** 배웠다.
- H | 우리는 **피타고라스 정리를** 배웠다. [함의]

77 L18 과학·의학 지식에 기반한 변형

전제문에 나타난 '과학적(SCIENTIFIC), 의학적(MEDICAL), 그리고 기술적(TECHNICAL) 지식' 정보를 가설문에서 변형하여 추론쌍을 구성하는 유형으로, 다음과 같이 기술될 수 있다.

- 전제문(P) | [N_ScienceMedicine]1-가   PRED
- 가설문(H) | [N_Paraphrase]1-가   PRED

이 추론쌍의 예를 들면 다음과 같다.

P		코로나19에 걸리면 이제 누구나 **백신주사를 맞을 수 있게 되었다.**
	E	코로나19 바이러스에 대해 드디어 **백신이 개발되었다.**
H	C	코로나19에 걸려도 아직 백신주사를 맞을 수 없다.
	N	독감에 걸리면 누구나 백신주사를 맞을 수 있게 되었다.

위의 P문에 나타난 '백신주사를 맞을 수 있게 되었다'는 술어구는 H문에서 '백신이 개발되었다'는 술어구로 변환되어 함의 관계를 구성하였다. 백신 주사를 맞을 수 있으려면 백신이 이미 개발되었어야 하므로, 두 문장은 함의 관계를 구성하지만, 이 추론쌍이 역관계로 설정되면 두 문장은 중립 관계가 된다. 즉 '백신이 개발되었다'고 해도 그 가격이나 생산량, 국가간 정책 등의 여건에 따라 '모두 백신주사를 맞을 수 있는 것'이 아니기 때문이다.

과학적 또는 의학, 기술적 지식은 실제로 그 경계가 명확하지 않다. 다만 이 전략을 편의상 하위 유형으로 분류한다면, '의학적 또는 바이오 관련 과학 기술'과 '그외 영역의 테크니컬 과학 기술'로 나누어 고려할 수 있다.

1. '의학 · 바이오 관련 과학 지식'을 바탕으로 하는 추론쌍

의학 및 바이오 관련 과학 지식의 경우, 관련 분야의 인물이나 회사, 제품, 정책 등 다양한 영역을 포함하며, 예를 들면 다음과 같다.

- P | 과체중에 고통받는 사람들이 **위고비의 효과**에 관심을 갖고 있다.
- H | 과체중에 고통받는 사람들이 **비만치료제의 효과**에 관심을 갖고 있다. [함의]

P문의 '위고비'는 H문에서 '비만치료제'로 치환되어 함의 관계를 구성하였다. 여기서는 '위고비'가 '비만치료제'의 한 브랜드명이라는 의학적 정보에 대한 지식을 갖추어야 그 추론 관계를 이해할 수 있다.

2. '기술 · 테크니컬 과학 지식'을 바탕으로 하는 추론쌍

의학적 분야를 제외한 그 외의 기술적 또는 테크니컬한 과학 지식을 바탕으로 하는 추론쌍 유형으로, 예를 들면 다음과 같다.

- P | 놀라운 능력으로 인간과 대화를 하는 **챗GPT의 출현**은 흥미로웠다.
- H | 놀라운 능력으로 인간과 대화를 하는 **언어모델의 출현**은 흥미로웠다. [함의]

위에서 P문의 '챗GPT'는 H문의 '언어모델'의 한 유형이므로, 두 문장은 함의 관계를 구성한다. 이러한 유형의 문장들 간의 추론 관계를 이해하기 위해서는 이 분야에 대한 전문 지식이 요구된다.

전제문에 표현된 특정 행위나 상태, 또는 사건에 대해, 가설문에서 현실 세계에 대한 보편적인 '상식적 지식(common sense knowledge)'을 이용하여 이를 재구성함으로써 추론쌍을 구성하는 경우로서, 이러한 관계가 서술어에 실현되는 예를 통해 기술하면 다음과 같다.

- 전제문(P) | N1-가   PRED_CommonSense
- 가설문(H) | N1-가   PRED_Paraphrase

이러한 추론쌍의 예를 들면 다음과 같다.

P		내 친구는 한달에 한번 정기적으로 **역근처 단골 헤어샵에 간다.**
	E	내 친구는 한달에 한번 정기적으로 **머리를 관리한다.**
H	C	내 친구는 한달에 한번 정기적으로 머리를 관리하지는 않는다.
	N	내 친구는 한달에 한번 정기적으로 역근처 네일샵에 간다.

위의 P문에서 '역근처 단골 헤어샵에 간다'는 서술어 표현은 H문에 나타난 '머리를 관리한다'는 술어 표현과 함의 관계를 구성한다. 즉 '상식적으로' 단골 헤어샵에 정기적으로 간다는 의미는 정기적으로 머리를 관리하러 간다는 의미를 함축하기 때문이다.

　이 유형에서 논의되는 추론 관계는, 두 문장의 추론 관계가 특정 단어나 구, 또는 문장 구조의 변환 등에 의해 형성되었던 유형들과는 다소 거리가 있다. 즉 명시적인 문장 요소들 사이의 언어학적 또는 지식적 관점에서의 치환이 아니라, 일상 생활 또는 문화, 상식적 차원에서의 함축적 의미가 유추가 이루어져야 하기 때문이다.

따라서 여기서 논의하는 '일반 상식 지식에 기반하는 추론쌍' 유형은 매우 광범위하게 고찰될 필요가 있으며, 현재 이 책에서 논의한 여러 가지 통사·어휘적 기재에 기반한 추론쌍들이 여러 단계로 중첩되어 성립될 수 있음을 이해할 필요가 있다. 여기서는 다음과 같은 몇 가지 추가적 예시를 통해 논의를 요약하고자 한다. 다음을 보자.

- [1] P | 내 친구는 어제 갑자기 배가 아파서 **의사에게 진료를** 받았다.
  H | 내 친구는 어제 갑자기 배가 아파서 **병원에** 갔다.　　　[함의]

- [2] P | 독일 총리가 **오늘 오전에 현지에서 한국행 전용기에** 탑승했다.
  H | 독일 총리가 **오늘 점심때 인천 공항에** 도착했다.　　　[모순]

- [3] P | 외국에 사는 많은 한인들처럼, 나도 **고향 음식을 먹으면 마음이 따뜻해진다.**
  H | 외국에 사는 많은 한인들처럼, 나도 **한국 음식을 좋아한다.**　　　[함의]

위의 [1]의 문장쌍에서, '내 친구가 의사에게 진료를 받았다'면, '병원에 갔다'는 사실이 전제되므로, 두 문장은 함의 관계를 구성한다. 이러한 이벤트 유형별 추론 관계는 병원이나 식당, 미용실 등 일련의 특정 상황에서 일어날 수 있는 사건들에 대한 '스크립트(script)' 개념을 부여하는 연구와 맞닿아있다.

[2]의 문장쌍의 경우는, P문을 읽는 '일반적인 상식의 사람들'이라면, '독일 총리가 오전에 독일을 출발했을 것'으로 예상하고, 이 경우 '점심때 인천 공항에 도착하는 것'은 불가능하다는 것을 이해한다. 즉 독일과 한국의 지리적 거리에 대한 지식 및 국가간 시차와 관련된 지식이 함께 전제되어야 하며, 이 경우, 여기 언급된 시간내에 이러한 이동이 불가능하다는 것을 추론할 수 있다.

[3]에서는 '나도 고향 음식을 먹으면 마음이 따뜻해진다'는 P문에서

화자인 '나'가 문맥상 '한국인'임을 추론할 수 있고, 그러므로 '고향 음식'은 '한국 음식'이 될 것이며, '마음이 따뜻해진다'는 것은 기분 좋은, 만족스러운 상태를 나타내므로, H문에서 '한국 음식을 좋아한다'는 것이 함의 관계가 될 수 있음을 추론할 수 있다.

이러한 추론 관계는 실제로 이 책에서 앞서 논의한 추론쌍들보다 훨씬 더 다층적이고 복합적인 관계를 함축하고 있는 유형이어서, 향후 보다 더 심화된 관련 연구가 요구된다.

제3장

KOLINS 스키마 & KOLIN 데이터셋

1 KOLINS 한국어추론 데이터 스키마

1.1 KOLINS 한국어추론 데이터 스키마 개요

한국어 통사·어휘·의미적 특징을 반영하는 NLI 추론쌍을 구축하기 위하여, 앞서 제2장에서 논의한 78가지의 언어적 속성을 기반으로 KOLINS (KOrean LInguistic feature-based NLI dataset Schema) 한국어 자연어추론 데이터 스키마가 구성되었다.

자연어추론에 대한 대규모 데이터셋의 구축 이후 언어모델은 '어휘적 의미(lexical meaning)'에 대해서는 상대적으로 좋은 성능을 보이는 반면, '논리적 그리고 통사적 현상(logic and syntactic phenomena)'에 대해서는 여전히 많은 문제가 있다는 연구 결과들이 발표되었다(Chien & Kalita 2020, McCoy et al. 2019). KOLINS는 한국어 자연어 추론 데이터에 있어 이와 같이 언어학적, 특히 통사적 현상들에 대한 정교한 설계와 체계적인 접근이 필요하다는 인식에서 출발하였다.

KOLINS 스키마는 현재 제2장에서 소개된 78가지 상세 스키마를 기반으로 구성되었으며, 이를 요약하면 다음과 같다.

- 논항(argument) 변환 스키마
- 술어(predicate) 변환 스키마
- 수식성분(modifier) 변환 스키마
- 어휘•지식(lexicon & knowledge) 변환 스키마

KOLINS 스키마는 앞서 제2장에서 논의한 바와 같이 모두 4가지 대분류로 구성되는데, '논항' 및 '술어', '수식성분' 등 문장 성분들 사이의 통사

적 관계뿐 아니라, 일반적으로 '어휘' 층위에서 다루어졌던 '유의어·반의어' 등의 어휘 관계들도 실제 '통사'적 관계 속에서 고려되어야 두 문장 사이의 '함의/모순/중립'의 추론 관계를 결정할 수 있다는 점을 전제하여 다루어지고 있다. 또한 언어외적(extra-linguistic) '실세계 지식(world knowledge) 및 상식(common sense)'에 기반하여 그 추론 관계를 결정할 수 있는 문장쌍 유형도 함께 포함하고 있다. 위의 4가지 대분류를 구성하는 중분류 유형을 재요약하면 다음과 같다.

번호	대분류	중분류 유형
1	논항 변환	논항 교차, 논항 변형, 논항 삭제, 논항 등위접속
2	술어구 변환	술어 부정, 술어 변형, 술어 삭제, 술어 등위접속
3	수식성분 변환	관형어 변형, 관형어 등위접속, 관계절 변형, 부사절 변형, 부사어 변형
4	어휘•지식 변환	유의어/반의어 변형, 상위어/하위어 변형, 지식/상식표현 변형

우선 '논항 변환' 스키마는 문장 속의 핵심 논항들에 대한 교차, 변형, 삭제(삽입), 등위접속 등의 언어학적 치환을 수행하여 추론쌍을 구성하는 스키마이다. 전체 4가지로 중분류되었으며, 최종적으로 23가지의 세부 유형(fine- grained categories)으로 기술된다.

두 번째로 '술어 변환' 스키마는 문장 속의 술어 성분들에 대한 부정, 변형, 삭제(삽입), 등위접속 등의 언어학적 치환을 수행하여 추론쌍을 구성하는 스키마이다. 전체 4가지로 중분류되어, 최종적으로 15가지의 세부 유형으로 기술된다.

세 번째로 '수식성분 변환' 스키마는 관형어 변형, 관형어 등위접속, 관계절 변형, 부사절 변형, 부사어 변형 등의 언어학적 치환을 수행하여 추론쌍을 구성하는 스키마이다. 전체 5가지의 중분류 유형으로 구성되며, 최종적으로 21가지의 세부 유형으로 기술된다.

끝으로, '어휘·지식 변환' 스키마는 어휘 층위(lexical level)에서

'유의어/반의어 변형'과 '상위어/하위어 변형'으로 구분하고, 지식 층위 (knowledge level)에서 '세계 지식/상식 표현의 변형'으로 분류하여 추론쌍을 구성하는 스키마이다. 전체 3가지의 중분류 유형으로 구성되며, 최종적으로 19가지의 세부 유형으로 기술된다.

1.2 KOLINS 스키마 대분류별 구성 테이블

KOLINS 스키마의 대분류별 세부 유형을 표로 정리해보면 다음과 같다. 전체 78가지로, 앞서 제2장에서 다루었던 내용들을 요약한 내용이다.

번호	대분류	중분류	코드	세부 유형
1		논항 교차 (crossing)	A01	주어와 'N-와' 논항의 교차
2			A02	목적어와 'N-와' 논항의 교차
3			A03	주어와 'N-에/로' 논항의 교차
4			A04	목적어와 'N-에/로' 논항의 교차
5			A05	목적어와 주어의 교차
6		논항 변형 (change)	A06	속격의 주격중출문 논항으로의 변형
7			A07	속격의 목적격중출문 논항으로의 변형
8	I. 논항 변환		A08	내포문 주격의 주절 목적격으로의 변형
9			A09	주격의 무표격 논항으로의 변형
10			A10	목적격의 무표격 논항으로의 변형
11			A11	부사격의 후치사 변형
12		논항 삭제 (deletion)	A12	주격 논항의 삭제
13			A13	주격 중출문의 논항 삭제
14			A14	목적격 논항의 삭제
15			A15	목적격 중출문의 논항 삭제
16			A16	동족논항 구문의 논항의 삭제
17			A17	부사격 논항의 삭제
18			A18	공지칭 대명사 논항의 삭제

19		A19	명사구의 AND 등위접속
20	논항 등위접속	A20	명사구의 OR 등위접속
21	(coordination)	A21	주격 논항의 외치 등위접속
22		A22	목적격 논항의 외치 등위접속
23		A23	부사격 논항의 외치 등위접속
24		P01	동사구 술어의 부정
25	술어 부정	P02	형용사구 술어의 부정
26	(negation)	P03	명사구 술어의 부정
27		P04	술어구 이중 부정문
28		P05	술어의 수동문 변형
29		P06	술어의 시제 변형
30	II.	술어 변형	P07	술어의 우언적 구성 변형
31	술어	(change)	P08	술어의 보문절 변형
32	변환		P09	내포문 술어의 명사화 변형
33			P10	형용사 술어의 부사화 변형
34		술어 삭제	P11	함축동사의 삭제
35		(deletion)	P12	사실동사의 삭제
36			P13	사역동사의 삭제
37		술어 등위접속	P14	술어의 AND 등위접속
38		(coordination)	P15	술어의 OR 등위접속
39			M01	수량사/시간 표현 관형어 변형
40			M02	상향 단조의 존재양화사 변형
41		관형어 변형	M03	하향 단조의 보편양화사 변형
42	III.	(change)	M04	수 관형사의 비단조 변형
43	수식어		M05	두 관형어의 교차 변형
44	변환		M06	관형어의 위치 변형
45			M07	관형어의 삭제 변형
46		관형어 등위접속	M08	관형어의 AND 등위접속
47		(coordination)	M09	관형어의 OR 등위접속

48		M10	주어의 주격 관계절 변형
49	관계절 변형	M11	주어의 비주격 관계절 변형
50	(change)	M12	비주어 논항의 주격 관계절 변형
51		M13	비주어 논항의 비주격 관계절 변형
52		M14	조건 부사절 내포 문장의 변형
53		M15	양보 부사절 내포 문장의 변형
54	부사절 변형	M16	목적 부사절 내포 문장의 변형
55	(change)	M17	원인 부사절 내포 문장의 변형
56		M18	시간 부사절 내포 문장의 변형
57		M19	설명 부사절 내포 문장의 변형
58	부사어 변형	M20	확신/태도 표현 문장부사의 변형
59	(change)	M21	불확신 표현 문장부사의 변형
60		L01	명사의 유의어 어휘 변형
61		L02	명사 외 범주의 유의어 어휘 변형
62	유의어/반의어 변형	L03	명사의 반의어 어휘 변형
63	IV.	(change)	L04	명사 외 범주의 반의어 어휘 변형
64	어휘	L05	비유적•관용적 유의어 표현 변형
65	지식	L06	부정 접두사에 의한 파생어 변형
66	변환	L07	명사의 상위어•하위어 어휘 변형
67	상위어/하위어 변형	L08	명사 외 범주의 상하위어 어휘 변형
68	(change)	L09	명사의 부분어•전체어 어휘 변형
69		L10	명사의 환유어 어휘 변형

70	지식/상식표현 변형 (change)	L11	문화•종교 지식에 기반한 변형
71		L12	지리적 지식에 기반한 변형
72		L13	역사적 지식에 기반한 변형
73		L14	예술적 지식에 기반한 변형
74		L15	법률•사회적 지식에 기반한 변형
75		L16	경제•스포츠 지식에 기반한 변형
76		L17	수리적 지식에 기반한 변형
77		L18	과학•의학 지식에 기반한 변형
78		L19	일반상식 지식에 기반한 변형

이상에서 구성된 KOLINS 스키마를 토대로 실제 언어학적 속성에 기반한 한국어추론 데이터셋 구축이 수행될 수 있다. 언어모델의 자연어추론 태스크의 파인 튜닝(fine-tuning)을 위한 NLI 데이터셋의 규모는 현재 작게는 몇 천개에서 크게는 몇 십만개에 이르는 규모를 보인다. 다만 데이터셋이 임의의 출처에서 수집되어 구성된 유형이 아닌, 언어학적 속성에 입각하여 디자인되고 구조화된 경우, SNLI나 MNLI와 같은 대규모 데이터셋의 구축은 가능하지도, 유의미하지도 않다.

본 연구에서 데이터셋 규모는 1차적으로는 1만개에서 3만개 문장쌍 규모의 구성이 적절하다고 판단되었고, 2차적으로 이를 다시 증강하여 3만~5만여 추론쌍 규모로 확장하는 것이 가능하다고 판단되었다. 다음 장에서는 현재 구축된 KOLIN 한국어추론 데이터셋(버전 V1.0)에 대해 살펴보기로 한다.

2 KOLIN 한국어추론 데이터셋 구축

2.1 한국어 자연어추론 데이터셋 KOLIN 개요

한국어 자연어추론 데이터셋 KOLIN (KOrean LInguistic feature-based NLI dataset)은 앞서 논의한 KOLINS 스키마에 기반하여 구현된 데이터로, 전체 16,380개의 추론쌍으로 구성되어 있다(남지순 외 2024). KOLIN 데이터셋은 KOLINS 스키마에 기술된 한국어 고유의 언어학적 현상을 고려하여, 전제문(P)과 가설문(H) 모두 언어학 전공자들이 직접 통제하여 구축하였다. 한국어의 통사·어휘·의미적 속성들에 대한 지식을 기반으로 추론 관계를 예측할 수 있는 한국어 NLI 언어모델을 위한 학습데이터를 목표로 하였다.

KOLIN 데이터셋은, 앞서 살핀 78가지의 세부 유형별로 각각 70개의 전제문(P)이 생성되고, 각 전제문에 대해 '함의/모순/중립' 관계의 가설문(H)이 3가지씩 대응되어, 유형별 전체 210개의 추론쌍이 구성되도록 하였다. 이를 통해 전체 데이터는 16,380개(즉 78가지 세부 유형별 각 210개)의 추론쌍으로 구성된다. 이때 '논항 변환/ 술어 변환/ 수식성분 변환/ 어휘•지식 변환'의 4가지 대분류 유형별 데이터 분포는 다음과 같다.

번호	대분류	세부유형 갯수	추론쌍 갯수	전체대비 비율
1	논항 변환	23	4,830	29.49 %
2	술어구 변환	15	3,150	19.23 %
3	수식성분 변환	21	4,410	26.92 %
4	어휘·지식 변환	19	3,990	24.36 %
Total		78	16,380	100 %

2.2 KOLIN 데이터셋 구축 방법론

KOLIN 데이터셋은 한국어의 언어학적 속성을 반영하는 추론쌍 구축을 목표로 디자인되었으므로, 기존의 웹문서나 텍스트로부터 자연적으로 획득하는 방법을 채택하는 것은 많은 제한점이 있다. 이러한 이유로 가설문뿐 아니라 전제문도 모두 그 의도에 맞게 생성하는 과정이 요구되었는데, 이러한 일련의 과정은 다음과 같이 5단계로 기술된다.

- [1단계] 78가지의 세부 유형별 각 30개의 SEED 추론쌍 구축
- [2단계] SEED를 기반으로 생성 모델을 통한 1차 자동 증강
- [3단계] 주석자에 의한 2차 데이터 수동 증강
- [4단계] 검수자에 의한 3차 데이터 수동 보강
- [5단계] 모델 학습을 위한 데이터셋 구성

☞ 1단계 | 78가지 세부 유형별 30개의 SEED 추론쌍 구축

KOLIN 데이터셋 구축의 1단계에서는, 우선 각 언어학적 유형별 추론쌍을 구성하기 위해 10개의 전제문 문장을 직접 생성한 후, 각 전제문에 대해 '함의(E)/모순(C)/중립(N)'의 3가지 레이블별 가설문을 구성하여 전체 30개의 추론쌍을 구성한다. 이때 언어학적 유형별 명확한 문장쌍을 연구자들의 언어 직관으로 직접 생성하거나, 인터넷 신문기사나 웹문서, 언어학 논문, 관련 자료 등에서 적합한 유형을 수집하고 변형하여 구성한다.

다음은 '논항 변환' 대범주 A05 '목적어와 주어의 교차' 유형에 속하는 추론쌍 SEED의 일부 예를 보인다. A05 유형은 소위 '중립동사(middle verb)'로 명명되는 일련의 특정 통사적 관계를 허용하는 동사 구문으로서, 즉 전제문(P)의 목적어가 가설문(H)에서 주어로 실현되지만

두 문장의 동사 형태는 변화되지 않는 특이한 통사 관계를 허용하는 유형이다('Nn1-가 Nm2-를 PRED' ⇒ 'Nm1-가 PRED'로 기술됨). 다음을 보자.

1 P: 경찰이 음주 측정을 위해 은색 제네시스를 멈추었다.
  E: 음주 측정을 위해 은색 제니시스가 멈추었다.
  C: 경찰이 은색 제네시스를 멈추게 하지 않고 통과시켰다.
  N: 은색 제네시스의 차주가 음주 측정 결과 음주 운전을 한 것으로 밝혀졌다.

2 P: 관리가 잘 안되어서인지 탄천변을 산책할 때면 하수구가 악취를 풍긴다.
  E: 관리가 잘 안되어서인지 탄천변을 산책할 때면 악취가 풍긴다.
  C: 관리가 잘 되어온 덕에 탄천변을 산책할 때에는 악취가 나지 않는다.
  N: 탄천변을 산책할 때면 악취로 인해 머리가 아프다.

3 P: 관객들의 기립 박수와 함께 공연관계자들이 무대의 막을 내렸다.
  E: 관객들의 기립 박수와 함께 무대의 막이 내렸다.
  C: 무대의 막이 내릴 때 공연에 실망한 관객들은 박수를 치지 않았다.
  N: 무대가 막을 내린 후에도 10분 간 기립 박수가 지속되었다.

4 P: 어두운 터널 속에서 진행된 구조 작전의 신호로 구급대원들이 손전등을 반짝였다.
  E: 어두운 터널 속에서 진행된 구조 작전의 신호로 손전등이 반짝였다.
  C: 어둠 속에서 진행된 구조 작전에 손전등을 사용하지 않았다는 점이 의아했다.
  N: 어두운 터널 속에서 진행된 구조 작전의 신호로 구급대원들이 호루라기를 불었다.

위에서 P는 전제문(premise)을, E/C/N은 가설문(hypothesis)의 함의 (entailment: E), 모순(contradiction: C), 중립(neutral: N)을 의미한다.

☞ 2단계 | SEED를 기반으로 생성 모델을 통한 1차 자동 증강

위의 30개 추론쌍을 기반으로 프롬프트(prompt)를 구성하여, 생성 모델을 통한 1차 데이터 자동 증강(augmentation)을 진행한다. 본 연구에서는 ChatGPT_3.5와 ChatGPT_4.0 생성모델을 사용하였다. 다음은 위에서 살핀 A05 유형의 추론쌍 SEED에 기반하여 새로운 추론쌍을 증강하기 위해 사용한 프롬프트의 예를 보인다.

이 작업에서는 자연어추론(NLI)을 위한 한국어 추론쌍이 주어집니다. 우선 [1]에는 추론쌍의 특징이 되는 통사적 정의문이 주어지고, [2]에는 이러한 정의문에 기반하여 구성된 '함의(E)' 관계의 추론쌍의 예가 주어집니다. [3]에는 위의 [2]에 대해 '모순(C)'과 '중립(N)' 관계의 추론쌍이 추가됩니다. 여기서 두 문장의 '함의(E)' 관계는 전제문(P)이 참일 때, 가설문(H)이 참일때 성립되며, 가설문이 거짓이면 '모순(C)', 가설문의 참/거짓을 판단할 수 없을 때 '중립(N)'의 관계가 됩니다.

여기서는 다음 [1]의 정의문을 읽고, [2]의 예문을 참고하여 10개의 함의 관계의 '전제문(P)-가설문(E)' 추론쌍을 구성하며, 그 다음 단계에서 [3]을 참고하여 다시 10개의 '전제문(P)-함의(E)-모순(C)-중립(N)'의 문장쌍을 10셋트 생성합니다. 이때 각 문장은 20개 이상의 문자열로 구성되도록 하며, 다양한 술어를 사용하고, 모순 문장의 생성시 부정 표현에만 편향되지 않도록 합니다.

[1] 정의문: 여기서 생성하는 '함의' 관계의 추론쌍은 '중립 동사(middle verbs)' 술어구에 기반한다. 중립동사는 타동구문과 자동구문에서 '형태 변화 없이' 실현되는 '타동성 교체(transitivity alternation)' 현상의 술어로서, 즉 P문에 실현된 타동문의 목적어가 H문의 주어 위치에 실현되어, 두 문장이 함의 관계를 구성한다.

[2] 전제문(P): 경찰이 음주 측정을 위해 은색 제네시스를 멈추었다.
　　가설문(E): 음주 측정을 위해 은색 제니시스가 멈추었다.

전제문(P): 관리가 잘 안되어서인지 도로옆을 산책할 때면 하수구가 악취를 풍긴다.
가설문(E): 관리가 잘 안되어서인지 도로옆을 산책할 때면 악취가 풍긴다.

전제문(P): 관객들의 기립 박수와 함께 공연관계자들이 무대의 막을 내렸다.
가설문(E): 관객들의 기립 박수와 함께 무대의 막이 내렸다.

[3] 전제문(P): 경찰이 음주 측정을 위해 은색 제네시스를 멈추었다.
가설문(E): 음주 측정을 위해 은색 제니시스가 멈추었다.
가설문(C): 경찰이 은색 제네시스를 멈추게 하지 않고 통과시켰다.
가설문(N): 은색 제네시스의 차주가 음주 측정 결과 음주 운전을 한 것으로 밝혀졌다.

전제문(P): 관리가 잘 안되어서인지 도로옆을 산책할 때면 하수구가 악취를 풍긴다.
가설문(E): 관리가 잘 안되어서인지 도로옆을 산책할 때면 악취가 풍긴다.
가설문(C): 관리가 잘 되어온 덕에 도로옆을 산책할 때에는 악취가 나지 않는다.
가설문(N): 도로옆을 산책할 때면 악취로 인해 머리가 아프다.

전제문(P): 관객들의 기립 박수와 함께 공연관계자들이 무대의 막을 내렸다.
가설문(E): 관객들의 기립 박수와 함께 무대의 막이 내렸다.
가설문(C): 무대의 막이 내릴 때 공연에 실망한 관객들은 박수를 치지 않았다.
가설문(N): 무대가 막을 내린 후에도 10분 간 기립 박수가 지속되었다.

실제로 이 단계의 데이터 자동 증강 결과물의 신뢰도는, 입력하는 프롬프트의 논리적 명료성에도 영향을 받지만, 언어학적 현상 자체의 난이도에 따라서 크게 차이를 보인다. 가령 위의 프롬프트에 기반하여 자동 증강된 추론쌍의 일부 예를 보면 다음과 같다.

1) 전제문(P): 정부는 에너지 절약을 위해 대형마트의 **조명을 낮췄다**.
   가설문(E): 에너지 절약을 위해 대형마트의 **조명이** 낮아졌다.
   가설문(C): 정부는 대형마트의 조명을 더욱 밝게 했다.
   가설문(N): 정부는 백화점의 조명을 낮췄다.

2) 전제문(P): 대학교 도서관은 학생들을 위해 **운영 시간을 연장했다**.
   가설문(E): 학생들을 위해 도서관의 **운영 시간이** 연장되었다.
   가설문(C): 도서관은 운영 시간을 단축하여 일찍 문을 닫았다.
   가설문(N): 대학교 도서관은 교직원을 위한 운영 시간을 연장했다.

3) 전제문(P): 직원들이 정시에 퇴근할 수 있도록 매니저가 **회의를 단축했다**.
   가설문(E): 매니저가 **회의를** 단축해서 정시에 퇴근이 가능해졌다.
   가설문(C): 매니저는 회의를 길게 늘려 직원들이 늦게 퇴근했다.
   가설문(N): 직원들이 퇴근하지 않고 야근을 하기로 결정했다.

위의 생성 결과에서 볼 수 있는 것처럼, '중립 동사'는 자동문과 타동문에서 '동사의 고유 형태가 변화하지 않아야 하는 것'이 중요한 조건임에도 불구하고, 실제로 자동 증강된 10개의 데이터에는 이러한 조건을 충족시키는 새로운 중립 동사 술어구에 기반한 추론쌍이 하나도 포함되지 않았다(표본에 대한 유효한 문장 비율 0%). 즉 '낮추다-낮아지다'와 '연장하다-연장되다', '(회의를) 단축하다-(회의를) 단축하다'에서 보는 것처럼, 동사의 형태가 '능동-수동' 유형으로 변환되거나, '목적어와 주어의 교차' 현상이 나타나지 않는 구문들이 생성되었다.

반면, '술어 변환' 대범주의 P13 '사역동사의 삭제' 유형의 경우, 이와 같은 방법으로 자동 증강된 결과를 보면, 앞서 A05 구문과는 달리 상대적으로 더 나은 성공률을 보이는 것을 확인할 수 있다(표본에 대한 유효한 문장 비율 40%). 다음에서는 생성된 10개 결과물 중 '전제문-함의 가설문' 쌍의 예를 보인다.

[1] 전제문(P): 회의가 끝난 후 팀장이 직원들에게 결과를 공유하도록 했다.
가설문(E): 회의가 끝난 후 직원들이 결과를 공유했다.

[2] 전제문(P): 강아지가 주인의 지시에 따라 친구들에게 **인사를 하도록 훈련받았다.**
가설문(E): 강아지가 친구들에게 **인사를 했다.**　　　　　[P문이 사역구문 아님]

[3] 전제문(P): 감독이 배우들에게 특정 장면에서 감정을 **극대화하도록 지시했다.**
가설문(E): 배우들이 특정 장면에서 감정을 **극대화했다.**　　[함의관계 아님 ☞N]

[4] 전제문(P): 폭우로 인해 직원들이 창문을 닫게 했다.
가설문(E): 폭우로 인해 창문이 닫혔다.　　　　　　　[P문이 사역구문 아님]

[5] 전제문(P): 부모님이 아이들에게 자기 전에 책을 읽게 했다.
가설문(E): 아이들이 자기 전에 책을 읽었다.

[6] 전제문(P): 의사가 환자들에게 매일 운동을 **하도록 권유했다.**
가설문(E): 환자들이 매일 운동을 했다.　　　　　　　[함의관계 아님 ☞N]

[7] 전제문(P): 교수가 학생들에게 논문을 주말까지 **제출하게 했다.**
가설문(E): 학생들이 논문을 주말까지 **제출했다.**　　　　[함의관계 아님 ☞N]

[8] 전제문(P): 환경 캠페인이 시민들에게 플라스틱 사용을 줄이게 했다.
가설문(E): 시민들이 플라스틱 사용을 줄였다.

[9] 전제문(P): 교통사고 소식이 사람들로 하여금 사고 현장을 피하게 했다.
가설문(E): 사람들이 사고 현장을 피했다.

[10] 전제문(P): 교사가 학생들에게 주어진 시간 안에 문제를 **풀도록 했다.**
가설문(E): 학생들이 주어진 시간 안에 문제를 풀었다.　[함의관계 아님 ☞N]

위의 예문을 보면, [2]와 [4]의 전제문(P)은 사역동사 구문의 통사적 정의에 부합하지 않는 반면, 나머지 8개는 구조적으로는 넓은 의미의 '사역 구문'의 정의를 충족시키고 있다. 다만 [3]과 [6]에서는 사역의 '하다' 대신 '지시하다'나 '권유하다'가 실현되어 본래의 사역구문 정의에 정확히 부합되지 않으며, [7], [10]과 함께, '함의'가 아닌 '중립'의 관계쌍을 구성하고 있다. 따라서 실제 증강할 수 있는 문장쌍으로 그 나머지 4개만이 검토의 대상이 된다.

☞ 3단계 | 주석자에 의한 2차 데이터 수동 증강

위 2단계에서 자동 증강된 데이터의 완성도는 세부 스키마의 추론쌍 유형에 따라 그 편차가 심하게 나타났다. 따라서 이에 대한 주석자의 수정 및 보강을 통해 문장쌍이 재구성되는 과정이 반드시 수반되어야 한다.

특히 생성 모델이, 주어진 언어학적 속성을 이해하지 못한 경우에는 본래의 의도와 전혀 어긋나는 유형이 생성될 수 있는데, 이 경우 프롬프트를 보완하여 2차 자동 증강을 시도하거나 또는 추론쌍 자체를 새로 수동 생성하는 과정을 진행하는 것이 필요하다. 이 단계를 통해 전체 78가지 세부 유형에 대해 각각 210개의 추론쌍을 구성하였다.

☞ 4단계 | 검수자에 의한 3차 데이터 수동 보강

위 3단계에서 2차 데이터셋이 구성되면, 4단계에서는 제3의 주석자가 다음과 같은 기준점을 토대로 문장쌍을 수정하고 보강하는 단계를 진행한다.

▪ 문장 표현이 의미적으로 그리고 통사적으로 부자연스럽지 않은가?

- 문장이 너무 단순하거나 반복적인 어휘/패턴이 사용되지 않았는가?
- 개인적 정보나 편향적 표현, 공격적 발언이나 심하게 정제되지 않은 표현이 섞여 사용되지 않았는가?
- 초점이 되는 언어 속성 외에, 반복적인 기재가 사용되지 않았는가? (예: '모순' 관계에 '부정' 표현이 반복되어 artifacts 문제가 발생되는 것과 같은 현상에 대해 주의)

4단계에서 이와 같은 3차 데이터 수동 보강이 이루어지면, 이제 모델 학습을 위한 최종 데이터셋이 구성된다. 현재 KOLIN 데이터는 하나의 전제문(P)에 대해 3가지 레이블(E/C/N)에 해당되는 가설문(H)이 대응되도록 하여 생성되었다. 다음은 앞서 논의한 A05 '목적어와 주어의 교차' 유형(즉 중립동사 구문으로, 다음 표에서 '함의(E)' 관계로 나타남)에 대한 KOLIN 데이터셋의 일부 예를 보인다.

세분류	전제문(P)	가설문(H)	관계
A05	가게 주인이 늦게까지 공부하는 학생들의 끼니를 위해 밤늦게까지 가게를 영업했다.	가게가 늦게까지 공부하는 학생들의 끼니를 위해 밤늦게까지 영업했다.	E
A05	가게 주인이 늦게까지 공부하는 학생들의 끼니를 위해 밤늦게까지 가게를 영업했다.	가게가 오후 8시까지만 영업해서 늦게까지 공부하는 학생들은 사용하지 못했다.	C
A05	가게 주인이 늦게까지 공부하는 학생들의 끼니를 위해 밤늦게까지 가게를 영업했다.	가게 주인은 늦게까지 공부하는 학생에게는 서비스를 주었다.	N
A05	강력한 폭발이 건물들의 파편을 사방으로 날렸다.	강력한 폭발로 건물들의 파편이 사방으로 날렸다.	E
A05	강력한 폭발이 건물들의 파편을 사방으로 날렸다.	다행히 강력한 폭발에도 건물들은 아무런 타격을 입지 않았다.	C
A05	강력한 폭발이 건물들의 파편을 사방으로 날렸다.	강력한 폭발이 건물들의 파편을 사방으로 날려 사람들이 다쳤다.	N
A05	내 동생이 글씨가 엉망이라는 이유로 과학 서술형 점수를 깎였다.	글씨가 엉망이라는 이유로 내 동생의 과학 서술형 점수가 깎였다.	E
A05	내 동생이 글씨가 엉망이라는 이유로 과학 서술형 점수를 깎였다.	내 동생은 글씨가 엉망인데도 과학 서술형을 만점을 받았다.	C

A05	내 동생이 글씨가 엉망이라는 이유로 과학 서술형 점수를 깎였다.	내 동생이 글씨가 엉망이라는 이유로 과학 서술형 점수가 5점이 깎였다.	N
A05	10대 소녀들 사이에서는 장원영이 영향을 미치지 않는 곳이 없었다.	10대 소녀들 사이에서는 장원영의 영향이 미치지 않는 곳이 없었다.	E
A05	10대 소녀들 사이에서는 장원영이 영향을 미치지 않는 곳이 없었다.	10대 소녀들 사이에서 장원영이 가지는 파급력은 거의 없다.	C
A05	10대 소녀들 사이에서는 장원영이 영향을 미치지 않는 곳이 없었다.	20대 초반 여성들에게 장원영이 영향을 미치지 않는 곳이 없었다.	N
A05	7월 4일 6시 잠실에서 기아와 두산이 야구 경기를 시작했다.	7월 4일 6시 잠실에서 기아와 두산의 야구 경기가 시작했다.	E
A05	7월 4일 6시 잠실에서 기아와 두산이 야구 경기를 시작했다.	7월 4일 6시 잠실에서 기아와 두산의 야구 경기가 우천으로 취소되었다.	C
A05	7월 4일 6시 잠실에서 기아와 두산이 야구 경기를 시작했다.	7월 4일 6시경 잠실에서 시작한 경기는 기아의 승리로 끝이 났다.	N
A05	7월에 회사에서 모든 직원들에게 인센티브를 제공한다는 소식에 직원들이 눈을 반짝였다.	7월에 회사에서 모든 직원들에게 인센티브를 제공한다는 소식에 직원들의 눈이 반짝였다.	E
A05	7월에 회사에서 모든 직원들에게 인센티브를 제공한다는 소식에 직원들이 눈을 반짝였다.	회사에서 7월에 일부 직원들에게만 인센티브를 제공한다는 소식을 알렸다.	C
A05	7월에 회사에서 모든 직원들에게 인센티브를 제공한다는 소식에 직원들이 눈을 반짝였다.	7월에 회사에서 모든 직원들에게 인센티브를 제공한다는 소식에 직원들이 사내 게시판을 확인했다.	N
A05	국고가 바닥이 나자 정부는 공무원의 급여를 5% 내렸다.	국고가 바닥이 나자 공무원의 급여가 5% 내렸다.	E
A05	국고가 바닥이 나자 정부는 공무원의 급여를 5% 내렸다.	국고가 아무리 바닥이 나도 공무원의 급여는 늘 그대로 유지된다.	C
A05	국고가 바닥이 나자 정부는 공무원의 급여를 5% 내렸다.	국고가 바닥이 나자 정부가 하위 공무원의 급여만 5% 내렸다.	N
A05	국군의 날 행사에 행진하는 군인들이 힘차게 태극기를 높이 들고 휘날렸다.	국군의 날 행사에 태극기가 힘차게 높이 휘날렸다.	E
A05	국군의 날 행사에 행진하는 군인들이 힘차게 태극기를 높이 들고 휘날렸다.	국군의 날 행사에 행진하는 군인들이 맥없이 태극기를 쥐고 흔들었다.	C
A05	국군의 날 행사에 행진하는 군인들이 힘차게 태극기를 높이 들고 휘날렸다.	국군의 날 행사에 행진하는 공군들이 힘차게 태극기를 높이 들고 휘날렸다.	N

☞ 5단계 | 모델 학습을 위한 데이터셋 구성

　이상의 방법으로 전체 데이터가 구성되면, 이를 기반으로 NLI 모델을 학습시키기 위한 '학습용 데이터(train data)'와 '개발용 데이터(validation data)', '평가용 데이터(test data)'를 일정 비율로 구성한다. 본 연구에서는 전체 데이터의 규모가 상대적으로 그리 크지 않으므로 각각을 70%/10%/20%의 비율로 설정하여, 전체에서 랜덤(random) 방식으로 추출되도록 하였다. 이를 통해 전체 78가지의 언어학적 속성별 추론쌍이 골고루 분포할 수 있도록 하였다.

　현재 구축되어 있는 KOLIN 데이터셋(V1.0)의 초기 성능을 측정하기 위해 다음 장에서 이에 대한 기초적인 성능 평가 결과를 논의한다.

3 KOLIN 데이터셋 성능 평가

3.1 성능 평가를 위한 KOLIN 데이터셋 개요

현재 실험에 사용된 KOLIN 한국어 자연어추론 데이터는, 앞서 소개한 KOLINS 한국어 자연어추론 데이터 스키마에 기반하여 구축된 데이터셋으로서, 전체 78가지의 구문적 속성에 기반한 16,380개의 추론쌍으로 구성되어 있다. 여기서 현재 구축된 KOLIN 데이터셋의 성능 평가 실험을 위하여 데이터의 70%는 '학습용 데이터(training data)'로, 그리고 10%는 '개발용 데이터(development data)'로, 그리고 20%는 '평가용 데이터(test data)'로 분배하였다.

3.2 동일 환경에서의 KLUE_BERT와 KOLIN_BERT 모델의 파인튜닝

KOLIN 데이터셋의 성능을 평가하기 위하여, 우선 KLUE 자연어추론 데이터를 기반으로 파인 튜닝(fine-tuning)된 KLUE_BERT 모델과, KOLIN 데이터셋으로 파인 튜닝된 KOLIN_BERT 모델의 성능을 비교하였다(남지순 외 2024).[19]

---

19) KOLINS 데이터 스키마를 기반으로 KOLIN 데이터를 기획·구축·검수하는 과정은 남지순, 양채연, 변주형, 정민선, 김수연, 유광훈 한국외국어대학교 디지털언어지식콘텐츠연구센터(DICORA) 연구진이 공동 참여하였다. 데이터 스키마 구성 및 전체 데이터 기획 과정은 남지순 교수가 총괄하고, 데이터 구축 검수, 그 과정에 대한 보고서 작성은 양채연, 변주형, 정민선, 김수연 연구원이 담당하였으며, 데이터 성능 향상 및 실험과 관련된 부분은 유광훈 연구원이 담당하였다. KOLIN 데이터 구축과 관련된 상세한 세부 논의 및 모델의 성능 향상과 관련된 연구 결과들은 별도의 지면을 통해 소개될 예정이다.

이를 위해 우선 이들을 동일한 파라미터와 실험 환경 조건 하에서 파인 튜닝하는 과정을 진행하였다. 이를 위해 사용한 실험 파라미터는 다음과 같다.

idx	Parameter	Value
1	Max sequence length	128
2	GPU	NVIDIA L4
3	Batch size	32
4	Learning rate	0.00002
5	Optimizer	AdamW
6	Weight decay	0.008
7	Dropout	0.1
8	Training epochs	3
9	Warmup ratio	0.15

이와 같이 동일한 환경에서 KLUE_BERT 모델과 KOLIN_BERT 모델의 파인 튜닝이 수행되었으나, 실제로 두 모델의 학습을 위해 사용된 데이터셋의 규모는 다소 차이가 있다. KLUE_BERT 모델의 학습을 위해 사용된 데이터셋의 규모는 KLUE_train으로 공개된 25,000여개 문장쌍을 사용하였으나, KOLIN_BERT 모델의 학습을 위해 사용된 KOLIN_train 데이터셋의 규모는 전체 16,380개의 70%인 11,466개에 불과하여 KLUE_BERT 모델을 위한 학습 데이터의 약 46% 크기의 규모에 그친다. 이런 점에서 두 모델 학습을 위한 파라미터와 실험 환경을 동일하게 설정하였음에도 불구하고, 학습 데이터셋의 규모면에서 차이가 있으므로 두 모델의 성능을 엄격히 비교하기에는 다소 한계가 있다.

3.3 KOLIN_test 데이터셋에 기반한 KLUE/KOLIN_BERT 모델 비교

위에서 파인 튜닝된 KLUE_BERT 모델과 KOLIN_BERT 모델의 성능을 평가하기 위해, KOLIN 데이터셋의 20%(즉 3,276개 추론쌍)로 구성된 KOLIN_test 평가용 데이터를 사용하였다. 실험 결과는 다음과 같다.

idx	Model	Train Data	Accuracy	F-measure
1	KOLIN_BERT	KOLIN_train	83.52 %	83.52 %
2	KLUE_BERT	KLUE_train	73.78 %	73.62 %

여기서 보는 바와 같이 KOLIN_BERT는 f-measure 83.52%로, 73.62%로 나타난 KLUE_BERT에 비해 약 10% 정도 높은 성능을 보여주었다.

그런데 KLUE 데이터로 파인 튜닝된 BERT 모델 성능에 대한 Park et al.(2021) 연구에서는 위와는 다른 결과가 보고된 바 있다. 다음 표에서처럼 accuracy가 위의 73.78%와 달리 81.63 %로 나타났다.

Model	YNAT	KLUE-STS		KLUE-NLI
	F1	R^P	F1	ACC
mBERT$_{BASE}$	81.55	84.66	76.00	73.20
XLM-R$_{BASE}$	83.52	89.16	82.01	77.33
XLM-R$_{LARGE}$	**86.06**	92.97	85.86	85.93
KR-BERT$_{BASE}$	84.58	88.61	81.07	77.17
KoELECTRA$_{BASE}$	84.59	<u>92.46</u>	<u>84.84</u>	<u>85.63</u>
KLUE-BERT$_{BASE}$	<u>85.73</u>	90.85	82.84	81.63
KLUE-RoBERTa$_{SMALL}$	84.98	91.54	85.16	79.33
KLUE-RoBERTa$_{BASE}$	85.07	92.50	85.40	84.83
KLUE-RoBERTa$_{LARGE}$	85.69	**93.35**	**86.63**	**89.17**

여기서 이러한 차이가 발생하는 이유는, 앞서도 논의한 바와 같이, 리소스와 하드웨어, 파라미터의 설정이 동일하지 않기 때문이다. 또한 실험에 사용된 평가용 데이터셋의 차이도 이러한 결과에 영향을 미쳤을 것으로 판단되며, 이러한 제한점들은 추후 보강된 실험을 통해 극복될 수 있을 것으로 기대된다.

Park et al.(2021) 연구에서 제시한 위 표에서, KLUE_BERT_base의 accuracy는 81.63%로 나타난 반면, KLUE_RoBERTa_large의 경우에는 89.17%로 나타났다. 이는 다음 장에서 논의할 KOLIN_RoBERTa_large의 89.69%와 유사한 수치로서, 현재 본 연구에서 사용한 실험 파라미터가 최소한의 수치로 설정되어 있다는 점을 고려하면, KOLIN 데이터셋의 성능 결과가 고무할 만하다고 판단된다.

다음은 앞서 73.62%의 f-measure 성능을 보인 KLUE_BERT 모델에서, 올바르게 분류하지 못한 추론쌍의 몇가지 예를 보인다. 아래 표에서, '예측'은 모델이 추론한 결과를, 그리고 '정답'은 평가 데이터에 제시되어 있는 '함의(E)/모순(C)/중립(N)'의 레이블을 의미한다. 오른쪽의 '세분류'는 KOLINS 스키마의 78가지 통사적 속성 유형들을 나타낸다.

번호	전제문(P)	가설문(H)	예측	정답	세분류
1	어릴 때 나는 민재보다 달리기가 빠른 편이었다.	어릴 때 민재가 나보다 달리기가 느린 편이었다.	C	E	논항교차
2	민경이가 **자동차 세 대가 트럭**과 추돌한 사고가 일어났다고 했다.	민경이가 **자동차가 세 대의 트럭**과 추돌한 사고가 일어났다고 했다.	E	N	수량표현 변형
3	이 집의 전세 보증금은 **1억 원으로** 주변 시세와 비교해보면 꽤 합리적인 편이다.	이 집의 전세 보증금은 **100,000,000원으로** 주변 시세와 비교해보면 꽤 합리적인 편이다.	C	E	수량표현 변형
4	**옆집 아이의 키가 커** 모델을 해도 될 것 같았다.	옆집 아이는 키가 작았다.	E	C	주격 중출문
5	정부는 경제 회복이 **예상보다 빠를 것이라고** 낙관적으로 말했다.	경제 회복이 예상보다 빨랐다.	E	N	사실/함축 동사삭제
6	**모든 예술 작품은 고유의** 가치와 의미를 지닌다.	**모든 현대 예술 작품은** 고유의 가치와 의미를 지닌다.	N	E	양화사 단조성

7	내일 있을 프레젠테이션 준비 시간이 단지 하루 남아서 밤새워 준비할 수밖에 없다.	내일 있을 프레젠테이션 준비 시간이 정확히 24시간 남아서 밤새워 준비할 수밖에 없다.	C	E	시간표현 변형
8	**오후에 비가 올 것 같으니** 우산을 꼭 챙겨서 출근해야 한다.	**오후에 비가 올 것 같지는** 않다.	E	C	부사절 변형
9	이세돌은 알파고가 **자신과의 바둑 대결에서 승리했다**는 사실을 인정했다.	**이세돌이 알파고와의 대결에서 승리했다.**	E	C	사실/함축 동사삭제
10	퇴근 시간이라 길이 너무 막히는 바람에 연진이가 동은이와의 약속에 늦을 **뻔했다.**	퇴근 시간이라 길이 너무 막히는 바람에 연진이가 동은이와의 약속에 늦었다.	E	C	우언적 구성변형
11	그 사람은 **가짜** 변호사이면서 **돈많은** 사업가이다.	그 사람은 **돈많은** 변호사이면서 **가짜** 사업가이다.	E	C	수식어 교차
12	현수가 **에펠탑 앞에서** 프러포즈를 했고 지민이는 수락했다.	현수가 **파리의 유명 명소에서** 프러포즈를 했고 지민이는 수락했다.	N	E	지리적 세계지식
13	그는 일어나 물통이 있는 쪽으로 **가려고 했다.**	그는 일어나 물통이 있는 쪽으로 **갔다.**	E	N	우언적 구성변형
14	관객들의 기립 박수와 함께 배우들이 **무대의 막을 내렸다.**	**무대의 막이 내릴 때** 무대에 실망한 관객들은 박수를 치지 않았다.	N	C	중립동사 논항변형
15	내 친구와 내 동생이 **소매치기를 당한 사람을** 도와주었다.	**내 동생이 소매치기를** 당했다.	E	N	관계절 변형

16	부모가 아이에게 <u>스스로</u> 신발을 신게 하여 자립심을 길렀다.	아이가 <u>스스로</u> 신발을 신어 자립심을 길렀다.	C	E	사역구문 삭제
17	경찰이 음주 측정을 위해 <u>은색 제네시스를 멈추었다.</u>	음주 측정을 위해 <u>은색 제네시스가 멈추었다.</u>	C	E	중립동사 논항변형
18	반드시 이 약은 식후에 <u>복용해야만 합니다.</u>	이 약은 밥을 먹지 않고 <u>먹어도 됩니다.</u>	N	C	관용적 유의어

위에서 볼 수 있는 것처럼, 한 문장의 두 논항이 서로 교차하거나 치환될 때, 또는 한국어 고유의 수사 체계에 의한 수량 표현 변형이 일어날 때, 주격 중출문이나 우언적 구성과 같은 구문적 특징이 나타날 때, 함축동사나 사실동사가 삽입 또는 삭제될 때, 수식어 또는 관계절의 수식 관계가 바뀔 때나 중립동사나 사역동사 구문이 변형될 때, 그리고 시간 표현의 관용적 유의어나 세계 지식에 기반한 변형이 나타날 때 등 다양한 통사적 구조에 기반한 추론쌍이 구성될 때, 모델이 정확한 추론 관계를 파악하지 못하여, 이에 따른 올바른 라벨링을 부여하지 못하였다.

3.4 KOLIN_BERT 모델과 KOLIN_RoBERTa 모델 성능 비교

본 연구에서는 언어학적 속성에 기반한 한국어 추론 데이터를 설계하고 이를 구현하는 문제에 초점을 두었기 때문에, 앞서도 언급한 바와 같이 데이터 성능 평가를 위한 모델의 파라미터 및 알고리즘, 하드웨어적인 환경 등에 대해서는 최소한의 설정만을 유지하였다.

다만 위에서 논의된 BERT 모델보다 더 향상된 성능을 보이는 것으로 평가되는 RoBERTa_large 모델의 성능 결과를 추가로 검토하였다. 이를 위해 우선 KOLIN_train 학습데이터를 사용하여, 앞서 파인 튜닝한 KOLIN_BERT 모델과 동일한 조건에서 KOLIN_RoBERTa_large 모델을 파인 튜닝하였다. 그 결과, 두 모델의 성능을 비교하면 다음과 같다.

idx	Model	Train Data	F-measure
1	KOLIN_BERT_base	KOLIN_train	83.52 %
2	KOLIN_RoBERTa_large	KOLIN_train	89.70 %

앞서 KOLIN 데이터로 파인 튜닝한 KOLIN_BERT 모델이 83.52%의 성능을 보였던 것에 비해, KOLIN_RoBERTa_large 모델의 경우, 89.70%라는 거의 90%에 이르는 보다 향상된 성능을 보이는 것을 확인할 수 있다. 이를 통해 하드웨어적인 환경을 보다 강화한다면, 현재의 결과보다 더 향상된 성능을 기대하는 것이 가능할 것이라 생각된다.

이상에서 논의한 KOLIN 데이터셋의 성능 평가 결과를 통해, 한국어의 언어학적 속성을 체계적으로 기술하고 그 특징을 반영하는 KOLINS 한국어 자연어추론 데이터 스키마의 유효성을 간접적으로 확인하였다. 이 책에서 제시한 한국어 자연어추론 데이터 구축을 위한 78가지 언어학적 속성을 기반으로, 향후 현 버전의 KOLIN(V1.0) 데이터셋보다 더 다양하고 정교하게 NLI 데이터셋을 구축하는 것이 가능하게 될 것으로 기대된다. 이러한 과정을 통해 한국어 추론 데이터셋이 더 확장되고 보강되면, 이 책에서 소개한 모델의 성능에 비해 보다 향상되고 강화된 모델의 성능을 기대할 수 있을 것이다.

본 연구를 통해, 언어학적 통사 유형별 속성에 기반한 데이터셋을 사용하여 모델을 파인 튜닝하고 테스트하는 과정을 진행하는 경우, 특히 어떠한 언어학적 현상에 대한 추론 성능이 취약한지를 개별적으로 실험하고 이를 보강하는 것이 가능하다는 점을 확인할 수 있다. '설명 가능한 AI(eXplainable AI: XAI)'를 구현하기 위해 언어학적(symbolic) 접근법을 기반으로 보강된 하이브리드 방식의 연구가 왜 중요한지를 다시 한번 성찰할 수 있는 기회가 될 것으로 기대한다.

참고 문헌

남지순 2007. 한국어 형용사 어휘문법. 한국문화사.

남지순, 양채연, 변주형, 정민선, 김수연, 유광훈. 2024. 한국어 자연어추론 데이터 스키마 KOLINS와 이에 기반한 데이터 구축 연구. DICORA-TR-2024-01. 한국외국어대학교 디지털언어지식콘텐츠연구센터(DICORA).

도재학 2014 우언적 구성의 개념과 유형에 대하여 국어학 71, 259-304.

손혜옥 2009 동족 목적어 구문의 유형과 구조, 65-91.

연재훈 1989 국어 중립동사 구문에 대한 연구 한글 165-188.

한지윤. 2021. 한국어 추론 벤치마크 데이터 구축 방법론 연구. 연세대학교 박사학위 논문.

홍재성 1987. 현대 한국어 동사구문의 연구. 탑출판사.

Boons, Jean-Paul, Alain Guillet, & Christian Leclère. 1976. La structure des phrases simples en français: constructions intransitives. Genève: Droz.

Bowman, Samuel R., Gabor Angeli, Christopher Potts, & Christopher D. Manning. 2015. A large annotated corpus for learning natural language inference. In Proceedings of the 2015 Conference on Empirical Methods in Natural Language Processing. 632-642.

Chien, Tiffany & Jugal Kalita. 2020. Adversarial Analysis of Natural Language Inference Systems. In IEEE 14th International Conference on Semantic Computing (ICSC).

Conneau, Alexis, Ruty Rinott, Guillaume Lample, .. & Vaselin Stoyanov. 2018. XNLI: Evaluating cross-lingual sentence representations. In Proceedings of the 2018 Conference on Empirical Methods in Natural Language Processing. 2475-2485.

Cooper, Robin, Dick Crouch, Jan van Ejick, ⋯ & Steve Pulman. 1996. FraCaS: A Framework for Computational Semantics.

Dagan, Ido, Oren Glickman, & Bernardo Magnini. 2005. The PASCAL Recognising Textual Entailment Challenge. In Proceedings of the PASCAL Challenges Workshop on Recognising Texual Entailment.

Ghosal, Deepanway, Pengfei Hong, Siqi Shen, .. & Soujanya Poria. 2021. CIDER: Commonsense Inference for Dialogue Explanation and Reasoning. https://doi.org/10.48550/arXiv.2106.00510.

Ghosal, Deepanway, Siqi Shen, Navonil Majumder, .. & Soujanya Poria. 2022. CICERO: A Dataset for Contextualized Commonsense Inference in Dialogues. https://doi.org/10.48550/arXiv.2203.13926.

Gururangan, Suchin., Swabha Swayamdipta, Omer Levy, .. & Noah A. Smith. 2018. Annotation artifacts in natural language inference data. In Proceedings of the 2018 Conference of the North American Chapter of the Association for Computational Linguistics: Human Language Technologies. 107-112.

Ham, Jiyeon, Yo Joong Choe, Kyubyong Park, .. & Hyungjoon Soh. 2020. KorNLI and KorSTS: New Benchmark Datasets for Korean Natural Language Understanding. In Findings of the Association for Computational Linguistics: EMNLP 2020. 422-430.

Karttunen, Lauri. 1971a. Implicative verbs. Language 47-2. 340-358.

Karttunen, Lauri. 1971b. Some observations on factivity. Research on Language and Social Interaction. 55-69.

Lin, Luca. 2023. Investigating Syntactic Enhancements in LLMs with Graph Convolutional Networks for Natural Language Inference. Master Artificial Intelligence, Utrecht University.

MacCartney, Bill. 2009. Natural language inference. Ph.D. thesis. Stanford University.

Marelli, Marco, Luisa Bentivogli, Marco Baroni, .. & Roberto Zamparelli. 2014. SemEval-2014 Task 1: Evaluation of Compositional Distributional Semantic Models on Full Sentences through Semantic Relatedness and Textual Entailment. In Proceedings of the 8th International Workshop on Semantic Evaluation (SemEval 2014), 1-8.

McCoy, Tom., Ellie Pavlick, & Tal Linzen. 2019. Right for the Wrong Reasons: Diagnosing Syntactic Heuristics in Natural Language Inference. In Proceedings of the 57th Annual Meeting of the Association for Computational Linguistics. 3428-3448.

Mostafazadeh, Nasrin, Aditya Kalyanpur, Lori Moon, .. & Jennifer Chu-Carroll. 2020. GLUCOSE: GeneraLized and COntextualized Story Explanations. https://doi.org/10.48550/arXiv.2009.07758.

Nairn, Rowan., Cleo Condoravdi, & Lauri Karttunen. 2006. Computing relative polarity for textual inference. In Proceedings of ICoS-5

(Inference in Computational Semantics).

Nam, Jeesun. 1996. Classification syntaxique des constructions en coréen. John Benjamins Publishing Company. Amsterdam/Philadelphia.

Nam, Jeesun. 2014 Two-arguments-crossing phenomena in adjectival constructions. Language Sciences 45. Elsevier. 96-122.

Park, Sungjoon, Jihyung Moon, Sungdong Kim, .. & Kyunghyun Cho. 2021. KLUE: Korean Language Understanding Evaluation. In Thirty-fifth Conference on Neural Information Processing Systems (NeurIPS 2021). Advances in Neural Information Processing Systems.

Poliak, Adam., Jason Naradowsky, Aparajita Haldar, .. & Benjamin Van Durme. 2018. Hypothesis only baselines in natural language inference. In Proceedings of the Seventh Joint Conference on Lexical and Computational Semantics. 180-19.

Saha, Swarnadeep, Yixin Nie & Mohit Bansal. 2020. CONJNLI: Natural Language Inference Over Conjunctive Sentences. https://doi.org/10.48550/arXiv.2010.10418.

Salkoff, Morris. 1983. Bees are swarming in the garden: a systematic synchronic study of productivity. Language 59-2. 288-346.

Sánchez Valencia, Victor. 1995. Parsing-driven inference: Natural logic. Linguistic Analysis 25. 258-285.

Sap, Maarten, Ronan Le Bras, Emily Allaway, ⋯ & Yejin Choi. 2019. ATOMIC: An Atlas of Machine Commonsense for If-Then Reasoning. The Thirty-Third AAAI Conference on Artificial Intelligence (AAAI-19).

Sap, Maarten, Saadia Gabriel, Lianhui Qin, .. & Yejin Choi. 2020. SOCIAL BIAS FRAMES: Reasoning about Social and Power Implications of Language. https://doi.org/10.48550/arXiv.1911.03891.

Speer, Robyn, Joshua Chin, & Catherine Havasi. 2017. ConceptNet 5.5: An Open Multilingual Graph of General Knowledge. Proceedings of the Thirty-First AAAI Conference on Artificial Intelligence (AAAI-17).

Storks, Shane, Qiaozi Gao, & Joyce Y. Chai. 2020. Recent Advances in Natural Language Inference: A Survey of Benchmarks, Resources, and Approaches. https://doi.org/10.48550/arXiv.1904.01172.

Wang, Alex, Yada Pruksachatkun, Nikita Nangia, .. & Samuel Bowman.

2019. SuperGLUE: A Stickier Benchmark for General- Purpose Language Understanding Systems. 33rd Conference on Neural Information Processing Systems (NeurIPS 2019).

Wang, Alex., Amanpreet Singh, Julian Michael, .. & Samuel Bowman. 2018. GLUE: A multi-task benchmark and analysis platform for natural language understanding. In Proceedings of the 2018 EMNLP Workshop BlackboxNLP: Analyzing and Interpreting Neural Networks for NLP.

Williams, Adina, Nikita Nangia & Samuel R. Bowman. 2018. A Broad-Coverage Challenge Corpus for Sentence Understanding through Inference. https://doi.org/10.48550/arXiv.1704.05426.

Xie, Ning, Farley Lai, Derek Doran, & Asim Kadav. 2019. Visual Entailment: A Novel Task for Fine-Grained Image Understanding. https://doi.org/10.48550/arXiv.1901.06706.

Yanaka, Hitomi, Koji Mineshima, Daisuke Bekki, .. & Johan Bos. 2019a. HELP: A Dataset for Identifying Shortcomings of Neural Models in Monotonicity Reasoning. In Proceedings of the English Joint Conference on Lexical and Computational Semantics. 250-255.

Yanaka, Hitomi., Koji Mineshima, Daisuke Bekki, .. & Johan Bos. 2019b. Can neural networks understand monotonicity reasoning? In Proceedings of the 2019 ACL Workshop BlackboxNLP: Analyzing and Interpreting Neural Networks for NLP. 31-40.

Young, Peter, Alice Lai, Micah Hodosh, & Julia Hockenmaier. 2014. From image descriptions to visual denotations: New similarity metrics for semantic inference over event descriptions. Transactions of the Association of Computational Linguistics 2. 67-78.

리니토북스